두고 온 고향 외

전광용문학전집 6

두고 온 고향 외

초판 제1쇄 인쇄 2011년 11월 20일
초판 제1쇄 발행 2011년 12월 15일
지은이 | 전광용
엮은이 | 전광용문학전집 간행위원회 편
펴낸이 | 지현구
편집장 | 박종훈
편　집 | 김수영 김보미
디자인 | 이보아 이효정
펴낸곳 | 태학사
등록 | 제406-2006-00008호
주소 | 경기도 파주시 문발동 파주출판도시 498-8
전화 | 마케팅부 (031) 955-7580~82 편집부 (031) 955-7585~89
전송 | (031) 955-0910
전자우편 | thaehak4@chol.com
홈페이지 | www.thaehaksa.com

ⓒ 2011 전광용, 태학사

전6권 150,000원

ISBN　978-89-5966-467-2　04810
　　　978-89-5966-461-0 (세트)

전광용 문학전집 6

두고 온 고향 외

태학사

『전광용문학전집』을 내면서

소설가이며 국문학자이셨던 백사(白史) 전광용(全光鏞) 선생의 모든 저작을 한데 모아『전광용문학전집』전6권을 새로 펴낸다. 1권, 2권, 3권에는 선생이 발표한 소설들을 수록하였고, 4권과 5권은 단행본으로 발간된 바 있는『한국현대문학논고』와『신소설연구』를 각각 수록하였다. 그리고 6권은 선생이 생전에 발표한 수필과 산문들을 찾아 한 권의 책으로 꾸몄다.

전광용 선생은 호적부에 1919년 3월 1일 출생으로 기록되어 있지만 실제로는 1918년 음 9월 5일 함경남도 북청군 거산면(居山面) 하입석리(下立石里) 1011번지에서 태어났다. 성천촌(城川村)이라는 작은 마을의 과수원집에서 성장한 선생은 부친 전주협(全周協)과 모친 이녹춘(李彔春)의 2남 4녀 가운데 장남이었다. 고향인 북청에서 북청공립농업학교를 졸업한 후 경성경제전문학교에 입학하였는데, 해방 직후 이 학교가 서울대학교 상과대학으로 바뀌자 2년을 수료한 후 진로를 바꾸었다. 1947년 9월 서울대학교 문리과대학 국어국문학과에 입학하면서 문학에 뜻을 두게 된 것이다.

전광용 선생의 글쓰기 작업은 소설가로서의 창작활동을 통해 그 특징이 잘 드러나고 있다. 선생은 1948년 11월 정한숙(鄭漢淑), 정한모(鄭漢模), 남상규(南相圭), 김봉혁(金鳳赫) 등과 함께 《주막(酒幕)》 동인을 결성하고 창작활동을 시작하였고, 1955년 1월 조선일보 신춘문예에 단편소설 「흑산도(黑山島)」가 당선되면서 정식으로 소설문단에 등단한다. 비록 다작은 아니었지만 열정을 담은 많은 문제작을 내놓았다. 선생의 작품은 주로 냉철한 현실적 시각으로 인간의 삶을 그려놓고 있기 때문에, 현실에 대한 비판적 의미가 두드러지게 나타나고 있다. 선생은 생전에『흑산도』, 『꺼삐딴 리』, 『동혈인간』, 『목단강행 열차』 등의 작품집과 장편소설『태백산맥』, 『나신(裸身)』, 『창과 벽』, 『젊은 소용돌이』 등을 발표하였다. 이러한 소설적 작업은 '동인문학상', '대한민국문학상' 등의 수상으로 더욱 그 권위를 인정받게 되었다. 선생의 소설은 대부분 인간의 삶과 현실에 대한 진실 탐구에 그 목표를 둔 것이었고, 엄격한 윤리적 가치관에 의해 그 주제가 표출되곤 하였다. 선생은 창작활동 후반기에 이르면서 망향의 정을 그린 소설을 자주 발표하였다. 북에 두고 온 가족과 고향에 대한 사무친 그리움이 단편집『목단강행 열차』에 감동적으로 스며들어 있다.

전광용 선생은 국문학자로서 모교인 서울대학교 국어국문학과에서 교육과 연구에 평생을 바쳤다. 선생이 주로 관심을 두었던 학문영역은 우리 근대문학의 성립 단계에 형성된 신소설에 대한 연구이다. 6·25전쟁 직후 한국현대문학 연구가 대학에서 학문적 기반을 제대로 갖추고 있지 못한 상태에 놓여 있을 때, 선생은 아무도 거들떠보지 않는 신소설 연구에 몰두하였다. 처음으로 서울대학교 문리과대학 국어국문학과 전임교수가 되어 한국현대문학 강의를 맡으면서 그 학문적 체계화를 위해 힘을 기울였다. 선생의 신소설 연구는 철저한 자료조사, 정밀한 해독, 엄격한 가치평가로 이미 널리 알려져 있거니와, 그 성과에 힘입어 한국현대문학의 첫머리에서 서술되게 마련인 신소설에 대한 설명이 명확한 소설사적 체계를 갖출 수 있게 되었다. 이러한 학문적 성과는 '사상계논문상'으로 높이 평가되기도 하였다. 선생은 모교에서 정년퇴임을 맞이할 무렵에 제자들의 권유에 따라 그동안 발표한 연구논문들을 모아『한국현대문학논고』와『신소설연구』를 발간하였다. 선생의 「이인직연구」를 서두에 싣고 제자들이 논문을 모아 한국현대소설사를 정리한 정년퇴임 기념논문집인『한국현대소설사연구』가 만들어지자 당신의 저작을 책으로 묶는 것을 허락하였다. 이 두 권의 책은 선생의 학문적 열정과 태도를 확인할 수 있는 중요한 업적이라고 할 수 있거니와『한국현대소설사연구』와 더불어 현대문학 연구의 학문적 토대가 쌓여진 과정을 그대로 드러내고 있는 것이라고 하겠다.

전광용 선생은 고향인 함경도 북청을 떠나 문학 공부를 위해 서울로 올라 왔고, 분단 후 다시 고향을 찾을 수 없었다. 그렇기 때문에 단신으로 온갖 어 려움 속에서 문학과 학문의 꿈을 키워야만 하였다. 문학이 유일한 길이었고 삶의 전부였던 것이다. 선생은 문학에 대한 열정을 강조하면서도 이것을 생업 으로 삼기에는 너무 고달픈 일이라고 하였다. 창작이든 문학 연구든 간에 각 별한 사랑과 열정이 없이 문학을 한다는 것은 잘못이며, 거기서 물질적인 것 을 구한다는 것도 기대할 수 없는 일이라는 거였다. 아마도 이러한 충고와 훈 계는 모두 개인적 경험에서 비롯된 것이 아닌가 생각된다.

전광용 선생은 언제나 학문의 성과에 대한 엄격한 평가를 강조하였지만, 다 른 학자들의 연구업적에 대해 결코 무시하는 법이 없었다. 학위논문을 쓰면 서, 선배들의 연구업적에 대한 소개를 소홀히 하거나, 자기주장에만 매달린 학생에게는 몹시 꾸중을 하였다. 이는 앞서 걸어간 사람들의 고통을 생각하지 않는 경망을 훈계하기 위한 일이었다. 그러면서도 선생은 결코 당신께서 해온 연구작업을 부추겨 내세우는 법이 없었다. 1950년대 중반부터 시작된 신소설 연구가 거의 10여 년에 걸쳐 지속되었고, 그것을 함께 모아 한 권의 책으로 묶을 수 있는 분량이 훨씬 넘었을 뿐만 아니라, 국문학계에서도 그 업적의 발 간을 기다렸지만 선생님께서 한사코 이를 사양하였다. 책을 간행한다는 것이 자칫 자기 학문의 불필요한 과시가 될 수도 있다는 말씀을 하신 일이 있다. 그러나 이보다도 한국현대소설사의 윤곽을 해명할 수 있을 때까지 그 간행을 미루었던 것이 아닌가 생각되기도 한다.

전광용 선생은 1988년 6월 21일 세상을 떠났다. 이제는 다시 선생의 모습을 뵈올 수 없고 그 음성을 들을 수도 없지만, 선생이 남긴 소설과 연구 논문은 한국문학의 한복판에 자리하고 있다. 선생의 가르침을 따라 한국현대문학 연구의 학풍을 이어가는 것이 우리 제자들이 선생의 뜻을 기리는 일일 것이다. 오늘『전광용문학전집』이라는 이름으로 한데 묶여진 선생의 책과 글 속에 담긴 소중한 뜻이 조금도 헛되지 않게 이어지길 기대한다. 이 책을 엮는 데에 참여한 모든 제자들은 함께 머리 숙여 선생의 명복을 빈다. 어려운 여건 속에서 전집의 간행을 맡아준 태학사 지현구 사장께 감사드린다.

2011년 가을에 권영민

3부

제1부

나의 학문과 생활
- 학문과 예술의 두 길을 걸어오면서 -

1

나 자신이 국문학분야를 전공으로 택하여 연관을 가진지도 어느덧 30여 년의 세월이 흘러갔다.

그 사이 세상도 많이 변했고 나라의 형편을 비롯한 주변의 여건도 많은 변천을 가져왔을 뿐더러, 나 자신 또한 20대의 정열과 투지에 넘치는 젊음에서 이제 60대의 늙음으로 변모해 왔다.

한 인간이 그의 삶을 영위해가는 데는 대체로 다음 두 가지의 문제가 전제된다고 본다. 그 하나는 생명을 유지하며 살아간다는 일상생활의 문제요, 다른 하나는 삶의 보람을 찾아 무엇인가 이루어 놓고자 하는 인생의 의의 그것이다.

따라서 생명의 유지를 위하여 먹고 입고 살아가는 그것만으로 족하게 인생을 살아가는 사람도 있고, 반면 그러한 일상생활은 다소 희생하더라도 삶의 값어치를 위하여 그리고 좀 더 넓게는 겨레와 나라 또는 인류 문화의 발전을 위하여 전 생애를 송두리째 바치는 그러한 경우도 있다. 물론 전자와 후자가 다 충족될 수 있는 삶이라면 그것은 두말할 것 없이 인생의 이상적인 지표이기도 하겠지만, 그것은 그렇게 이루어지기 쉬운 일도 아니요, 또한 그러한 실례는 그렇게 흔한 것도 아니다.

위대한 애국자나 정치가나 종교인이 가족의 생계를 돌볼 겨를이 없이 큰일을 위하여 노심초사 분골쇄신하면서도 비명으로 희생되기 쉽고, 이름난 학자나 예술가가 사생활은 거의 돌보지 않고 고독함 속에서 남이 놀 때 놀지 못하고 남이 쉴 때 쉬지 못하면서도, 연구와 창조의 빛나는 업적을 남기는 실증을 우리는 역사에서 그리고 현실에서 적지 않게 접하게 된다.

배불리 먹고 편안히 산다는 것은 남보다 좀 더 성실하고 부지런하면 누구든지 이룰 수 있는 일이다. 그것은 비단 인간뿐만 아니라 동물의 세계에도 있을 수 있는 일이다.

그러나 무엇인가 뜻있고 가치있는 보람된 삶으로 자기 혼자만이 아닌, 남을 위해 보탬이 되고 도움이 되고 그리하여 한 인간의 삶의 값있는 흔적을 남기는 그러한 인생은, 작거나 크거나 간에 숭고한 자기희생과 견고한 의지와 각고의 노력이 따르지 않으면 이루어지기 힘든 것이다.

아마도 대부분의 인간은 아직도 사회의 복잡하고도 혼탁한 물이 들기 전의 순수한 상태에서는, 이러한 이상과 희생에 불타고 또한 그러한 방향으로 노력할 것이나 주변의 여건과 의식주라는 기본생활의 장애, 그리고 일상적인 욕망의 유혹 등으로 말미암아 자기만을 위한 범속한 생활에서 헤어나기 힘든 것이 현실적인 실정이기도 하다.

그러기에 인생이란 그리고 한 인간의 삶이란 죽음으로 그 관뚜껑이 덮어지는 시각이 아니면 마지막 평가는 내릴 수 없는 지극히 상식적인 이야기의 의의도 어느 정도 짐작이 갈 수 있는 것이다.

하기에 인생은 다 살기 전에는 장담을 하지 말라는 조심스러운 경구가 늘 우리의 주변을 감돌며 자제와 반성을 촉구하기도 한다.

결국 직업이나, 전념하고 있는 일이 그 자신을 위한 생활의 수단으로 밖에 머물 수 없는 한, 그 삶은 평범할 수밖에 없는 반면, 그 하는 일이 일상생활의 먹고 사는 일을 뛰어넘는 어떤 의의를 지닐 때, 그 삶은 한 차원 높은 보람찬 가치로 빛나는 대상이 될 수 있는 것이다.

2

나 자신은 지나온 인생의 절반 가까이를 일제시대에 살았고, 대부분의 학교교육 또한 그러한 환경에서 받은 이른바 구세대에 속한다. 따라서 내 연배에 속하는 세대의 대다수가 공통적으로 겪은 일이지만, 일제 치하에서는 보통학교(국민학교)에서 매주 한두 시간, 중학교 이학년까지에 일주일에 겨우 한 시간의 '조선어' 시간을 제하고는, 나머지 전 과목에 걸쳐 일본어를 매개로 한 교육을 받아 왔으므로, 8·15광복까지의 우리글에 대한 실력이란 일본어에 비하면 견줄 바도 못되는 미미한 것이었다.

그러한 속에서도 요행히 나는 1939년 동아일보 신춘문예에 응모하여 「별나라 공주와 토끼」라는 동화가 입선되어 말하자면 자국 문학에 대한 기적적인 조그마한 연분을 가지게 되었다.

해방 후 국문학 분야를 전공으로 택하게 된 연유도 이제 참말 자기 것을 찾아야 되겠다는 어렴풋한 신념 같은 것과 더불어, 이러한 과정의 연분이 적잖게 작용한 것으로 여겨진다.

실제로 나에게 있어서는 서울대학교 문리과대학 국어국문학과에 적을 두게 된 것이 국문학 연구 및 문학 창작에 대한 본격적인 기초를 닦는 새로운 관문이었다고 할 수 있다. 그리하여 그 캠퍼스 속에서 삼십수 년의 세월을 한결같이 보내게 된 실마리를 잡기도 했다.

대학 시절, 나에게는 두 가지의 큰 혜택이 마련되어졌다. 그 하나는 국어국문학 분야의 위대한 석학을 스승으로 모실 수 있었다는 점이요, 다른 하나는 국어국문학을 전공하는 각 대학 동학(同學)들과 '전국대학 국어국문학간담회'의 모임을 지속할 수 있었다는 점이다.

전자의 경우로는 국어학에 일석(一石) 이희승(李熙昇) 선생·심악(心岳) 이숭녕(李崇寧) 선생·일사(一簑) 방종현(方鍾鉉) 선생·국문학(國文學)에 가람 이병기(李秉岐) 선생·도남(陶南) 조윤제(趙潤濟) 선생·그리고 강사로 모신 국문학의 일오(一梧) 구자균(具滋均) 선생·무애(无涯) 양주동(梁柱東) 선생·현대문학에 월탄(月灘) 박종화(朴鍾和) 선생·백철(白鐵) 선생·유치진(柳致眞) 선생·서항석(徐恒錫) 선생·이무영(李無影) 선생·정지용(鄭芝溶) 선생 이러한 훌륭한 스승의 경해(謦咳)에 직접 접할 수 있었던 일이니, 이 이상의 과분한 행운이 인간 일생에 또 어디에 있을 수 있으리오.

한편, 후자의 경우로는, 1947년 가을부터 서울대·고대·연대·국학대(國學大)·중앙대·이대·숙대 등 각 대학의 국문학 전공 학도로 구성된 연구 발표의 모임에서 각 대학을 돌아가며 패기와 투지에 넘쳐 서로의 연구 성과를 교환 모색하고, 피차의 우의를 돈독히 할 계기를 가졌던 일로 이는 훗날로 이어져 국문학 연구에 중요한 디딤돌의 구실을 하였다. 이때 모였던 동학들은 이제 거의 다 60의 고개에 접어들어 각 대학 강단에서 교편을 잡으며 한국 어문학연구에 적지 않은 실적을 올린 중견학자로 성장하여 왔음을 볼때 흔쾌한 감흥을 금할 길 없다.

그때는 아직 문헌의 영인(影印) 간행도 별로 이루어지지 않았고 '제록스' 복사술도 출현되기 이전이어서 구득하기 힘든 영세한 문헌 자료를 찾아내면 그것을 일일이 필사하거나 노트에 초기하여야 하였으므로 연구 자료의 결핍에 겹쳐 이러한 전사(轉寫)에 소요되는 시간과 정력의 투입에 따르는 고초가 이만저만이 아니었다.

그에 비하면 이즈음 고전에서부터 현대의 신문 잡지에 이르기까지, 주요한 문헌은 거의 영인 간행되었고 연구서의 출간도 산적하여, 돈만 가지면 앉은 자리에서 요구되는 자료를 마음껏 쌓아놓고 절약되는 시간 속에서 힘껏 연구 작업을 할 수 있는 현실을 목도하고 있노라면 참말 금석(今昔)의 격세지감을 느끼지 않을 수 없다.

3

33세의 만학으로 대학을 졸업한 나는 만학에 대한 보상과 스스로의 바닥을 다지기 위해 그 무렵 대학원에 대한 관심이 일반적으로 그다지 기울여지지 않던 시기인 6·25 사변 중, 부산 피난지에서 모교의 대학원으로 혼자 진학했다. 그리하여 그 보잘 것 없는 대청동의 피난교실 속에서, 그 뒤숭숭하고도 불안한 분위기에서도 수업을 강행한 정성어린 스승의 강의를 타 대학에서 들어온 동학 2명과 더불어 꾸준히 수강했다.

그리하여 1953년 신학기를 맞아 모교에 시간강사로 첫 강의를 맡게 되었다.

당시 쪼들리는 피난살이에 도난까지 당해 몸에 걸칠 변변한 옷가지 하나 지니지 못한 처지에서, 국제시장에 늘어앉은 구제품 좌판을 찾아 중고품 윗도리와 미군복 탈색 바지를 겨우 구득하여 입고, 서대신동에 있는 문리대의 판자집 피난교실에서 모교의 신입생 후배들에게 그 첫 강의를 설레임과 불안과 흥분 속에서 조심스럽게 치루고 난 감회는 30년의 세월이 흘러간 지금까지도 내 가슴 한구석에 잊을 수 없는 추억으로 남아있다.

사실 그때 나는 서울에서 대학 연구실에 같이 드나들던 뛰어난 선배를 비롯한 동학들이 사변으로 행방이 묘연하게 되었으니 망정이지, 이게 어디 내 차례에 올 법이나 한 자리인가 하는 송구함과 멋쩍은 심정을 금할 길 없었다.

그때 교실에서 접했던 학생들도 이제 50고개를 넘은 중년 신사로 사회 각계의 중추적 위치에서 출중한 성과를 쌓고 있으니, 세월의 빠름을 새삼 느끼지 않을 수 없게 한다.

부산 피난처에서의 가장 의의 깊은 모임은 국어국문학회의 발족이었다. 양재연(梁在淵)·허웅(許雄)·정병욱(鄭炳昱)·김민수(金敏洙)·정한숙(鄭漢淑)·김동욱(金東旭)·강한영(姜漢永)·장덕순(張德順) 및 필자 등 20대 후반에서 30대 초의 소장학자들은 싱호 연구의 구심적인 모임으로 1952년 가을 국어국문학회의 창립을 발기하여 그해 12월 1일 학술지 「국어국문학」 창간호를 서로의 호주머니를 털어 발간하고, 매월 정례적으로 「월례연구발표회」을 가졌다. 이로써 회원 상호간의 연구에 대한 정보 및 자료의 교환, 논문의 발표 등 국어국문학 연구에 자극을 주고 새로운 연구를 촉진하는 이 분야 최초의 학회 창립을 보게 된 것이다. 이리하여 국어국문학회는 내년으로 30주년을 맞게 되었고, 85호에 달하는 학술지 「국어국문학」의 발간, 백수십회의 월례발표회 및 24회에 걸친 연례 전국국어국문학 연구발표대회의 개최 등의 실적을 쌓은 속에서 8백여 명의 회원을 가지는 전국적 규모의 대학회로 발전을 보기까지에 이르렀다.

이러한 주변의 학문적 분위기 속에서 나 자신이 연구의 대상으로 다룬 것은 19세기 말엽 이후, 즉 개화기 이후 8·15 해방까지에 이르는, 근대 내지 현대문학에 속하는 분야이다. 그 속에서도 특히 소설 분야를 다루어 왔다.

이 분야는 우리의 전통적인 고전문학이 서구적인 근대문학의 접촉으로 점차 변모의 양상을 보여준 시기 및 그 이후의 문학을 대상으로 하는 것이므로, 전통문학의 계승 및 새로운 문학의 창작이라는 양면에서 문학사적으로 중요한 위치에 놓일뿐더러, 1950년대 초기까지만 해도 아직 그 연구는 거의 황무지에 가까운 상태였으므로 이에 대한 고구(考究)의 욕구를 가지게 되었던 것이다.

그중에서도 서구문학과의 접촉 초기인 개화기의 문학을 다룬 결과로 얻어진 것이 「이인직연구(李人稙研究)」, 「신소설연구(新小說研究)」 등이다.

한편 대학 재학시절인 1947년 가을부터 나는 문학동인 모임에 참여하였다. 처음에는 문리대 동학인 정한모(鄭漢模)가 주재하는「시탑(詩塔)」동인이 되었다가 다음해에는 정한모(鄭漢模), 정한숙(鄭漢淑), 남상규(南相圭) 등과 더불어「주막」동인의 모임을 시작하였다. 동인 모두가 술자리를 즐기고, 또한 술을 들면서 인생을 논하고 세상사를 이야기하고 결국에는 서로의 문학론을 전개하게 되었으므로 동인의 명칭도 그 분위기의 상징 그대로「주막」이라 명명하였던 것이다.

이리하여 매달 한 번씩 모여 서로의 작품을 내놓고 합평회를 가졌으며 신랄한 비판이 오고 가는 속에서 밤늦도록 술잔을 기울였던 것이다.

그러다가 1954년 늦가을을 맞이하자 경이적인 사실에 부닥치게 되었다. 그것은 조선일보와 동아일보가 1940년 일제에 의하여 강제 폐간됨에 따라 부득이 중단하였던 신춘문예를 다시 부활하고, 그 밖에 해방 후에 창간된 여러 신문사에서도 또한 신춘현상문예를 새로 공모한다는 보도에 접한 일이었다.

그 사고(社告)를 보는 순간 나는 몹시 흥분하였다. 그것은 전기한 바와 같이 1939년 동아일보에 동화가 입선된 후, 그 다음 해에 조선일보에, 이번에는 단편소설「귀향(歸鄉)」을 응모하였으나 낙선되었으므로 다시 그 다음해를 권토중래(捲土重來)의 기개로 고대하던 차, 불행히도 그해 8월 10일자로 민간신문이 전면 폐간되는 비운을 당하게 됨에 따라 나의 도전도 무산되었던 것이, 이제 15년만에 그 흥분을 다시 곱씹게 되었기 때문이었다.

이제 주막 동인들은 본격적으로 문단에 진출해야 할 시기에 도달했다고 판단하여 그에 응하기로 동인 모임에서 합의를 보고 응모작품 창작에 골몰하였다.

이때의 동인으로는 김봉혁(金鳳赫)이 6·25사변으로 행방이 묘연하게 되었고, 남상규(南相圭)가 서울 수복 후 세상을 떠났으므로, 정한숙, 정한모 그리고 새로 들어온 전영경(全榮慶) 거기에 필자까지 합쳐 도합 4명이 었으며, 이 숫자는 오늘날까지도 변하지 않고 있다.

아무튼 우리 네 사람은 각자의 응모작을 앞에 놓고 1954년 12월 상순 두 차례에 걸친 냉엄한 합평회를 거쳐 12월 10일 각기 목표로 한 신문에 응모했다.

이리하여 1955년 1월 1일자 신년호 지면에, 정한숙은 소설 「전황당인보기(田黃堂印譜記)」(한국일보), 희곡 「혼항(昏巷)」(한국일보), 정한모는 시 「멸입(滅入)」(한국일보), 전영경은 시 「선사시대(先史時代)」(조선일보), 나는 소설 「흑산도(黑山島)」(조선일보)가 당선 발표되어 동인 전원이 일제히 본격적인 문단 진출의 개가를 올렸던 것이다.

이후 주막 동인들은 모두 대학에서 교편을 잡으면서 학문 연구와 더불어 꾸준히 작품활동을 지속해 오고 있다.

금년은 주막 창립 33주년이 되는 해다. 이제 동인들의 나이도 60세 안팎으로 다가서 백발이 흩날리기 시작한다. 근래 좀 뜸해진 합평회를 이 가을쯤에 가지고 그 신랄한 비판의 목소리를 교환하며 술잔을 기울여야 하겠다.

5

나는 해방 전 해인 1944년에 결혼했으니, 금년으로 37주년이 된다. 그 사이 딸셋 아들 둘의 5남매를 얻어 막내가 대학원에 다니고 있는 외에 교육도 거의 끝났고, 딸도 둘을 시집보내 혼사도 한 절반 치룬 셈으로 된다.

첫딸은 고향에서 났다. 그때는 아직 조부가 생존해 계신 때여서, 장손 집의 첫 증손을 몹시 기다린 모양이었다. 이른 봄 새벽녘 산모의 진통이 계속되는 사이, 단속적으로 들려오는 신음 소리에 귀를 기울이고 있던 조부는 아기의 첫울음 소리가 터지자 긴장된 표정 속에 하회를 기다리다 딸이라는 것을 알자 장죽을 재떨이에 갈기며 큰기침을 하고는 돌아앉았다. 그후 증손녀가 엄마의 등에 업혀 38선을 넘어올 때까지 아기는 단 한 번도 증조부의 팔에 안겨 본 일이 없다고 한다.

둘째 아이는 6 · 25가 나던 해 1월달 서울에서 났다. 첫 아이가 날 때는 어른들 밑에서 엄벙덤벙 아무런 느낌도 없었지만, 이번에는 나 자신이 은근히 아들 낳기를 기다렸다. 그러나 딸이었기에 나는 외면에는 나타내지 않았지만 서운하기 그지없었다.

셋째 아이는 부산 피난지에서 났다. 그때는 전란의 피난살이라 심신이 피로한 때여서 그저 순산을 했으면 하는 생각뿐이지 아들 딸 가릴 마음의 여유가 없었다. 그러나 해산했다는 소식을 듣고 병원으로 가니, 산모가 눈물이 글썽하여 "상허(尙虛)의 소설이 됐어요." 했다. 그것은 해방 전에 쓰여진 이태준의 소설에 「딸삼형제」라는 작품이 있는데 연유한 표현이었다.

서울로 수복한 후는 생활 재건에 여념이 없던 때였고, 또한 아들 출산에 대한 기대도 다 식어버려 거의 무관심 상태에 있었는데 뜻밖에 첫 아들을 보게 되었고, 2년 후 다시 또 아들 하나를 낳아 결국 3녀 2남이 되고 말았다.

이 무렵까지는 아직 산아제한이라는 말이 그렇게 떠돌지 않은 시기여서 내 또래의 연령층은 아마도 대부분 이 정도의 자녀수를 가지고 있는 것으로 안다.

아이들이 어릴 때에는 정도 들고 키우는 재미도 있더니만, 고등학교 이상이 되고 나면 돈 달랄 때나 겨우 얼굴을 볼 수 있고, 방학이면 그렇게 온 식구 어디로 함께 놀러 가자고 조르던 것이 커지면서는 저희 친구끼리 도망치듯 떠나버리고 부모와 같이 가겠다는 놈은 한 놈도 없게끔 날린 제비처럼 되어갔다.

아이들을 삼년차로 학교에 넣어, 중학교, 고등학교, 대학 입학시험이 늘 한꺼번에 겹쳐, 목돈 입학금 마련으로 전화와 텔레비전을 몇 번 찾았다 샀다 하는 사이에 아내는 시달림에 지쳐 나이보다 훨씬 더 늙어갔다.

1969년 결혼 25주년, 소위 은혼(銀婚)의 해라 하여 아내를 동반한 첫 여행으로 제주도 구경을 시켰다. 그 후로는 아이들이 거의 다 컸으므로 흑산도, 홍도, 울릉도 등에도 아내와 함께 다녀왔다.

또한 그 사이 나 자신은 국제회의에 참가하느라고 여러 차례 외국을 돌아다녔지만, 아내는 해방 전 여학교 시절에 일본으로 수학여행 갔다 온 외는 나라 밖을 나가본 일이 없으므로, 작년에 '한미친선회'의 집단 방문 단에 끼어 미국 구경도 하고 왔으니 그도 60의 고개 마루에서 한숨 돌리는 마음의 여유를 가지는 것 같다.

아이를 업고 단신 삼팔선을 넘어, 서울의 남편을 찾아온 이후 열일곱 번의 이삿짐을 꾸리고난 아내의 잠든 얼굴의 주름살에서 나는 나의 인생의 거울을 보는 느낌을 되새긴다.

6

나는 지금껏 장서를 한곳에 정리해 놓고 필요한 책을 쉽게 척척 뽑아 볼 수 있는 서재로서의 넓은 공간을 차지해 본 적이 없다. 이 방 저 방에 묻혀있는 책속에서 필요한 책을 찾으려면 며칠이 걸릴 때도 있고, 끝내 찾아내지 못하는 때도 있다. 잡지와 논문집은 전부 학교 연구실로 옮겼지만 거기도 책장 밖으로까지 쌓여질 정도이고, 집안에는 단행본만을 간수해도 공간이 모자란다. 서고를 따로 장만한 집으로 옮겨 마음 내키는 대로 쉽게 책을 찾아볼 수 있는 환경을 마련하려고 늘 벼르면서도 아직 그 뜻을 이루지 못하고 있다. 이것이 조급한 시일 안에 해결해야할 나의 긴

급과제요 또한 조그마한 소망이다.

대학에서 강의를 하고, 연구실이나 서재에서 학문을 연구하고, 작품을 창작하고 그리고 틈이 나면 가까운 친구들과 어울려 코트에서 테니스를 하고, 그 땀 흘린 갈증 속에서 찬 맥주컵을 비우는 통쾌감과 즐거움은 어디에도 비할 수 없는 삶의 멋이요 보람인 것 같다.

학문과 예술, 그 둘 다 인생의 어려운 길에 속한다. 어찌어찌하다 그 두 길에 연관을 가질 수밖에 없었던 나의 경우, 그 어느 한쪽만을 택했더라면 좀 더 효율적인 일을 할 수 있었을는지도 모른다. 그러나 이제는 어찌할 수 없는 기정 코스로 굴러져 버렸다. 어쩌면 그렇게 살아갈 수밖에 없는 운명적인 것인지도 모른다는 생각마저 들기도 한다.

두주불사(斗酒不辭), 연중무휴 술잔을 기울이는 속에서 지속되어온 건강이 그저 고마울 뿐이다.

주위가 아무리 혼탁하고 인심이 아무리 각박해 간다 해도, 제 마음만 가다듬으면 아직은 살맛이 있는 세상인 것 같다. 그리고 이 지구상에서 그래도 인정의 다사로움이 요만큼이라도 남아 있는 곳은 이 땅 밖에는 없는 것 같다.

한데 어울려 자리를 같이 하고도 미리 정해진 조건이 아니면, 제 먹은 값 살짝 치르고 덤덤히 자리를 뜨는 서양식은 아무래도 나의 토속적인 투박한 생리에는 맞지 않는 것 같다.

자 이제 책을 덮고 원고지를 물리치고, 테니스 코트로 나가야겠다. 그리하여 정다운 벗들과 어울려 그 보송보송 부드러운 털공을 힘껏 갈기고 갈증나는 목을 시원한 맥주로 적시어야겠다.

멋있고 보람된 인생을 위하여!

현대사회, 1981. 여름.

멋에 대對하여

멋의 주변

'멋'이란 말처럼 그 어감이 멋들어진 것은 없다.

『큰 사전』에 보면 '멋'을 '방탕한 기상', '풍치 있는 맛', '사물의 진미', '그린 물체의 형태가 본 물건과 거의 같이 나타난 데 대한 기분' 등으로 풀이하여 놓았다.

여러 각도에서 비교적 멋을 자세히 설명하려고 하였지만, 이 사전의 규격적인 풀이가 진짜 멋의 감각이나 기품의 몇분지 일이나 표현해 놓을 수 있는 것인가 하고 문자로써 표현 못할 그 밖의 더 많은 멋의 향훈(香薰)을 더듬어 보게 된다.

'멋있다', '멋지다', '멋들어지다', '멋들었다', '멋 질기다'의 긍정형이 있는가 하면, '멋없다', '멋쩍다', '멋거리 없다', '멋모른다'의 부정형이 있어, 이들은 각각 그 어휘 자체의 몇 갑절의 진폭을 가지는 감각과 감정을 직감적으로 유도하여 주고 다시 이것이 '멋장이' 아니 '멋쟁이'에 이르러선 추상적인 청각영상이 구상(具象)으로써 눈앞에 선연하게 떠옴을 어찌하는 수 없게 한다.

멋처럼 정의(定義)를 내리기 힘들면서 감정에 재빨리 호소되는 것은 없으리라.

멋은 조화(調和), 균제(均齊), 전아(典雅) 속에 깃들면서 또한 그의 파격(破格)으로 더욱 확대 과장된다.

고려청자의 약간 비뚤어진 언저리, 기와집 추녀 끝의 비스듬히 치솟은 완곡선, 옥양목 깃버선의 뾰족한 코, 삼단 같은 머리채 끝에 달린 갑사댕기 이들이 오랜 전통 속에 흘러 온 멋이라면 한쪽으로 갸웃 빗겨진 머리 가르마, 비스듬히 제쳐 쓴 중절모자, 양복 한쪽에만 붙어 있는 윗포켓, 날카로운 구두코, 가슴에 붙인 액세서리, 허리와 가슴의 곡선, 이러한 것은 새로 도입된 현대적인 멋의 일단면이라고 하지 않을 수 없겠다. 그뿐이랴, 책상 위에 살며시 자리 잡은 생화(生花)의 휘어진 가지, 서가 한 모퉁이에 기대 놓은 불란서 인형, 벽의 공간을 메워 주는 베토벤의 '데스마스크' 이들 또한 하나의 멋이요, 쫓기듯 이어가는 삶의 휴식이요, 여유의 상지이라면 너무나 지나친 독단일까. 멋도 시간과 공간을 따라 변천하여 감에는 틀림없다.

갑오경장(甲午更張)은 서양의 새로운 문물을 타고 낯설은 멋을 적잖이 이끌어 들이게 하였다. 산호(珊瑚) 동곳과 밀화(蜜花) 풍잠(風簪)의 위엄이 절은 장중한 멋의 상투를 깎고, '하이칼라'로 바꾸어진 '헤어스타일', 노인만이 늙은 체구를 의지하던 지팡이가 새파란 젊은이의 손에 잡혀 휘휘 돌려지던 개화장(開化杖), 노안(老眼)의 돋보기만으로 통하던 안경이, 젊은 유지 신사의 눈을 장식하게 된 금테의 개화경(開化鏡), 홑바지 두루마기를 벗어버린 '보타이'의 양복쟁이, 옻같이 새까만 윤기를 자랑하던 쪽머리를 물리치고 등장한 신여성의 왼쪽 가르마의 '히사시가미', 새로운 멋은 공간을 초월하여 시간과 더불어 변천하여 갔다.

유행과 멋

유행처럼 멋을 이끌기도 하고 따르기도 하는 필수물은 없으리라. 그러기에 이처럼 선풍을 일으키게 하는 것도 없을 뿐더러, 이것처럼 멋 자체를 타락시키기 쉬운 부식제(腐蝕劑)도 또한 없을 것이다.

교통 기관의 발달에 의한 지구 표면의 압축, 매스컴의 발전에 따른 공간의 무시와 시간의 단축, 영화를 비롯한 현대적 예술의 보급에서 파급된 시각의 직접적인 자극, 이러한 현상은 첨단적인 유행의 동시성을 매개하였고, 아울러 새로운 멋에의 호기심을 유발(誘發)시켰다.

어느덧 '히사시가미'는 '파마넌트 웨이브'로 바뀌어 칠흑같이 검은 머리의 자랑은 '옥시풀'의 갈색 화학작용에 그 자리를 빼앗겼고, 입술의 연지는 피보다 짙어졌고, 샛별같이 빛난다고 선천적 유전을 자랑하던 맑은 눈동자는 '아이샤도우'의 후천적 회색 장막 속에 흐려지고 짧을수록 미덕이던 손톱은 두발 새나 네발 짐승을 닮아가는 사이에 천부의 살빛을 잃어 '매니큐어'의 화학 도료 속에 독소를 풍기고 기미는 없을수록 팔자 좋다던 맑은 얼굴 입언저리엔 인공의 푸른 점이 새겨져가고 있음을 무의식중에서도 놓칠 수 없이 보게 하는 세월이 되었다.

남녀칠세 부동석(男女七歲 不同席)이라던 케케묵은 '바이블'은 잠시 휴지통에 던져 버리게 하더라도, 신사와 숙녀의 복장은 응당 유별이 있었고 또한 기필코 무슨 분간이 있어야만 할 것이었지만, 바지 모습, 웃옷 모양, 머리 스타일까지, 뒤에서 보면 남녀를 구별할 수 없는 단계에까지 극단의 비약을 보게끔 되었다.

바짓가랑이도 넓었다, 좁았다, 웃걸이 단추도 둘 됐다, 셋 됐다, '후레아'도, '타이즈'도, 절충도, 제각기 교차되는 속에서 더 갈 길은 없어 인제 제자리걸음으로 맴돌고 있는 것만 같다.

가끔 결혼식에 나오는 가족석에서 신분지, 며느리를 삼는 신부의 시어머니인지, 분간이 가지 않을 만큼 시어머니 쪽에서 오히려 신부보다 유행의 첨단을 느끼게 하는 기현상을 보지 않을 수 없게 함을 어찌하랴.

황혼이 짙어가는 청춘은 정녕 외식(外飾)의 유행으로써만 만류시킬 수 있는 것일까.

한손에 막대잡고 또 한손에 가시쥐고
늙은길 가시로 막고 오는 백발 막대로 치려터니
백발이 제먼저 알고 지름길로 오더라

고시조(古時調) 한 수가 문득 생각난다. 유행을 따르고 싶어하는 심정, 젊음의 여신(餘燼)도 수긍되지 않는 바도 아니지만, 유행도 남녀의 성별이 있고 노유(老幼)의 세대에 맞을 때 그것도 멋들어진 멋의 진가를 발휘할 것이 아닐지……. 난쟁이 키에 다섯치 뒷꿈치의 '하이힐'을 신고 절구통 같은 몸집에 일류 유선형 양장으로 치레를 하였다고 하여, 그 속에서 멋이 이루어질 수는 없듯이, 역시 멋은 그 육체의 선과 어울리는 속에서 조화의 아름다움이 저절로 풍겨져야할 것이 아닐까.

아무튼 조급한 호기심 속에 따르는 유행 속에서, 멋이 저속한 곳으로 타락될 우려의 계기가 된다면 그것은 참된 멋 자체의 책임이 아니라, 차라리 첨단적인 유행의 선풍이나, 이를 호기심과 허영 속에 쉽사리 그리고 재빨리 따라다니는 인간 자체의 책임 속에 지울 수밖에 없는 노릇이 아닐까 하는 생각도 없지 않다.

생활과 멋

시각이나 청각에서 느끼는 '멋있다'는 감각과는 별개로 '멋지게 산다'는 말이 있다. 이것은 단순히 눈이나 귀를 통하여 느껴지는 감각적인 멋과는 달리 생활 속에 깃들인 멋, 즉 삶의 값어치나 보람을 상징하는 말이리라.

의식주에 멋이 깃들일 자리가 있다면 취미 기호(嗜好)에도 멋은 슴새어 들 것이다. 개성적인 특성에서 멋을 찾을 수 있듯 이 집단생활 속에서도 멋은 발견할 수 있는 것이다.

유치원 어린이들의 옷 빛깔에서 하나하나의 특색을 발견할 수가 있는 반면에 그 다양한 빛의 '바레이션'에서 우리는 다시 눈부신 '하모니'를 보게 되는 때가 없지 않다.

여인의 깔끔히 다듬어진 모시 치마에서 청초(淸楚)한 기품의 멋을 느낄 수 있는 반면에, 예복으로 단장된 군대의 분열식에서는 균제와 장중의 멋을 느끼게 된다.

소녀의 가슴에 꽂힌 붉은 장미 한 송이에 젊음의 정열을 느끼고, 노병(老兵)의 가슴을 장식한 훈장에서 역전(歷戰)의 공훈을 무언중에 감득하게 되는 것도 분명 하나의 멋의 영역에 이끌려 들어갔음에 틀림없는 일이리라.

산장의 이끼 긴 돌 굴뚝이 멋이라면, 잔칫상의 과자탑도 또한 하나의 멋임에 틀림없다.

마도로스 파이프에 '베레'모자가 멋이라면, 등산가의 빨간캡, 해수욕복에 어울리는 색안경, 정원의 찔레 '아아취', 생선회에 곁들인 당근 쪽, 양복 조끼 주머니에서 내려 달린 금 시곗줄 이것들도 크나 작으나 다 멋의 영역에 속할 수 있으리라.

억지로 피우려는 멋과 저절로 우러나는 멋과는 그 본질에서 스스로 다른 것이다.

멋은 의식적인 의도에서 출발하여 자연적인 발산을 거쳐 그 진미가 감득되게 되는 것이다.

따라서 고의적인 멋처럼 어색하거나 천하게 느껴지는 것은 없다.

흔히 교양미(敎養美)란 말들을 쓴다. 그것은 개성, 지성, 연대, 직업, 분위기 등에 어울리게 조화되어, 품위 있게 유로(流露)되는 생활의 멋과 일

맥상통되는 말일찌 분명하다.

이 생활의 멋은 전통적인 오복관(五福觀), 즉 수(壽), 부(富), 강녕(康寧), 유호덕(攸好德), 고종명(考終命) 속에 뚜렷한 한 조항으로 들어 있지는 않다.

그러나 장수(長壽) 속에서도 꾀죄죄한 생애가 있는가 하면, 요절(夭折) 가운데도 멋지게 생을 마칠 수 있을 경우가 있고 거부(巨富)의 생활이 반드시 값있는 것이 아닌 반면에 가난 속에서도 또 삶의 보람있는 멋이 깃들일 수 있으니 말이다.

예술과 멋

예술의 본령은 멋에 있는지도 모른다. 왜냐하면 참다운 미는 참다운 멋에 통하기 때문이다.

멋있는 음악, 멋있는 그림, 멋있는 무용 등은 이들 예술에 대한 감격의 극한을 표현하는 말들이기도 하다.

예술의 본질은 통일, 조화, 균제를 이룬 미의 추구에 있다고도 하겠다.

이 같은 정통을 깨뜨리는 파격이 예술적인 수법에서의 변형, 즉 '데포르마시옹'이다. 이리하여 이 변형 속에 다시 새로운 각도의 미를 재구성하는 것이다.

동양화나 서예의 작품 여백에는 반드시 낙관이 있다. 이것은 작자를 명시하는 실용적인 일면도 없는 바는 아니겠지만, 그보다는 공백의 알맞은 자리를 메우는 여운의 효과를 노리려는 미적 의식이 더 선행되는지도 몰라, 그대로 하나의 미요, 멋인 것이다.

그림을 그리는 사람, 돌을 깎아 조각을 하는 사람, 작곡을 하고 노래를 부르고 또는 악기를 주무르는 사람, 무용을 하는 사람, 그들은 다 미의 창조에 골몰하고 멋에 사는 사람들이지만, 한편 그림을 보고 음악을 듣고, 무용에 도취하는 사람, 또한 아름다움에 공명하고, 멋에 공감하는 멋진 형수자(亨受者)임에 틀림없다.

넉넉지 못한 생활 속에서도, 골동품을 즐기고 서화(書畵)를 아끼고 화초를 가꾸는 티 없는 마음의 여유를 발견하는 사람들이 있다. 이것은 그대로 그 스스로의 취미인 동시에 또한 하나의 멋이다. 따라서 멋은 예술적 미를 수반한 독립된 객체일 수도 있고, 또한 인간의 청순한 정감에 깃들인 주체일 수도 있는 것이다.

또한 이 객체와 주체의 멋은 독특한 개성을 지니는 동시에, 공명 공감을 주고 가질 수 있는 공통성 내지 보편성도 함께 간직하고 있는 것이다.

'멋들어진 가락'. 그것은 미의 결정(結晶)이요, 멋의 일품(逸品)이리라.

자연과 멋

인공의 멋이 멋이라면 자연의 멋 또한 멋임에 틀림없다.

저녁 노을에 빗긴 하늘, 소낙비 뒤의 무지개, 새벽녘의 함박눈, 수평선에 감도는 범선, 백록담의 해돋이, 속리산의 신록, 구룡연의 단풍, 울릉도의 감벽(紺碧)의 해심(海心), 사람들은 이런 것을 보고 '야, 멋있다' 하고 기성(奇聲)섞인 찬탄에 인색하지 않는다. 이것들은 그대로 자연의 미요, 멋이다.

초가을 차창을 건너 내다보이는 초가지붕에 널려 있는 빨간 고추, 수수 울타리에 매어달린 박, 백양나무 밑에 비스듬히 세워 놓은 나무 지게, 백사장 한끝에 한가히 매어있는 나룻배, 이런 것에서 나그네는 문득 풍일(豊溢)하는 이국적인 정서를 느끼게 된다. 이것 또한 소박한 농촌이 선물하는 꾸밈없는 시정(詩情)이요, 멋임에 틀림없다.

정지(整枝)한 가로수 로터리의 분수와 상록수, 사원 첨탑, 고층건물의 곡선, 밤거리의 샹들리에 가로등 이것들은 현대의 감각이요, 도시의 멋임에 틀림없을 것이다.

B 29의 대형 폭격기 편대가 푸른 하늘에 남기는 직선과 곡선의 교차되는 비행운(飛行雲)의 멋은 자연의 배경에 인공으로 채색한 입체적 멋이라고나 할까.

결국 멋은 자연 속에 간직되어 있고 인공으로도 이를 수 있는 것이면서 또한 인간 스스로의 감식안 속에 그 무진장한 보고를 더 깊이 비장(秘藏)하고 있는 것만 같다.

멋쟁이

'장이'라는 말은 장인(匠人)과도 통할 수 있는 말이어서, 약간 천한 맛이 없지 않다. 풀무로 쇠를 달구어 쟁기를 만드는 사람은 애장이(冶匠), 갓(笠)을 만드는 사람은 갓쟁이, 이들은 다 예전 시절에 천직(賤職)으로 몰렸던 것이다.

근래에 와서는 양복을 짓는 사람도 양복쟁이, 양복을 입은 신사도 양복쟁이라고 하여 그 적용하는 범위도 달라졌다. 이 천기(賤氣)가 서린 장이라는 말이 붙어, 이루어진 말들이 다 비속한 데 비하여 '멋쟁이'라는 말만은 그대로, '모던'과 '멋'에 통하는 유일한 고귀품이다.

멋쟁이라는 말 속에도 어느 정도의 경멸이나 빈정거림이 전연 없는 바는 아니지만, 그러나 그것은 언제나 선구자 또는 개척자가 받는 박해에 불과한 것이다. 첨단적이라는 것은 언제나 모험이요, 독선이요, 고고의 경지이기 때문이기도 하다.

오이를 거꾸로 먹어도 제멋이라는 속담이 있다. 그러나 멋쟁이 속에는 이런 독단만이 군림하는 것은 아니다.

갓 쓰고 자전거 타는 것, 꼬리치마에 구두를 신은 것, 이것은 반편들의 흉내지 멋쟁이의 멋은 아니다. '산천(山川)은 의구(依舊)하되 인걸(人傑)은 간 곳 없다'가 아니라, 인간도 바뀌고 자연도 변하는 속에 미의 관점도 각도가 변하여 새로운 것을 모색하고 미에 통하는 멋은 유행을 일으키고 스스로의 새로운 멋을 발견하며 전변(轉變)한다.

통일과 조화의 균제 속에서 다시 파격을 모색하는 멋있는 삶 그것은 인생의 종합적인 가치 판정의 기점이요, 그러한 멋 떨어진 멋은 진실로 참된 아름다움과 통할 것이다. 따라서 이러한 미와 멋은 억지 아닌, 기품 있는 개성 속에서 여과되고 승화될 때만이 비로소, 값있는 삶을 살고, 멋있는 멋을 즐기는 시대의 총아 '멋쟁이가 될 것이다.

그럴 때야말로 '잘 살았다'는 말보다 '멋지게 살았다'는 표현의 값어치가 더 소중하게 느껴지는 '멋' 진미(眞味)에 접근하게 될 것이다.

해군, 1962. 2.

성性 모럴의 확립이라는 견지에서

외도(外道)의 개념과 법적해석(法的解釋)

편집자가 보내준 제목을 보고 필자는 분에 맞지 않는 엉뚱한 노역(勞役)을 강요당하고 있는 것이라는 생각이 없지 않았다.

이러한 문제는 종교가나 법관이나 그렇지 않으면 윤리학자에게 주어지는 편이 훨씬 타당할 것이요, 특집의 목적이나 또는 독자를 위하여도 더 효용성이 있을 법한 일인지도 모른다는 느낌이었다. 차라리 여성문제 연구의 전문가에게라도……

그러나 이것도 또한 표제 그대로 '관용'의 아량에서였을까?

대체로 외도(外道)라는 말이 가지는 개념은 부정적 내지 비합리적인 요소는 지녔을망정 긍정적이거나 합리적일 수는 없는 것 같다.

거기에 관용이라는 어휘마저 덧붙으니 이것은 억지의 구색이거나 군색스런 결합밖에는 안 되는 설상가상(雪上加霜)의 난제로 될 수밖에 없다.

『큰사전』에 기록된 '외도'의 어의(語義)를 살펴보면 다음과 같다. ① 경기도(京畿道) 밖의 다른 도, ② 불교에서 다른 교를 가리키는 말, ③ 오입(誤入). 본 제목에 제시된 '외도'는 분명 이 삼자 중 셋째 번에 해당된다고 해석하는 데는 그리 큰 반대가 없으리라고 본다.

이 '오입'은 다시 다음과 같이 풀이 되어 있음을 볼 수 있는 동시에 '외입 (外入)'과도 동의어라는 것을 알 수 있게 한다.

사내가 노는 계집을, 또는 계집이 음란한 사내를 사귐.

그러고 보면 결국 이 글은 '노는 계집'과 '음란한 사내'의 관계를 이야기 하는 것밖에 되지 않는 결과를 가져오게 되는 것만 같은 기우(杞憂)가 없지 않다. 거기에 그것을 정당화하고 합리화하여 관용도(寬容度)를 계산해 내라니 더욱 땀 뺄 노릇이다.

이런 문제에 연관되는 것으로 우리의 현행 형법(刑法) 제241조에는 다음과 같은 조문이 있다. ① 배우자(配偶者) 있는 자가 간통(姦通)할 때에는 이(二)년 이하의 징역에 처한다. 그와 상간한 자도 같다. ② 전항의 죄는 배우자의 고소(告訴)가 있어야 논한다. 단 배우자가 간통을 종용(慫慂) 또는 유서(宥恕)한 때에는 고소할 수 없다.

이 조문에서는 외도를 '간통'이라는 용어로 판박아 기록하였을 뿐만 아니라 간통 즉 소위 외도의 개념을 배우자 있는 자의 상간(相姦)으로 규정 짓고 있음이 분명하다. 그러면 총각의 외도는? 홀아비나 과부의 경우는……?

비단 외도의 시비는 굳이 남자에만 국한될 문제이랴…….

기준율(基準率)과 성(性)의 모럴

의식주 이외에 아니 그보다도 먹는 문제 다음으로 성(性)문제처럼 성숙된 인간 생활에 있어서 밀접하고도 필수불가결의 관계를 가지는 것은 없으리라. 이 경우 물론 비구승이나 그밖의 종교의 성직자 또는 금욕주의자

등은 별개로 하고 평범하고도 정상적인 인간관계에 있어서 말이다.

'아담'과 '이브'의 원죄의식을 천상의 이야기로 잠시 돌린다면, 적령기에 있는 정상적인 젊은 남녀의 사랑이나 혼인처럼 성스럽고 값진 것은 없다고들 한다.

그리하여 인간들은 언어가 가지는 활용성의 극치를 다하여 그들의 앞날을 축복하고 격려하지 않던가?

그러나 그와 반대로 비정상적인 이상관계는 가장 추한 것으로 간주되어 악의 궁극으로 휘몰아 넣고, 한번 그러한 낙인을 받으면 그 시궁창에서 좀처럼 솟아날 길이 없을 정도로 타기하여 짐승의 세계에까지 전락되는 사회적 응징을 받는 때가 없지 않다.

똑같은 성행위 하나를 두고, 그 동기나 조건 때문에 이 양극의 서로 단절된 결론을 가져오게 됨은 필경은 그것은 그 당사자나 그것을 평가하는 상호가 '인간'이요, 그것이 인간의 삶의 여건 속에서 가장 중요한 하나라는 것을 반증하는 결과이기 때문인지도 모른다. 이러한 판정이 나오는 기준율은 언제나 성(性)의 '모럴'에 있는 것이요, 이것은 또한 사회 공동체의 윤리적인 공약수의 관습적인 반영이기도 한 것이다.

그러나 이러한 불문율의 법전인 성의 '모럴'도 시간과 공간의 변천에 따라 그 기준율이 흔들리고 변천하기 일쑤이다.

서구 사회에서 항다반(恒茶飯)으로 하는 '키스'도 우리 사회에서는 말만 들어도 얼굴을 붉히던 것이, 해방 후의 외국 영화와 양인(洋人)과의 접촉이 주효하였는지 이즈음 공공연히 실천하는 축들이 생겨났고, 갑오경장(甲午更張) 이전만 하여도 과부의 재가는 가장 욕된 것으로 인정되던 것이 그 후부터는 법적 해제와 인권의 존엄성이 고취됨에 따라 예사로운 것으로 되어가는 것 같은 실례가 다 성적 모럴의 변천된 결과의 소산이라고 하지 않을 수 없겠다.

본능과 사회적 제약, 감성과 지성, 성의 모럴은 언제나 이 사이를 배회

하면서 그 완충선(緩衝線)을 모색하고 있는 것이라고나 할까.

성의 모럴은 개체로선 자아의 양심적 자율에서 출발되고, 사회적 제약으로선 관습의 테두리에 얽매인 윤리 도덕의 척도에 조종되고 그리고 종국에 가서는 법의 제재아래 그 극한의 타율적(他律的)인 규제를 받게 된다.

그러고 보면 결국 성의 모럴은 상대적인 것이지 절대적인 것은 아니라는 귀결을 가져오고야 만다.

요는 그 모럴의 한계선과 기점(基點)을 어디에 두는가에 따라서 예사로운 것이 추하게도 해석될 수 있고, 추하던 것이 당연한 것으로 인정될 수도 있다면 모름지기 '외도'의 관점도 달라질 수밖에 없다는 견해로 나올 수 있는 가능성을 내포하게 되는 것이다.

축첩(蓄妾)과 사창(私娼)의 문제

축첩의 숫자가 늘수록 인생의 영달(榮達)이 그것으로 상징되는 시대도 있었고, 일부다처(一夫多妻)가 당연한 것으로 찬양되고 선망되던 사회도 있었다. 역대의 왕군(王君) 장상(將相)으로 일부일부(一夫一婦)를 고수한 자 일찍이 어디 있었던가.

그렇다면 축첩도 외도인가? 하는 힐문(詰問)이 나오지 않을 수 없게 되는 것만 같다.

사실 축첩 그것이 1호건 5호까지 있건 천하에 공개하는 지정석(指定席)일 경우에는 자칫 외도라는 관념이 잠깐 흐려지기 일쑤인가 하면 유동적인 이동부대에 대하여는 확고한 외도의 딱지가 붙는 것으로 착각하는 경우가 없지 않는 것 같다. 이것은 아마도 기성 관습에 젖은 타성(惰性)의 소치라고나 할까. 분명 우리 법전에 성문화(成文化)된 '배우자'란, 단수 개념이지 결코 복수 개념은 아닌 성 싶으니 말이다.

법대로 한다면 배우자의 동시적(同時的)인 모든 '복수'는 간통이며 따라서 외도임에 틀림없다. 한집에서 아내 둘을 거느리면 다 선한 부부관계고, 어쩌다가 취중(醉中)에 외박을 하면 그것은 추한 외도라고 단정한다면 이것은 윤리나 도덕의 기준율이 너무도 무모하다. 오히려 범인의 소박한 견해로서 상주(常住) 동거하는 전자의 상습범이 더 허물이 크고, 일시적인 과오를 범한 후자의 경우가 더 경하다고 한다면 이 또한 너무 비약적인 논리일까. 물론 전자의 경우는 당사자에 있어서도 양심의 가책이 없는 당연지사로 생각되고, 후자의 경우는 몇 갑절의 고민과 후회를 자아내는 것이 상례(常例)임은 더 말할 나위도 없는 일이다. 아무튼 박장대소할 이야기임에 틀림없다.

여기에 굳이 외국식의 '데이트'를 끄집어내어 괴변을 일삼을 한유(閑有)까지는 필요 없으리라.

그러면 배우자가 없이 법적으로 성행위의 자유가 보장된 홀아비와 과부는 어떻게 보아 넘길 것인가. 그들이 배우자가 없는 이성을 자유롭게 택할 때 현실 사회는 그것을 깡그리 선의로만 해석하여 주는 것인지 의문이 되지 않을 수 없다.

더욱이 그들에게 각각 자녀가 있고 그들 스스로가 중년 고비에 들어선 경우라면…… 이들 사이에서 상대가 고정적이 아니고 변동되는 유동의 경우라면…… 대체 이것을 어떻게 보며 참말 '외도'의 범주에 집어넣을 것인지? 여기에 또 하나의 다른 문제가 나타난다. 공창(公娼)은 이제 없어졌으니 저 우글거리는 밤거리의 사창(私娼)은 무엇으로 볼 것인가. 매음(賣淫) 즉 돈만 받지 않으면 법적으로도 구속할 길이 없는 그들, 아마도 그들의 대부분은 '배우자'가 없을 것이니 말이다.

좋다, 이것은 먹고 살기 위한 직업! 고깃덩이를 팔아 연명하려는 최후의 발악적인 직장이니 여인의 '외도'에서 제외하기로 하자. 그렇다면 네온 속에 인어처럼 물결치는 기생, 댄서, 그 밖의 수많은 접객부들의 성행위는?

그들의 대다수도 또한 법적 보장을 받은 배우자 없는 독신자들이니 어찌하랴. 그러면 여자의 '외도'는 잠시 보류하고 남자의 외도에만 국한할까.

그러나 좀 천한 어귀(語句)들이지만 '화냥년', '서방질' 등의 어휘는 적으나 많으나 오입 또는 외도의 개념을 내포한 언어 현상임에는 틀림없으니, 여자를 외도에서 제외한다는 것 또한 불공평하기 짝이 없는 일만 같다.

요는 외도의 한계 그것은 상식적으로는 가장 쉽게 개념의 한계가 떠오르는 것 같으면서, 아직도 필자에게는 명확한 한계선을 긋는 명답을 낼 수 없는 난제로 돌아가는 수밖에 없는 것 같다.

성(性) 모럴의 시대적인 변천

우리들의 기성 사회를 지배한 윤리관의 기본 기강이 유교적인 삼강오륜(三綱五倫)에 발판을 두었다면, 그 중에서도 충(忠), 효(孝), 열(烈)은 그 지주(支柱)가 될 것이다.

이 속에서 충(忠)은 전제 왕국이 없어지고 민주주의가 나왔으니 자연 소멸이 된 것이고, 효(孝)는 대가족제도가 점차 소가족제도로 분화되어 결혼만 시키면 따로 내 놓아 자립을 시키게 되었으니, 아들 딸의 코빼기도 보기 힘든데 언제 슬하에서 효부(孝父)할 수 있겠기에 자연 그 효의 개념도 현대적인 각도로 바꾸어질 수밖에 없게 되었으며, 열(烈) 하나만은 과부의 재가를 허용하여 일견 일편단심 일부종사(一夫從事)의 기성률이 약간 파괴된 것 같지만 반면 일부일부(一夫一婦) 제도를 성문화하여 남편을 독점하여 사랑할 수 있게 한 적극적인 계기와 아울러 근대적 의미에서의 열(烈)의 여권 신장을 위한 전진이라고 하지 않을 수 없겠다.

이같은 열(烈)이 지니는 개념의 변천전진과 더불어 정조관(貞操觀)에 대한 윤리적인 기본 관념도 필연적으로 지양(止揚)되지 않으면 안 되는 시기에 도달한 것 같다.

즉 일부일부 제도의 법적 내지 사회적인 보장과 더불어 여성의 정조는 자신이 지키는 것이 아니라, 남성의 보호 속에서 지켜져야 한다는 것이다.

쌍벌죄(雙罰罪), 그것은 사전시대(史前時代)는 몰라도 삼국시대 이후 유사 이래 최초로 이 땅에서 남성의 정조에 가해진 처벌인 것만 같다.

따라서 여성의 정조는 배우자가 있는 남자를 처벌함으로서 저절로 보호될 수 있게 되었고, 또한 남자의 적극적인 협조 있을 때만이 여성의 정조는 보장될 수 있는 것임은 말할 나위도 없는 일이다.

이 마당에 어떻게 남자의 외도가 합법적으로 성립될 수 있으며, 굳이 동정조(同情調)의 궁상스러운 여성의 관용이 필요하리오.

알면 아는 대로 모르면 모르는 대로 속아 사는 한 세상인데……. '성의 모럴'은 이 순간에도 상대적으로 변하여 가고 있음에 틀림없다. 그리고 역시 성문제는 아무리 과학이 발달하여도 당사자들만 아는 밤의 역사이기에 영원한 신비 속에 쌓이리라. 오직 섭리자 신(神)이 있다면 그나 알 것인가…….

이 밤이 가면 아침이 오고, 그리고 사람은 나서 죽는다.

여원, 1962. 7.

며느리에 대한 몇 가지 단상

시어머니와 며느리

무슨 연고인지 종래의 우리나라 가정 분위기에 있어서 시어머니와 며느리 사이(姑婦之間)는 의례히 나쁜 것으로 되어 온 것 같다.

"시어머니 죽으라고 축수했더니 보리방아 찧을 때는 생각난다."

"시어미 미워서 개 배때기 찬다."

이러한 속담은 오랜 세월을 두고 우리 생활에 젖어온 시어머니와 며느리의 관계가 가장 단적으로 표현된 예들이리라고 할 수 있겠다.

그런가 하면 고부간의 이같은 미묘한 심리적인 갈등은 그 다음 대(代)인 손주의 세대에까지 연장되어 다음과 같은 속담을 상기하게도 한다.

"외손자는 업고, 친손자는 걸리면서 업은 놈 발 시리다 빨리 가자."

참으로 슬며시 입 가장자리를 스치는 애틋한 미소를 금할 길 없다.

봉건사회 대가족 제도하에서의 며느리의 고역이란 사실 이루 말로 표현할 수 없는 일면이 없는 것은 아니었다.

그러기에 이러한 고부간의 으르렁대는 갈등은 그대로 문학 작품에도 반영되어 고대소설이나 신소설 속에서는 그러한 제재를 다룬 작품을 적잖이 발견하게 된다.

그런데 여기에 참 이상한 현상이 하나 있다.

그쯤 시어머니에게 시달린 며느리라면 그가 시어머니 되었을 때는 응당 관대와 아량의 인간적인 폭으로서 며느리를 대하게 됨직도 하련만, 기실 그와는 반대로, 오히려 받은 것에 갑절하여 더 며느리를 들볶고 쥐어짜는 시어머니가 적지 않으니 말이다.

"며느리 자라 시어머니 되니 시어미 티를 더 잘한다."

이런 말은 아마도 그런 경우의 참으로 어처구니없는 현실의 일면을 풍자한 신랄한 속담이리라. 그러나 모든 시어머니가 그런 것은 결코 아닐 것이다.

"미꾸라지 한 마리가 온 웅덩이를 흐린다."고, 실지로 사나운 시어머니와 고분고분하지 않은 며느리의 경우는 드물건만 그런 경우란 누구에게도 유난히 표 나는 일이기에, 입에서 입으로 옮겨지고, 소문에 소문이 덧붙어, 모든 자애롭고 아량이 넓은 시어머니와 선량하고 충실한 며느리마저 부질없는 피해자의 올가미 속에 도매금으로 넘어가고 마는 억울한 결과임에 틀림없는 일이리라.

여기에 시누이는 곁다리 끼어서 불붙는데 키질하는 격의 악역으로 등장하는 예가 적잖았으니, "때리는 시어미보다 말리는 시누이가 더 밉다."는 말은 이런 경우의 인간 심리의 기미(機微)를 예리하게 풍유(諷諭)한 아이러니러고나 할까!

며느리의 전시대형(前時代型)과 현시대형(現時代型)

삼강오륜(三綱五倫)의 유교 윤리에 가장 충실한 현부인(賢夫人)을 속칭 현모양처(賢母良妻)라고 불러 왔었다. 이 현모양처는 거기에 어진 며느리 즉 현부(賢婦)의 덕까지 강요당한 것이 전시대가 요구한 전형적인 며느리의 타입이었다.

아무리 어질고 착한 사람이라 할지라도 시부모와 남편과 아들, 이같은 이중 삼중의 포위망 속에서는 좀처럼 숨 쉴 겨를조차 없을 것이요, 거기에 인간으로서의 개성의 자유를 찾기란 거의 불가능한 일일 것이다.

따라서 이 경우 신이 아닌 인간인 며느리는, 선천적인 기밀을 억누르고 철조망으로 얽어맨 것 같은 환경 속에서 후천적인 정성과 노력을 다하여 아내로서, 어머니로서, 그리고 자식으로서 온갖 힘을 다하게 된다.

따라서 이 경우 만능 요술사가 아닌 한 평범한 인간인 며느리는, 이 모든 힘에 겨운 조건을 감당하느라고, 결국엔 본의 아닌 굴종이나 맹종으로 죽은 시늉을 하는 수밖에 없게 된다.

개성이 없는 복종, 자각이나 비판이 없는 추종이란, 자칫 가식 위에 선 행동에 지나지 않는 경우가 많다. 현대의 특징, 그것은 인간의 존엄성과 개성의 자각 및 자유로운 비판의식에 입각한 행동에 있다고 한다.

선량하고도 정당한 복종은 양심과 진실의 바탕 위에서 출발되어야 한다. 가식은 그 동기가 불순하고 맹종은 그 결과를 그르치기 일쑤다.

따라서 현대의 며느리는 인간을 아끼고 개성을 살리고, 자유로운 비판의식 위에서 자아를 조절하면서, 제휴할 수 있는 타입이어야 할 것이다.

그러나 여기에는 불가피하게 시간의 흐름이 필요하게 된다.

시집 온 다음날부터 새 며느리가 시부모나 남편 앞에서 총선거의 운동원처럼 인간의 존엄성입네, 자유로운 행동입네 하고 기고만장의 기염을 토하고, 방약무인의 행동을 취할 필요는 없는 일이다.

인간에게는 그 환경이 변경되었을 때는 새로운 환경에 어느 정도 스스로 적응되어가야 할 자제력이 불가피하게 요구된다.

무턱대고 남이 쌓아 올린 새로운 분위기에서 신입자(新入者)가 제 마음 내키는 대로 좌충우돌할 수는 없는 것이다.

인간이 성장하여 가는 과정에서 한 학교에서 다른 학교로 옮기는 것,

이것도 커다란 환경의 변화다.

국민학교에서 중학교에 입학하고, 고등학교에서 대학으로 입학하는 것, 이것은 더 심한 환경의 전환이다.

그러나 출가하여 최소 20년 내외 익숙한 친정 분위기에서 전연 순치(馴致)되지 않은 시가(媤家)로 옮긴다는 것, 이것은 여성의 일대에 있어서 가장 격심한 환경 변화의 고비의 하나임에 틀림없을 것이다.

이런 격심한 환경 전환에서 어찌 쉽사리 어제의 개성과, 자유와, 행동을 휘둘어가며 실천에 옮길 수 있으랴.

여기에 바로 지실(知悉)하고 숙달하고 관습화되어야 할 적응과 비판의 시간이 절실하게 요구되게 되는 것이다.

아마도 "된장 세 독은 먹어야 시댁 사람이 된다."는 옛말은 이러한 적응성의 과도적인 시간의 경과를 의미하는 뜻임에 틀림없으리라.

이때부터 비로소 새로운 며느리는 가족들과 더불어 동격(同格)의 위치에 서게 되는 것이다.

이러한 인간 대 인간의 델리케이트한 상관관계까지 체득할 수 있는 교양과 지성을 갖춘, 신여성만이 현대적 며느리의 전형으로 행사할 수 있는 특전을 가질 수 있으리라.

시어머니의 며느리와 아들의 며느리

한국 며느리의 거의 공통된 숙명적인 수난의 역정은 대가족 제도의 해체에서만 비롯한다 함은 나의 변함없는 지론의 하나이다.

요즈막 혼인과 함께 분가(分家) 절차가 필수로 따르게 된다는 법적 조치의 기운이 엿보임을 보고, 나는 시의(時宜)를 얻은 구상이라고 홀로 찬성의 박수를 보냈다.

서양은 횡적 유대인 부부관계가 가정 구성의 기본이었고, 동양은 종적

혈통인 부자관계가 가정구성의 인습적인 전통이었다.

한국의 현실은 민주주의를 지향하고 있다. 민주주의 기본은 인간 개체의 존엄성을 시발점으로 하고 있다.

부부는 별개의 개체인 동시에, 합치면 하나의 단위로 될 수 있고, 정상적인 혼인 관계에서는 제너레이션도 비슷한 것이 상례이다.

부자 관계는 개체의 존중보다 종속(從屬) 관계가 선행하고, 쉽게 말하여 한 세대의 제너레이션의 차이를 스스로 내포하고 있다. 동양의 친등(親等)법에도 부부는 촌수가 없고, 부자(父子)는 일촌(一寸)으로 된 것도 재미있는 혈연 결구(結構)의 하나로 느껴진다. 따라서 민주주의는 개체에서 시작되고 일 대 일의 부부관계에서 넓어지고 자치적으로 확충된다. 이러한 결과는 젊은 부부 중심의 분가론(分家論)을 자연적으로, 그리고 합리적으로 수긍하지 않을 수 없게 한다.

모든 아들과 며느리는 따로 내 놓아야 한다. 설령 맏아들이라 할지라도 심지어 홀어머니 홀아버지의 외아들이라 할지라도 경제적 실정을 비롯한 특수 사정의 경우를 제외하고는 독립할 것을 주장하고 싶다. 왜냐하면 그것이 오히려, 부모도 자식도 마음 편하고 또한 자식의 자립성을 위하여서는 좋은 계기가 될 것이기에……

하물며 이 경우 며느리의 자유와 해방의 혜택이란 이루 말할 나위도 없는 일이다. 이로써 모든 숙제는 쉽게 풀리고 만다.

'시어머니나 시아버지를 위주한 며느리보다, 아들을 위주한 며느리를 얻으라고.' 이럴 때 새 며느리의 짐은 자유와 희망의 구가(謳歌) 속에서도, 스스로의 자각된 행동과 실천 속에 더욱 뜻 있고 무거워만 지리라. 그리하여 건강하고 명랑한 가정은 저절로 이루어지고 인간을 아끼는 속에서 민주주의는 진실로 안에서 밖으로 정상적인 성장을 가져올 수 있을 것이다.

여상, 1963. 3.

편지의 미학美學

한 평생, 편지 한 장 쓰지 않고 살아온 사람도 있을 법한 일이다. 그러나 현대의 젊은이로서 그리고 한글로 자기 의사를 표기할 수 있는 정도 이상의 지식수준을 가지고 있는 사람이라면 인생 이십이 넘도록 단 한 번도 편지나 쪽지 한 장 보내 본 일이 없다는 사람은 거의 없을 것이다. 그리고 보면 현대인으로서는 누구나 편지의 필요성이 그 생활과 직접 결부돼 있다고도 할 수 있겠다.

그러면 편지란 현대인의 생활과 직결되어 어떻게 필요하게 되는 것일까?

누구나 자기가 볼 일이 있는 사람을 다 만나서 직접 이야기할 수만 있다면, 아마도 극소수의 예외를 제외하고는 편지의 필요성은 없어질지도 모른다. 그러나 인간과 인간의 교제가 밀접하고도 폭이 넓어지고, 사람을 상대하는 시간과 공간의 한계가 무한정으로 확대된 현대에서는, 일일이 사람을 만나서 일을 처리할 수는 없는 것이며, 또한 시간과 공간의 제약이 그것을 불가능하게 하는 것이다. 따라서 우리들은 직접 면담하는 대신 전화라는 편리한 문명의 이기를 이용하여 상당히 많은 일을 손쉽고도 신속하게 처리해 나가고 있다.

그러나 면담도 전화도 될 수 없는 경우, 우리는 편지를 매개체로 하여 일을 처리할 수밖에 없게 되는 것이다. 물론 면담도 전화도 가능한 경우이면서도 직접 말로 이야기하기에는 거북하거나 면구스럽거나 또는 예절에 어긋날 것 같아 군이 편지의 힘을 빌리는 경우도 없지 않은 것이다. 그러고 보면 편지란 우리의 일상생활에 있어서 없어서는 안될 절대로 필요한 실용문인 것이다.

간혹 특별한 용건은 없으면서 다감한 연대의 젊은이들이 가까운 벗에게 심심풀이로 공연히 편지를 주고받는 일이 없는 것은 아니지만……

또한 사랑의 고백이나 애정의 하소연으로 장장 몇 장에 걸쳐 깨알 같이 아로새겨진 진정의 호소, 이 또한 넓은 의미에서는 인생의 한 실용문일시 분명하지 않을까?

따라서 현대인에 있어서 편지는 생활필수품의 뚜렷한 하나에 속할지도 모를 일이다.

잘 된 편지란?

편지는 한자로 '便紙', '片紙' 등으로 표기하여 그 다른 이름으로 서간(書簡), 서한(書翰), 서장(書狀) 등으로 불리우고, 예전에는 서독(書牘)이니 척독(尺牘)이니 한묵(翰墨)이니 하는 명칭으로 불리우기도 했다.

편지의 명칭이 지니는, 이같은 시대적인 감각의 변천과 더불어, 편지 자체의 형식과 내용도 상당히 변모해 온 것 같다.

참고로 1920년대에 발간된 「시행미문척독(時行美文尺牘)」에 실린 예문 하나를 소개하면 다음과 같다.

부주전(父主前) 상백시(上白是)
슬하(膝下)를 떠난 후 안후(安候)를 미승(未承)하와 하회복울(下懷伏鬱)이오며 복미심춘한(伏未審春寒)에 기체후(氣體候) 일향만안(一向萬

安)하시옵고 자주제절(慈主諸節)이 안강(安康)하시오며 아우들도 잘 있나이까 복모불임하성(伏慕不任下誠)이외다 자(子)는 모일(某日)모시(某時)에 경성역(京城驛)에 도착하였삽더니 마침 모동(某洞) 거(居)하는 김모(金某)가 마중을 나와 모든 것을 지도하여 주어서 비록 서울길이 처음이오나 조금도 어려움이 없이 모여관(某旅館)에 사관(舍舘)을 정하고 김모와 같이 경성 시가를 돌아다니며 구경하오니 질풍(疾風)같이 달아나는 전차며 자동차는 귀가 아프고 화려한 시가는 현황(眩慌)하여 농촌안목(農村眼目)으로 정신을 차릴 수 없더이다

　모일(某日)에 남대문 상업학교 시험에 입격(入格)이 되어 매일 상오(上午) 팔(八)시에 상학(上學)하옵고 하오(下午) 사(四)시에 하학(下學)이온데 과공(課工)은 비록 부지런히 하여 촌음(寸陰)을 아낍니다마는 학비(學費)가 매삭(每朔) 불소(不少)하올터이온즉 넉넉지 못한 집안에 난처(難處)한 일이로소이다 여(餘)는 불비(不備) 상백(上白)하노이다

　　　　　연 월 일　　　　　　자명(子名) 상서(上書)

　시골에서 서울로 공부하러 올라온 아들이 그 과정을 아버지에게 알리는 이 편지 속에 담긴 용어나 격식에서, 우리는 흘러간 시절에 웃어른들이 입다가 팽개쳐버린 낡은 옷을 대하는 것 같은 감회를 금할 수 없는 것이다.

　편지는 어느 시대 어느 장소를 막론하고 자기 이외의 특정된 다른 사람에게 보이기 위하여 쓰는 글이므로, 아무리 자유로운 의사 표시라 할지라도, 예절에 어긋나지 않는 일반적인 격식에 따라야만 하는 것이다. 그러기에 그 격식을 지키기 위하여, 예전부터 편지 쓰는 법과 편지 문투를 엮은 「척독(尺牘)」이니, 「서간문범(書簡文範)」이니 「서간문강화(書簡文講話)」이 「서한문독본(書翰文讀本)」이니 하는 유서(類書)가 세상에 나왔고, 오늘날도 또한 이러한 책들을 참조하는 사람들이 적지 않은 것이다.

　대학을 나오고도 편지 한 장 제대로 쓸 줄 모른다는 말은, 어쩌면 편지

의 가장 쉬우면서도 어려운 일면을 암시해주는 말인지도 모른다.

그러나 편지를 그렇게 어렵게만 생각할 필요는 없다.

잘 된 편지란 문투나 형식에 예절을 결하지 않고, 내용은 솔직하고도 분명한 표현으로 간단명료하게 용건이 밝혀져 있는 것을 뜻하리라. 특히 글씨는 잘 알아볼 수 있도록 또렷하게 써야하며 시간 장소 숫자 주소 성명 등의 표기는 흘려 써서 착오를 일으키게 하는 일이 없도록 해야 할 것이다.

상대에 대한 존칭(尊稱-이상 어른) 평칭(平稱-같은 끼리) 비칭(卑稱-아랫 사람) 등에 따르는 호칭과 문장의 경어(敬語)의 정도는 편지에서 가장 신경이 쓰이는 문제이며, 편지 서두 인사와 끝맺음 등의 형식적인 격식은 글 쓴 사람의 예식의 척도로 되니 평소 잘 유의해야 할 일이다.

예전에는 예절을 지키는 편지는 반드시 한지에 모필로 썼다. 그러나 지금은 그럴 겨를도 없고 그렇게까지 할 필요도 없지만, 노트 조각이나 종이쪽지를 되는대로 찢어 편지지를 한다든가, 붉은 잉크로 쓴다든가 하는 것은 실례에 속하는 일들이다. 편지만큼 쓴 사람의 인품이 그대로 드러나는 글은 없을 만큼, 편지를 필자의 자화상이라고도 할 수 있는 것임을 늘 명심해야 할 것이다.

다음에 선조(宣祖)대왕이 일시 궁궐을 떠나 계실 때 역시 다른 곳에 가 있는 셋째 따님 정숙옹주(貞淑翁主)에게 보낸 편지를 예시하거니와 마주 앉아 이야기하듯이 하는 꾸밈새 없는 솔직한 표현을 느낄 수 있을 것이다.

그리 간 후의 안부 몰라 하노라 어찌들 있는다 서울 각별한 기별 없고 ×××물러가니 기꺼하노라 나도 무사히 있노라 다시금 좋이 있거라
정유(丁酉) 구월(九月) 이십일(二十日)

요새는 펜팔이란 기구가 있어서 편지도 실용 외로 오락이나 취미의 영역으로 다소 침범해 들어가는 감이 없지 않다.

나 자신도 중학교 시절에는 굉장히 많은 편지를 썼고, 기다리는 사람에게 오는 편지는 우선 봉투가 두툼하게 장수가 많아야 기분이 좋았었다. 그리곤 그 많은 편지장을 넘기면서도 끝나는 것이 아쉬워지고 받는 즉일로 밤늦게까지 답장을 쓰기도 했었다. 그러나 지금은 좀처럼 편지를 쓰지 않고, 답장의 성적은 더욱 나빠, 외국에 가 있는 친구에게서 편지를 받고 외국용 봉함엽서를 사서 상대방의 주소를 써 놓고도 게으름으로 차일피일 미루다가 결국 그 친구의 귀국 후에 그 봉투를 보여준 예도 없지 않은 실태를 보이고 있는 형편이다. 확실히 요사이의 편지는 실용의 경지를 넘어서 심심풀이로 주고받던 편지가 연분이 되어 그것이 애정으로 변모 결실하는 경우도 적지 않은 것 같다.

다음에 춘원(春園)이 그가 지은 「서간문범(書簡文範)」속에 실은 이같은 경우의 「아들에게」 준 편지를 참조하면 「편지」에 반영된 이성(異性)의 윤리관도 격세의 차이가 있음을 느낄 것이다.

네 누이의 서간(書柬)을 보니, 네가 어떤 여자(女子)와 교제(交際)를 하는 중이라 하니, 아비로서 한 말 없을 수 없다.

네 나이 비록 성년(成年)이 되었거니와 아직 수학시대(修學時代)니 혼인(婚姻)할 처지(處地)도 아닌즉, 여자(女子)와의 교제(交際)는 피(避)하는 것이 좋고, 또, 네 누이의 말대로 그 여자(女子)가 동경(東京)에 지우(知友)가 없다고 하면, 네가 그를 위(爲)하여서 도와줄만한 일을 도와주는 것은 옳은 일이어니와, 아무쪼록 멀리하기를 힘써라. 이성(異性)은 견인력(牽引力)이란 것이 있어서 가까이 하고 싶은 충동(衝動)이 있는 것이거니와, 이 충동(衝動)의 고삐를 네 냉정(冷靜)한 이성(理性)으로 꼭 붙들어야 한다.

서신(書信) 왕복(往復)을 말아라. 서신(書信)은 항상(恒常) 애정(愛情)을 도발(挑發)하는 매개(媒介)가 되기 쉬우니라. 하물며 물품(物品) 수

수(授受)를 말아라. 더구나 단 둘이 같이 하지 마라. 너는 아직 네 감정(感情)과 충동(衝動)을 제어(制御)할만한 연령(年令)도 못되고 수양(修養)도 없음을 잊지 말아라.

만일 저편에서 먼저 편지를 하거든 곧 답장(答狀)은 하되, 극(極)히 정중(鄭重)하게 냉랭(冷冷)하게 하고, 애정(愛情)을 포함(包含)하는 듯한 조사(措辭)를 삼가라. 저편에서 무슨 물품(物品)을 주거든 곧 사례(謝禮)하되, 역시(亦是) 애정(愛情)의 표시(表示)라고 해석(解釋)될 의심 있는 것을 주지 말고, 만일 부득이(不得已) 단둘이 함께 갈 경우(境遇)가 생기거든 단좌(端坐)하여 웃거나 희언(戲言)을 말고, 서투른 남성(男性)을 대한 것과 같이 하여라.

이것은 다만 너만을 위(爲)함이 아니요, 실(實)로 저편인 여자(女子)를 위(爲)함이니, 남녀간(男女間)에 양심(良心)의 정조(貞操)를 지킴이 극(極)히 아름다운 일이요, 이리하여야만 장차(將次) 혼인(婚姻)할 때에 완전(完全) 원만(圓滿)한 애정(愛情)과 신의(信義)를 안보할 수가 있는 것이다.

네 만일 어떤 여자(女子)에게 애정(愛情)을 표(表)하였다가 배반(背叛)한다 하면, 그것은 네 손에 칼을 들어서 그 여자(女子)의 가슴을 찌름과 같음을 명심(銘心)하여라. 그러므로 네 만일 한번 어떤 여자(女子)에게 사랑하노라 하는 뜻을 표(表)하였거든 네 일생(一生)에 그 신의(信義)를 지키고 책임(責任)을 져야 할 것이다. 심지(心志) 미정(未定)한 젊은 마음은 어떤 여성(女性)이 가까이 오는 이에게 끌리기 쉬운 것이니 이리하여서 일생(一生)에 회복(恢復)할 수 없는 회한(悔恨)을 상대방(相對方)에 끼치는 일이 많은 것이다.

네 만일 그 여자(女子)를 일생(一生)의 배필(配匹)로 삼으려느냐? 그러하거든 냉정(冷靜)하게 오래 두고 두고 보아서 결정(決定)하여야 할 것이요, 네 만일 그 여자(女子)와 일생(一生)을 같이 할 뜻이 없느냐?

그러하거든 더구나 가까이 하지 말 것이다.

청년시대(靑年時代)에는 이성간(異性間)의 단순(單純)한 우정(友情)이란 있기 어려운 것이니 우정(友情)이라 하여서 이성(異性)이 서로 가까이 하는 것은 흔히 둔사(遁辭)가 아니면 자기(自欺)가 되는 것이다.

또 남매(男妹)의 의(義)를 맺는 것이 순결(純潔)한 청년(靑年) 남녀간(男女間)에 흔히 보는 바이니와, 이것은 억제(抑制)된 애정(愛情)으로서 연애(戀愛)의 일변형(一變形)에 불과(不過)한 것이니, 그것이 다만 무익(無益)하고 또 위험성(危險性)을 가질 뿐더러, 만일 그러한 사이에 성적관계(性的關係)가 생긴다 하면 이것은 패륜(悖倫)이라고 아니할 수 없는 것이다. 그뿐더러, 억제(抑制)된 애정(愛情)은 양인(兩人)의 심신(心身)의 건강(健康)을 해(害)함이 막대(莫大)한 것이니, 그러므로 혼인(婚姻)을 목표(目標)로 하지 아니하는 이성간(異性間)의 친교(親交)는 피(避)하는 것이 가장 현명(賢明)한 일이다.

옛날에 불제자(佛弟子) 빈두노존자(賓頭盧尊者)는 늙은 여자(女子)는 어머니로 보고 젊은 여자(女子)는 누이로 보고 어린 여자(女子)는 딸로 보는 공부(工夫)를 하여서, 일생(一生)을 성(性)에서 순결(純潔)하였다 하니, 실(實)로 본받을 일이라고 믿는다. 네 누이 연줄로 여러 여성(女性)을 접(接)할 기회(機會)도 있으려니와 빈두노존자(賓頭盧尊者)의 태도(態度)를 잃지 말기를 바란다.

영명수선사(永明壽禪師)의 말씀에, 여자(女子)를 안을 때에 시체(屍體)를 안음과 다름이 없거든 여자(女子)를 가까이 하라 한 것이 있다. 이 아비의 과거(過去)의 회한(悔恨) 많은 경험(經驗)을 너로 하여금 반복(反復)하게 하고 싶지 아니하여 이러한 말을 하는 것이니 명심(銘心)하여라.

〈법화경(法華經)〉「안락행품(安樂行品)」에는 「과녀(寡女), 처녀(處女), 소녀(少女)」과 가까이 말고, 단둘이 한 방(房)에 있지 말고, 만일 부득이

(不得已) 함께 하게 될 경우(境遇)여든 「일심염불(一心念佛)」의 마음을 꽉 잡고 희소(戲笑)함이 없으라 하셨고, 예수께서는 「여인(女人)을 보고 음심(淫心)을 품는 자는 벌써 간음(姦淫)한 것이니라」 하셨다. 사람이 능(能)히 여색(女色)과 재물(財物)에 동(動)치 아니하면 그는 군자(君子)라. 부디 조심하여 큰 사람 되는 공(功)을 헐지 말아라. 일부지원(一婦之怨)으로 고한(枯旱) 삼년(三年)이라고, 한 여자(女子)의 원망을 받으면 일생(一生)에 큰 환(患)을 면(免)하지 못하는 것이다.

또 너도 장차(將次)는 진실로 너를 사랑하고 사모할 여성(女性)을 구(求)하려니와 현량(賢良)한 여성(女性)이 원구(願求)하는 남성(男性)은 순결(純潔)하고 범(犯)하기 어려운 남성(男性)인 것을 잊지 말아라. 이 여자(女子) 저 여자(女子)에게 마음을 끌리는 남자(男子)는 마침내 정숙(貞淑)한 아내를 얻지 못하고 마는 것이다.

또 말하기를, 네가 남의 누이를 범(犯)하면 남이 네 누이를 범(犯)할 것이요, 남의 딸을 범(犯)하면 내 딸을 범(犯)할 것이요, 네가 남의 아내를 범(犯)하면 남이 네 아내를 범(犯)하리라 하였으니, 인과응보(因果應報)가 음(音)에 대(對)한 향(響)과 같음을 말한 것이다.

사랑하는 내 아들아!

년 월 일 야반(夜半)에   아비 합장(合掌)

편지도 문학인가?

말할 것도 없이 편지는 문학 작품이 아닌 실용문이다. 그러나 편지처럼 그 사람을 두드러지게 나타내는 글은 없기 때문에, 동서고금을 막론하고 '서간'은 작가 연구의 중요한 문헌적인 자료의 구실을 하는 것이다.

또한 이밖에 편지가 문학 작품의 창작 양식과 직결되는 것으로 서간체 기행문, 일인칭의 서간체 소설 등이 있다. 그것은 이 고백체의 형식이 상대에 대한 호소력이 가장 세기 때문에 가끔 그 형식이 창작면에 원용(援用)되는 것이다.

다음에 끝으로 김유정(金裕貞)과 이상(李箱) 두 요절한 작가의 애끓는 하소연이 서린 편지 두 통을 예시하기로 하겠다. 그들의 심충(心衷)을 이처럼 적나라하게 드러낸 글이 또 있을까보냐!

형(兄)아

나는 날로 몸이 꺼진다. 이제는 자리에서 일어나기조차 자유롭지가 못하다. 밤에는 불면증(不眠症)으로 하여 괴로운 시간(時間)을 원망(怨望)하고 누워 있다. 그리고 맹렬(猛熱)이다. 아무리 생각하여도 딱한 일이다. 이러다는 안되겠다. 달리 도리(道理)를 채리지 않으면 이 몸을 다시 일으키기 어렵겠다.

형(兄)아

나는 참말로 일어나고 싶다. 지금 나는 병마(病魔)와 최후(最後) 담판(談判)이다. 흥패(興敗)가 이 고비에 달려 있음을 내가 잘 안다. 나에게는 돈이 시급(時急)히 필요(必要)하다. 그 돈이 없는 것이다.

내가 돈 백원(百圓)을 만들어 볼 작정이다. 동무를 사랑하는 마음으로 네가 좀 조력(助力)하여 주기 바란다. 또 다시 탐정소설(探偵小說)을 번역(飜譯)하여 보고 싶다. 그 외(外)에는 다른 길이 없는 것이다. 허니 네가 보던 중(中) 아주 대중화(大衆化)되고 흥미(興味) 있는 걸로 한뒈권(卷) 보내주기 바란다. 그러면 내 오십일(五十日) 이내(以內)로 역(譯)하여 너의 손으로 가게 하여 주마. 하거던 네가 극력주선(極力周旋)하여 돈으로 바꿔서 보내다고.

형(兄)아

물론(勿論) 이것이 무리(無理)임을 잘 안다. 무리(無理)를 하면 병(病)을 더친다. 그러나, 그 병(病)을 위하여 업집어 무리(無理)를 하지 않으면 안되는 나의 몸이다.

　그 돈이 되면 우선(于先) 닭을 삼십(三十)마리 고아 먹겠다. 그리고,
땅군을 드려 살모사 구렁이를 십여(十餘)뭇 먹어 보겠다. 그래야 내가
다시 살아날 것이다. 그리고, 궁둥이가 쏙쏙구리 돈을 잡아먹는다.
돈, 슬픈 일이다.

　형(兄)아

　나는 지금 막다른 골목에 맞닥들었다. 나로 하여금 너의 팔에 의지
(依支)하여 광명(光明)을 찾게 하여다우. 나는 요즘 가끔 울고 누워 있
다. 모두가 답답한 사정이다.

　반가운 소식 전해다우. 기다리마.

　삼월(三月) 십팔일(十八日)　　　　　　　　　김유정(金裕貞)으로부터

　K형(兄)!

　인천(仁川)에 가 있다가 어제 왔오.

　해변(海邊)에도 우울(憂鬱)밖에는 없오. 어디를 가나 이 영혼(靈魂)
은 즐거워할 줄을 모르니 딱하구려! 전원(田園)도 우리들의 병원(病院)
이 아니라고 형(兄)은 그랬지만, 바다가 또한 우리들의 약국(藥局)은
아닙디다.

　독서(讀書)하오? 나는 독서(讀書)도 안되오.

　여지껏 가족(家族)들에게 대(對)한 은애(恩愛)의 정(情)을 차마 떼기
어려워 집을 나가지 못하였던 것인데, 이번에 내 아우가 직업(職業)을
얻은 기회(機會)에 동경(東京) 가서 고생(苦生)살이 좀 하여 볼 작정(作
定)이요.

　아직 큰 소리 못하겠으나 구월(九月) 중에는 어쩌면 출발(出發)할
수 있을 것 같소.

　형(兄), 도동(渡東)하는 길에 서울 들어 부디 좀 만납시다. 할 이야

기도 많고 이 일 저 일 의논(議論)하고 싶소.

고황(膏肓)에 든 이 문학병(文學病)이 익애(溺愛)의, 도취(陶醉)의……
이 굴레를 제발 좀 벗고 표연(飄然)할 수 있는 제법 근량(斤量) 나가는
인간(人間)이 되고 싶소. 여기서 같은 환경(環境)에서는 자기(自己) 부
패작용(腐敗作用)을 일으켜서 그대로 연화(煙火)할 것 같소. 동경(東京)
이라는 곳에 오직 나를 매질할 빈고(貧苦)가 있을 뿐인 것을 너무 잘
알고 있지만, 컨디션이 필요(必要)하단 말이요. 컨디션 사표(師表) 시
야(視野) 아니 한계(限界) 구속(拘束), 어째 적당(適當)한 어휘(語彙)가
발견(發見)되지 않소그려!

T는 어쩌다가 만나오. 그 군(君)도 어째 세대고(世帶苦) 때문에 활
갯짓이 잘 안나오나 봅디다.

J는 한번도 못 만나오.

세상(世上) 사람들이 다―제각기의 흥분(興奮) 도취(陶醉)에서 사는
판이니까 타인(他人)의 용훼(容喙)는 불허(不許)하나 봅디다. 즉, 연애
(戀愛) 여행(旅行) 시(詩) 횡재(橫財) 명성(名聲)―이렇게 제것만이 세
상(世上)에 제일(第一)인줄들 아나 봅디다. 자―K형(兄)은 나하고만
악수(握手)합니다. 하하……

편지 주기 부디 바라오. 그리고 도동(渡東) 길에 꼭 좀 만나기로 합
시다. 굿빠이.

김유정은 이 편지를 남긴 후 얼마 안 되어 세상을 떠났고, 이상 또한
이 편지를 쓴 후 일본 동경으로 건너갔다가 몇 달 후 이역의 병원에서 외
롭게 목숨을 끊었다.

여성동아, 1970. 6.

폭넓은 자세에서

1

관용(寬容)이란 무엇인가, 그리고 무엇을 뜻하는 것인가.

관용이란 글자 그대로 넓게 받아들이는 것이다. 자신을 넓게 받아들이는 것이 아니라, 내 마음 속에 남을 넓게 받아들이는 것을 뜻한다.

인간의 삶이란 사람과 사람의 부대낌의 과정이다. 특수한 경우를 제외하고는 우리는 매일매일 사람과 사람의 접촉 속에서 살아간다.

되붙이끼리의 접촉, 아는 사람끼리 접촉, 그리고 모르는 사람끼리의 접촉. 그렇게 사람과 사람의 연관 속에서 시간을 보내고 있는 것이다. 아니 그런 속에서 시간이 흘러가고 있는 것이다.

사람과 사람의 부드러운 접촉은 흐뭇하고도 다사로운 인정미를 안겨주고 거센 접촉은 갈등을 일으키거나 살기가 등등한 분위기를 자아내기 일쑤이다. 거센 것 같으면서도 뜻있는 선의의 경쟁은 인간에게 삶의 의욕을 북돋고 문화 발전의 길잡이가 되어 인간의 삶을 더욱 기름지고 값있고 보람있게 하는 구실을 한다.

뜻하지 않은 과격한 인간과 인간의 접촉을 부드럽게 하거나 또는 거기에 제동을 가하기 위하여 인간생활의 오랜 체험에서 우러난 윤리와 도덕이 있고 그것이 습성화된 곳에 풍속 습관을 바탕으로 한 미풍양속의 거울이 걸려 있는 것이다.

인총이 늘어나고 인간의 삶이 더욱 복잡해짐에 따라, 이미 다져진 윤리나 도덕 그리고 관습으로 다스리기에는 너무 힘에 겨울 때, 인간은 스스로 일부러 만들어 놓은 법(法)의 굴레를 씌우고 쓰고 하게 되는 것이다.

이쯤 거세고도 사나워진 삶의 각축장에서 기진맥진했거나 구미를 잃은 사람들은 그를 등지고 초야(草野)에 묻히거나 수항(隨巷)을 벗어나 자연의 품에 안겨 음풍영월(吟風詠月)의 유한(幽閑)의 경지에 잠기는 것이다.

이것을 일러 고일(高逸)한 지사(志士)의 기품이라고도 하고 물욕 없는 선비의 고담(枯淡)한 덕(德)이라고도 하나, 아무튼 격렬한 생존경쟁 장에서 후퇴하여 은둔(隱遁)하는 삶의 도피행(逃避行)임에는 틀림없는 일이다.

뿐만 아니라 인간은 현실에 있어서 인간과 인간의 각축을 부드럽게 하고, 현세(現世)와 내세(來世)의 연관 속에서 인간생명의 영원성에 대한 갈구(渴求)를 충족시키기 위하여 종교의 그늘 밑에서 신(神)의 이름을 부르게 하고도 있는 것이다.

2

관용은 사랑 아낌 도움 그리고 동정 자비 연민의 정 등 마음가짐의 애틋하고 다사로움에서 우러나오고, 그것이 다시 이해와 아량 포용력 등의 폭넓은 자세에서 베풀어지게 되는 것이다.

관용이 베풀어지게 되는 상호의 당사자는 개인 대 개인은 물론이거니와, 개인 대 집단, 그리고 집단 대 집단일 수도 있는 것으로 이들 당사자의 위치는 양자(兩者)의 대등(對等)한 관계보다 약자(弱者)와 강자(強者), 또는 약조한 조건을 어기거나 잘못을 저지른 자와 그 상대자, 이러한 사이에서 일어나는 경우가 많은 것이다.

양쪽이 대등한 위치에서, 피차 어떤 약점을 지니거나, 아무런 꿀릴 일 없이 서로 다투거나 경합을 이룰 때, 이들의 접근점을 찾아 해결의 실마리를 모색할 때는 상호의 양보나 타협이라는 말을 쓰게 되는 것이 상례이니, 이는 관용의 경우와는 좀 다른 것 같다.

폭넓은 관용의 미덕이 더욱 아쉬워짐을 절실하게 느끼게 되는 것이다.

현대는 민주주의 사회를 그 지표로 삼고, 민주주의는 인간의 자유와 존엄성, 그리고 합리주의에 바탕을 두고 있다. 인간 각자는 자유 행동을 갈구하고 제 잘난 멋에 살고 있으며, 최소한의 이치에만 맞는다면 그것을 빙자하며, 양보도 체면도 없이 남을 아랑곳 하지 않을 뿐더러, 남을 돌보지 않고, 혼자서 좋을 대로 살아가려고 하고 있다.

이것이 인간 개체 위주의 현대 민주주의의 장점인 동시에, 또한 여기에 현대사회의 맹점이 도사리고 있고, 새로운 병폐의 온상이 마련되어 가고 있는 것이다.

마을에서 대사를 치르면 온 동네가 나누어먹고, 좋은 일 궂은 일 내 일처럼 함께 나누던 지나간 미덕(美德)은 흘러간 수습(隨習)으로 타기(唾棄)되고, 제 실속 차리고 제 안속 굳히는 사람을 현대 생존경쟁의 승리자요 기수로 찬양하고 부러워하는 기풍마저 생기게끔 세상은 변하였다.

그리하여 세상은 더욱 더 각박해지고 양보 없고 관용 없는 메마른 사막으로 가속도의 변천을 하고 있는 것이다.

극단의 이기심(利己心)은 미풍양속(美風良俗)의 이타심(利他心)을 매친 데 없는 바보처럼 보려드는 삶의 막바지에 이른 감이 없지 않다.

3

이 관용이나 관대라는 말이 나올 때마다 나한테는 목에 걸리는 일 하나가 떠오른다.

그것은 벌써 20년이나 되는 예전의 일이다. 이제는 세월이 오래 되고, 그 당사자도 또한 세상을 떠난 지 오래 되므로 공개해도 무방한 시기에 오기는 한 것 같다.

1956년인가 그 무렵, 아무튼 12월초 제2학기말 시험이 치러지고 있을 때의 일이다.

그때 이강석(李康石)이라는 학생이 있었다. 그는 이기붕 국회의장의 아들이었지만 이승만 대통령의 양자로 입계(入繼)된지 얼마 되지 않은 때였다. 그는 당시 세상에서 속된 말로 '귀하신 몸'으로 통칭되었다. 파출소 앞에서 보초를 서고 있는 순경을 아무 이유도 없이 뺨을 치고 지나간다든가, 지방 관서에 불쑥 나타나서 아무개라고 하여 권세를 부린다든가 하는 일이 신문지상에 심심치 않게 보도되기 때문에 그런 말로 불리게끔 되었고, 그러한 무분별한 만용(蠻勇)에 편승한 가짜 이강석의 귀하신 몸도 심심치 않게 나돌던 시절이었다.

이강석은 법대(法大)에 입학하였으나 1학년 교양과목은 당시의 문리대(文理大) 교양학부에서 수강하게 되었다. 그가 이보다 2, 3년 전, 법대에 전입학(轉入學)하려고 절차를 밟았으나, 법대 교수회의 부결로, 이루어지지 못하였음은 당시의 유명한 화젯거리의 하나였다. 그 후 육군사관학교에 다니다가 다시 입학절차를 취하여 서울대의 학생이 된 것이었다.

내가 소문만 듣고 있던 그를 처음 만난 것은, 교양학부의 2학기말 시험 감독으로 들어간 독일어 시간의 교실에서였다.

나는 아무런 예비지식이나 선입감 없이 다른 시간의 시험감독 때나 마찬가지로, 시험문제가 프린트되어 있는 답안지를 나누어 주고 교단 앞에 서서 감독하고 있었다.

시간이 얼마 지나지 않아 뒤편 한쪽 구석의 몇 학생이 서성대며 도무지 안정을 못하고 있는 것이 눈에 띄었다. 나는 조용히 시험에 응할 것을 지시했다. 그래도 그들의 태도는 여전할 뿐더러 옆자리 학생에게 자기 시험지를 공공연하게 들어 보이고 있었다. 나는 부정행위를 미연에 방지할 양으로 그 학생을 제지하고, 개별적인 주의를 준 다음 전체를 향하여 두 번 이상 주의를 받은 학생은 퇴장시키겠다는 경고를 내렸다.

그러나 그 뒤쪽 자리에서는 여전히 옆의 학생 및 양 옆의 학생이 교대로, 가운데 앉은 학생에게 제 시험지를 들어 보이느라고 애들을 쓰고 있는 것이 아닌가. 나는 그 쪽으로 다가갔다. 보여주는 학생의 이름과 보는 학생의 이름을 살펴보았다.

순간 나는 깜짝 놀랐다. 보는 학생의 이름이 그 유명한 이강석(李康石)인 것을. 나는 그를 둘러싼 학생들의 들고 있는 시험지를 제지하며 다시 주의를 주었다. 이강석은 묵묵히 있었으나, 양 옆과 앞에 앉은 학생은 적의와 냉소에 찬 눈초리로 나를 흘겨보고 있는 것이다.

나는 순간, 이 경우의 대응 조치로 내가 취해야 할 행동을 생각하고 있었다. 장소가 교실이자, 시험시간, 나는 다른 학생들에게 영향이 미치지 않게 조금 간격을 두고 이를 부정행위 그룹 뒤에 움직이지 않고 서 있었다. 이렇게 되니 보이던 쪽도 보는 쪽도 계속적으로 그렇게 대담해질 수는 없는 모양이었다.

나는 격한 감정이 점점 냉정해져갔다. 그제서야 이강석이 가죽잠바를 입고 있는 것이 눈에 띄었다. 나는 한자리에만 계속 서 있는 것이 옆 응시자에게 긴장을 주어 감독상의 평형을 잃는 일이라고 생각되어 교실 안을 왔다갔다 하면서도, 시선은 그 자리에 머문 대로 지속하였다.

시험시간이 반이나 지났을까 할 때에 이강석은 답안지를 뒤집어놓고 제일 먼저 교실 밖으로 나가버렸다. 갑작스런 그의 행동에 응원 호위부대의 구실을 하던 학생들은, 속담에 닭 쫓던 개 지붕 쳐다보는 격으로 맥이 풀려 두리번거리며 살기등등하던 눈살도 맥풀려가고 있었다.

나는 이강석이 앉았던 자리에 가서 그가 덮어놓고 나간 답안지를 뒤집어 그 내용을 훑어보았다. 세 문제로 된 독일어 한국역을 각 문제마다 두어줄 끈적거리다가 팽개친 채 모두가 미완성 답안이었다.

시험이 끝난 뒤에, 나는 교무실로 돌아와서, 이강석의 전번 학기 독일어 성적을 조사해 보았다. 80점이던가 70점이던가 아무튼 괜찮은 성적으로 되어 있었다. 1학기도 역시 그 방법을 취한 것이구나 하고 나는 자문자답했다.

나는 한쪽으로는 시원하면서도 또 한편으로는 꺼림칙한 불쾌감을 씻을 수 없었다.

그러나 일은 그것으로 끝난 것이 아니었다. 그 후 얼마 아니되어 이강석은 법대를 자진 그만두고 광주 보병학교에 입학했다는 소식이었다.

물론 그가 그러한 길을 택한 것은 여러 가지 사유가 있었겠지만, 나는 내가 감독한 독일어 시험시간의 사태가 그에게 그런 방향전향의 결의를 촉구한 직접적 동기가 되지 않았나 싶어 늘 마음에 걸렸었다.

그러나 일은 또 그것만으로 끝난 것이 아니었다. 그로부터 몇해 안가서 4·19가 일어난 것이다. 그 결과로 이기붕 일가는 당시의 경무대 부속 건물 한 방에서 이강석의 총탄으로 전 가족이 집단자살을 감행했다고 신문은 보도했다.

나는 그 소식을 듣는 순간, 만약 그 때 시험시간에 내가 슬쩍 그대로 넘겨, 이강석이 법대를 제대로 다니고, 서울대학의 자유로운 분위기에서 친구들과 폭넓게 사귀며, 교수들의 강의에서 인생에 대한 좀 더 넓고 깊은 삶의 자세를 배울 수 있었다면, 그러한 장면은 미연에 방지될 수 있지 않았을까, 아니 더 나아가 그의 뜻과 힘으로, 그 무모하고 분별없고 정치정세를 그토록 최악의 사태에까지 몰고 가지 않도록 대처할 수도 있지 않았을까 하는 허망한 상상까지도 해보는 것이었다.

　8 · 15 이후의 우리들에게는 이상한 현상이 나타나고 있음을 볼 수 있다. 그것은 강자(強者)에 대하여는 비굴할 정도로 순종하고, 약자(弱者)에 대하여는 관용을 베풀기는커녕, 무자비하게 짓밟는 경향을 적지 않게 보게 되는 일이다.

　또한 이러한 경향의 연장인지는 몰라도, 외국인에게는 지나칠 정도로 관대하고 친절하다 못해 아첨까지 하면서도, 동족끼리의 제 나라 사람에 대하여는 오히려 군림의 자세를 취하여, 깔보고 헐뜯고 이단시하는 경우를 적지 않게 보게 되는 일이다.

　외국인에 대하여 일부러 적의를 품거나 증오심을 가질 필요도 없거니와 비열하게 보일 정도로 과도하게 친절하거나 관대히 할 필요도 없는 것으로, 모든 것이 사리에 맞고 정도에 알맞아야 하는 것이다.

　더욱이 외국인이 보는 앞에서 제 겨레에 모욕을 주거나 행패를 부리는 일처럼 못나고 줏대 없고 딱지가 덜 떨어진 일은 없는 것이다.

　내 자식도 내 집에서 귀여워해야 남이 귀히 여기고 내 핏줄은 내가 아끼고 소중히 해야 남도 얕보지 않고 제대로 대접해주는 것이다. 끝으로 예전부터 전해 내려오는 신라 헌강왕(憲康王)때의 처용(處容)의 노래를 인용하여 이도 또한 관용의 테두리에 드는 것인지, 각자가 스스로 음미해 볼 재료를 곁들이고자 한다.

　　　東京明期月良　夜入伊遊行如可
　　　入良沙寢矣見昆　脚烏伊四是良羅
　　　二肹隱吾下於叱古　二肹隱誰支下焉古
　　　本矣吾下是如馬於隱　奪叱良乙何如爲理古
　　　동경 밝은 달에 새도록 노니다가

들어 내 자리를 보니 가라니 네이로세라

둘은 내해어니와 둘은 뉘해이니요

본디 내해이다마는 빼앗겼으니 어찌하리있고

아내를 외간 남자에게 도둑을 맞고도 오히려 노래를 읊조린 이 남편의
모습은 관용으로 볼 것인가 체념으로 해석할 것인가…….

성심, 1976. 제4호.

책冊과 나

    세월이 순탄한 평상시에 있어서는 책처럼 소중하고도 값있는 것이 없건만, 난리가 나고 보면 책처럼 거추장스럽고도 천대받기 일쑤인 것은 없는 성싶다.

    6·25사변 때의 일이다. 3개월의 칩거 속에서 고초를 겪는 사이 집안 꼴은 말이 아니어서 끼니도 제대로 먹을 수 없는 형편이었다. 9·28 수복이 이루어져도 금방 경제조건이 달라질 수는 없었고 유엔군은 승승장구 북으로 밀고 올라간다고는 하지만 전선(戰線)에 대한 불안이 아주 가셔진 것은 아니어서 생업(生業)이란 아직 제대로 자리 잡힐 수가 없는 때였다.

    그러던 어느 날 저물녘 나는 동대문에서 서울운동장에 이르는 길가의 노점 책방을 두리번거리다가 우연히 대학 동창인 S형을 발견했다. 노점 책방이라야 일정한 건물이나 시설이 있는 것이 아니라, 책을 미군 '레이션' 상자에 넣어 길가에 죽 늘어놓고 파는 것이어서, 난리통이라 여기저기에서 쏟아져 나오는 책을 상대로 하는 이 노점책방은 길옆에 뱀장어처럼 줄을 지어있었다. S형도 그러한 노점 책장사의 한사람으로 자리를 차지하고 있는 것이었다.

    나는 생사(生死)를 모르던 그를 만나 기쁨을 참을 수 없으면서도 그의 변모에 놀랐고, 그는 뜻하지 않은 자리에서 나를 만나자, 깜짝 놀라면서도 어딘가 약간 당황하고도 비굴한 듯한 표정을 비치는 것이었다.

해가 거의 기울어 점방을 거둘 시간이 된 적도 있었지만, S형은 뜻하지 않게 만난 나를 놓치지 않으려고 다른 장사들보다 앞질러 책이 든 '레이션' 상자를 차곡차곡 포개 쌓기 시작하고, 다시 그것을 노끈으로 묶어서는 하나씩 들어 뒤쪽 골목 안 맡기는 집으로 들고 가는 것이었다. 그는 내가 도우려 해도 괜찮다고 우기면서 혼자 서두르느라고 땀방울마저 흘리고 있었다.

얼마 후 나는 그를 따라 장터 뒷골목 목노집에 그와 마주앉아, 참말 오래간만에 마음 놓고 그리던 친구와 서로 술잔을 기울일 수 있었다.

S형도 주기(酒氣)가 돌아 거나해지자 자기 관심을 실토하면서 다음과 같은 요지의 권고를 해왔다.

자기 자신도 생각다 못해 내친걸음이오, 이 상태로 가다간 학교도 언제 정상궤도에 오를지 모를 일인데, 그대로 멍청히 배를 움켜잡고 있을 수도 없는 일이어서, 있는 책이라도 들고 나와 팔아먹어야할 판이라, 그런데 정작 책을 들고 나와 시세(時勢)를 떠보니 형편없는 개값이어서, 궁여지책으로 노는 핑계 심심풀이로 나선 것이 요모양 요꼴이라면서, 그래도 입에 풀칠은 할 수 있다고, 그의 평소의 낙천적인 기질 그대로 너털웃음을 덧붙이는 것이었다.

그뿐만 아니라, 그는 나에게 그 잘난 책은 부둥키고 있어 뭘 할거냐고, 쫄쫄 굶고 앉기보다는 그거라도 팔아서 목숨을 이어가고, 이제 세월이 좋아지면 그때 다시 그 책들을 사들이면 되지 않느냐고 권고하면서, 자기자신은 차후 절대로 책은 가까이 하지 않겠다, 아니 글을 가까이 하지 않겠다, 이번통에 보니까 글을 가까이한 놈은 모조리 끌려가 총살당하거나 생사를 알 길이 없게 되고, 이유없이 돈만 번 놈은 버젓이 살아남지 않았느냐고 목청을 돋우어 강조하는 것이었다.

"잘 생각해바, 그 너절한 지성의 꼬투리에 미련을 가지지 말고 나와 함께 나와서 장사를 시작하자구."

이것은 내가 그와 갈라질 때 몸을 가눌 수 없이 취한 그가 내 어깨에 손을 얹고 다정스럽게 그러면서도 약간 강경한 어조로 되풀이한 말이었다.

며칠 후 끝내 나는 내 장서(藏書)를 전부 걷어 싣고 동대문께로 나와 S형의 옆자리에 책노점(冊露店)을 펴고 말았다.

세상이 불안한 시기여서 거래는 한산한 편이고, 그대신 쏟아져 나오는 책의 양은 매일매일 불어서 책을 들고 나온 사람들은 책장터의 초입에서부터 시세를 떠보다가 결국에는 S형과 나의 장사 자리인 끝부분에까지 밀려오기 마련이었다.

그때의 그 노점 책장수 속에는 약간의 직업 상인도 끼어 있었지만, 대부분은 풋내기여서 대담하게 물건을 사려드는 책장수도 없었고, 또한 자금들도 그것을 뒷받침해 줄만한 여유를 지닌 사람도 별로 없었다.

그러나 S형과 나는 몰려오는 책속에서 단 한 권만이라도 값가는 책이 있으면 다른 사람들보다 과감하게 가격을 놓았으므로, 어지간한 책들은 대개 우리자리에 와서 낙찰이 되고 마는 것이었다.

비 오는 날이면 노점 장사가 안 되므로, 그래도 얼마간의 현금은 지니고 집으로 들어가야겠기에 장사꾼끼리 값진 책을 싸게라도 팔아 현금 조달을 하는 일도 예사로 있었다.

덕분에 나도 그럭저럭 목구멍에 거미줄은 치지 않게 되었지만, 내가 지니고 있었던 비교적 값진 책들은 다 빠져나가고, 휴지 부스러기 같은 책들만 쌓이기 시작했다.

그러던 중 그해 12월에 들어서 중공군의 참전 보도에 접하자, 나는 책이고 뭐고 다 팽개친 채, 가족을 거느리고 대구를 거쳐 부산으로 피난했다.

그 후 책과의 연분을 완전히 끊은 S형은 장사 위주로 오늘날 경제적인 큰 토대를 잡았고, 몇 달 안가서 다시 글과 그리고 책과 가까워진 나는 결국 S형의 말대로 그 굴레를 벗어날 수 없게 되고 만 것이다. 참말 오로지 책이 유죄(有罪)런가!

월간중앙, 1972. 2.

청년 시절을 향한 문학

-나의 어린 시절과 문학-

　나는 함경남도 북청(北靑) 시골 농촌에서 태어났다. 그러나 산골은 아니고 넓지는 않으나 평야지대이면서 십리 밖에 동해의 푸른 바다가 넘실거렸고, 동구 밖을 벗어나면 곧 함경선 기차 정거장이 있어서, 교통 편하고 살기 좋은 고장이라는 남들의 일컬음을 받는 속에 끼는 마을이었다. 그뿐만 아니라, 학교 면사무소 우체국 등의 관공서나 장터마저도 바로 옆마을에 자리 잡고 있어서 일상생활이 편리하기 짝이 없었다.

　그러나 나 자신이 소학교에 입학한 1920년대 무렵까지만 해도, 우리 면에는 4년제 사립학교 하나밖에 없었고, 더욱이 유치원이나 예배당 같은 것은 그 이름조차 들어보지 못했다. 따라서 나는 도시의 어린이들이 유치원에 들어갈 나이에, 할아버지에게서 천자문(千字文)을 배우기 시작했다. 농사일이 한가한 겨울철을 맞아 첫해에는 천자문을 읽고 암송하는 것에만 전념하여, 다음 해 봄까지에 걸쳐 책을 덮어 놓고도 하늘 천(天) 따 지(地)에서부터 끝머리 온 호(어조사호, 乎), 이끼 야(어조사 야, 也)에 이르기까지 완전히 외는 과정을 밟았다. 그 다음 해 겨울에는 천자문의 글을 쓰기를 시작하여, 긴 네모꼴의 얇은 나무 상자에 가는 모래를 담은 사판

(砂板)이라고 불리는 글씨 쓰는 판에 젓가락 같은 '살빗대'로, 따 지로부터 시작하여 매일 넉줄(16자) 정도씩 글자 획의 순서에 따라 쓰기 연습을 거듭하여 한겨울 나는 동안에 천자(千字) 전부의 쓰기를 종아리에 회초리를 맞아가면서 끝마쳤다.

그러고서 다시 한글 글자판에 따라 'ㄱ', 'ㄴ' 및 'ㅏ', 'ㅑ', 'ㅓ', 'ㅕ'의 한글 자모(字母)를 익혔다.

이같은 문자에 대한 최초의 접촉에서 얻어진 한자의 음(音)과 훈(訓)에 대한 지식은 그 후 회초리의 짜릿한 추억과 더불어 나의 학교 교육에는 물론, 창작생활에도 적지 않은 밑거름의 구실을 해 주었다.

나는 여덟 살에 보통학교 일 학년에 입학했다. 20여 명의 신입생 중에서 이른바 적령(適令)에 들어맞는 학생은 같은 걸상에 앉은 내 짝과 나 둘 뿐이었고, 그 밖의 모든 동급생은 연령 초과자였으며, 20세가 넘은 사람이 있을뿐더러 장가들어서 아기 아버지가 된 사람도 끼어 있었다.

사립학교라고는 하나 조선어 교과서 이외의 모든 교재가 일본어로 되어 있었으므로, 일본말의 교육과 수련이 주가 될 수밖에 없었다. 따라서 우리말 노래라고는 '달아 달아 밝은 달아……'와 '여보 여보 거북님……'으로 시작되는 한두 가지밖에 배운 것이 없고 그밖의 모든 노래는 일본말로 된 것이었다. 이와 더불어 '쯔즈리가다(綴方)'라고 불리는 작문 시간은 일본말로 글을 짓는 것이어서 결국 편지 쓰는 방법을 습득한 외엔 우리말 작문 한번 제대로 지어보지 못한 채 소학교 4년을 끝마친 결과로 되었다.

이 사립학교를 나오자, 나는 그 해 봄에 곧 6년제 공립 보통학교 5학년에 편입하였고, 백리 길을 기차 통학을 해야만 했다. 공립학교는 교장 선생이 일본인이어서 일본어 교육이 더 철저하여졌을 뿐더러, 6학년 때는 교장 선생이 직접 담임을 맡아 일본어 사용이 더 강요되었다. 따라서 글짓기도 물론 일본문이었고, 일반적인 작문뿐 아니라, 일본의 시가(詩歌)

형식인 '와까(和歌, 31자 정형시)'나 '하이꾸(俳句, 17자 정형시)' 같은 것까지도 짓는 훈련을 시키는 것이었다. 물론 이때의 나는 우리의 고유한 정형시에 시조(時調)가 있다는 사실조차도 모르고 있었다.

이 소학교 재학중에 접한 우리 문학 작품이 있었는지 없었는지 거의 기억에 없고, 다만 일본문으로 된 아동문고가 약간 떠오를 뿐이다.

그러나 한편 다행히도 우리 마을에는 그때 우리 소설을 탐독하는 몇 사람의 문학청년이 있어서 그들의 덕으로 나는 춘원(春園)의 「무정(無情)」「흙」「단종애사(端宗哀史)」「마의태자(麻衣太子)」, 민촌의 「고향(故鄕)」, 상허의 「사상(思想)의 월야(夜月)」, 심훈(沈熏)의 「상록수(常綠樹)」 등의 작품을 접할 수 있는 기회를 가져 우리 문학에 눈 뜰 수 있었다. 그 후 김동리(金東里)의 「산화(山火)」나 「바위」, 정비석(鄭飛石)의 「성황당(城隍堂)」 등은 나 자신이 문학에 대한 관심이 점차 깊어지면서 스스로 선택하여 읽은 작품 속에 들어가는 목록들이다.

사실 나는 중학교를 마칠 때까지도 일본말 작문의 수련은 수없이 받아왔지만 우리말로 된 글은 운문체이건 산문이건 끄적거려 본 것 같은 기억이 거의 없다.

그러나 중학 졸업 후 우리말 및 우리 문학에 대한 관심이 싹트자 최현배(崔鉉培) 선생의 「우리말본」과 「한글말」을 구입하여 정독하기 시작하였고, 한편 '문장(文章)' 및 '인문평론(人文評論)' 같은 문예지가 나오자 그 월정구독(月定購讀)의 독자가 되어 우리말 문장의 수련에 정력을 기울였다.

그러나 이때는 이미 일본이 만주사변 및 지나사변 이후의 전시 상태에 놓여 한국민에 대한 식민지 시책이 극악한 단계에 들어섰고 조선말과 조선 문자에 대한 말살 정책이 노골화 되어가는 때였으므로, 작가나 문학을 업으로 하는 일에 종사한다는 것은 꿈에도 생각하지 않았던 시기이다.

그러한 환경적 여건 속에 있으면서도 문학에 대한 관심과 자아표현의 욕망이 결국 1939년 나로 하여금 동아일보 신춘문예에 응모케 하여 동화

「별나라 공주와 토끼」이 입선의 자리를 차지하는 결과를 빚게 하였다. 그러므로 이 작품은 순전히 나 자신의 우리말 문장에 대한 독습(獨習)의 소산이라고 볼 수밖에 없는 것이었다.

그러나 1955년 조선일보 신춘문예에 당선된 단편소설 「흑산도(黑山島)」의 경우는 해방된 조국에서, 그것도 대학에서 자문 문학을 전공한 연후에 쓴 작품이므로 이는 작품 창작으로서의 본격적인 출발이라고 하지 않을 수 없는 것 같다.

소설문학, 1983. 7.

글과 술과 인간

주막酒幕과 나

글을 쓴다는 것, 더욱이 소설을 쓴다는 것, 그것은 이 땅의 현실적인 풍토에서는 하나의 고역임에 틀림 없는 것 같다.

그러나 나는 이 작업을 스스로의 생리로, 삶의 자세로, 그리고 숙명같은 천부의 외딴길로 자족하며 이에 수반되는 흔쾌(欣快)마저 느끼고 있다.

나의 작품이 중앙 문단에 처음으로 활자화된 것은 1939년, 동아일보 신춘문예에 입선된 「별나라 공주와 토끼」였다.

다음 기회의 권토중래(捲土重來)를 비장한 각오로 다짐하였지만 불행히도 1940년 8월 11일자로 당시 국문 신문의 쌍벽(雙璧)이었던 조선일보와 동아일보는 총독부의 조선어 말살 정책으로 폐간되었기 때문에 부득이 나의 지향도 좌절되고야 말았다.

그 후 십여 년, 그것은 작품발표라는 면에서는 나에게 있어서 불가피한 공백기요, 다른 일면에서 대학의 학업을 지속하였다는 점에서는 새로운 각도의 전환기이기도 한 은인자중의 계절이었다.

그동안에 국대안반대(國大案反對), 6·25사변 등, 나의 주변과 그리고 조국 전체에 파급된 세기적인 전변은 나의 작품 발표의 정상적인 방향에 몇 고비의 지장을 초래하게 하였다.

지금도 그러하지만 나는 이 시기에 국문학을 전공한 것을 지극히 다행으로 생각하는 동시에 얼마간의 자긍(自矜)을 금치 못하고 있다.

해방 직후 날개돋힌 외국문학의 화려한 무대를 박차 버리고 자국(自國) 문학을 전공으로 택하는 데에는 시류를 따르는 유혹이 적지 않았음은, 당시 문과에 적을 가졌던 학생들에게 휩쓸어진 총체적인 현상이기도 하였다.

내가 입학한 서울대학교 문리과대학의 합격자 발표 방문(榜文)에는 무슨 착오인지, 나의 이름이 정작 지원한 국문학과와는 달리 영문학과로 발표되어 있었다. 발표 직후 나는 학교 당국에 착오의 정정을 요구하고 자못 만족하게 그리고 발랄한 기분으로 학창생활을 계속할 수 있었다.

작품을 쓰는 데는 자국 문학을 전공으로 택하여 자기 고전(古典)부터 마스터해야 하고 거기에 외국 문학 전공자에 못지않게 외국어의 장비가 필수되어야만 한다는 나의 지론(持論)은 아직도 변함이 없다.

사실 나 자신이 외국어에 소비한 시간이 너무도 막대함에 비하여 그 소득된 잔고(殘高)의 너무도 미미함은 지금도 스스로 통탄하는 바이지만, 나는 아직도 이 노력을 포기하지 않고 버티어 나가고 있다.

만학(晚學)에 따르는 지나간 공백기간을 메우고, 좀 더 자기 자신에 충실하기 위하여 나는 그 당시 남들이 그리 탐탁하게 여기지 않던 대학원 코스를 나만의 고집대로 다시 계속했다.

한편 작품 발표, 말하자면 문단의 데뷔 문제가 자꾸만 나를 자극해 옴을 어쩌는 수 없었다.

같이 죽자던 애인을 남기고

　이 뜻 깊은 학창시절에 있어서 내 생애에 잊을 수 없는 몇 가지의 귀중한 소득이 나에게 주어졌지만, 그 중에서도 서로 아낄 수 있는 몇몇 벗들과 사귀게 된 계기를 마련하여 준 캠퍼스의 행운을 나는 영원히 잊을 수 없다.

　외국문학과를 비롯한 다른 부문의 전공자들 속에도 친근한 벗들이 많았지만, 특히 동학(同學)의 지기(知己)로서 남상규(南相圭), 정한숙(鄭漢淑), 정한모(鄭漢模), 김봉혁(金鳳赫) 등 서로가 속을 털어놓고 즐기고 아끼고 울고 웃을 수 있는 인간을 얻었다는 것은, 다른 어느 수확보다 나의 앞날을 믿어웁고 흐뭇하게 해주는 뜻 깊고도 귀중한 선물이었다.

　이 시기에 우리들은 매일 수림이 우거진 회춘원(會春苑:지금의 교육회관터)에 모여 앉아 당시의 천하 명주(名酒)였던 명성(明星)소주를 계절에 알맞게, 풋고추, 오이, 북어, 오징어에 된장을 찍어 그야말로 두주(斗酒)를 불사하고는 문학을 논하고 사상을 이야기하고 안하무인의 기염을 토하였던 것이다.

　이 때 나와 동기 동창인 정한모는 입학 이전에 이미 백맥(白脈) 동인을 거쳐 시탑(詩塔) 동인으로 제 사집까지로 폐간된 동인지 시탑(詩塔)을 주재하고 있었으므로, 우리는 이 동인으로 들어가 김윤성(金潤成), 공중인(孔仲仁), 조남사(趙南史) 등 새로운 벗들을 만나 피 끓는 정열의 도가니에서 술과 더불어 젊음을 연소시켰던 것이다.

　그 후 시탑(詩塔)이 해체됨에 따라 상규(相圭), 한숙(漢淑), 한모(漢模), 봉혁(鳳赫) 그리고 나까지 다섯이서 1947년, 주막(酒幕) 동인을 구성하여 수시로 주회(酒會)를 거듭하는 외에 매월 일회 정기적으로 작품 합평회(合評會)를 가졌었다.

　이 무렵 문리과대학 안에는 각 문과생들 속의 창작 위주의 동호자들이 모여 낙산문학회(駱山文學會)의 모임이 이루어져, 1948년 제1회의 작품낭독회를 가지고, 1949년의 제2회는 프로그램까지 인쇄하여 놓고도 그 때나 이때나 호사다마(好事多魔)격으로 간교한 인간들의 모함으로 행사는 중단되고 말았다.

그러나 주막(酒幕) 동인 행사는 날이 가고 해가 바뀌어도 '술'과 더불어 더욱 줄기차게 지속되기만 했다.

이 때 경제적으로 가장 윤택한 직장을 가졌던 한모의 집이 주로 주연의 처소로 지정되었음은 너무나 당연한 일이기도 했다.

1950년부터 문단으로 나가자던 우리의 제일차 계획은 뜻하지 않은 사변으로 좌절되고, 우리들은 피난지로 흩어져 생사의 고비를 겪어야만 했다.

그리하여 1953년, 수복 이후 비로소 다시 한데 모였다. 그러나 봉학은 부산에 떨어져 애석하게도 문학의 분위기에서 점점 멀어져 갔고, 가장 정열아였던 상규는 그의 절필인 시편 고별(告別)을 남기고 1954년 11월 27일 쇠약 속에서 정확한 병명의 진단도 없이, 같이 죽자던 애인을 남겨 놓은 채 세상을 떠났다. 불의의 죽음을 당하여 한 쪽 날개를 잃은 우리들의 호곡(號哭)……. 그 후의 허전함……. 그러나 1954년 겨울은 조선일보가 15년간 중단하였던 신춘현상문예를 다시 부활한 해요, 이 해 한국일보도 처음으로 신춘문예를 시작한 해였다.

모든 시합은 뒷골목에서 하지 말고 중인환시리에 공설운동장에서 하자는 것은 우리들의 슬로건이요, 행동의 지표였다. 상규의 부음(訃音)이 전달되었을 때, 우리들은 이미 한자리에서 결의한 대로 이 해의 신춘문예에 응모할 작품을 집필 중에 있었다.

나의 작품도 그 때 반 밖에 진행되지 않았었다. 내가 원고지와 씨름하는 자리에 한숙과 한모가 죽을상이 되어 찾아왔다.

상규가 죽었다. 응? 상규가 간밤에 죽었다. 이 말을 들은 나는 원고지 위에 펜을 던진 채 망연실색했다. 이럴 수도 있을까?

죽은 정이 천리 간다는 속담에서일까, 우리들이 약속한 초지를 굽히지 않겠다는 신념의 소치였을까, 상규의 초상을 치르고 난 다음, 우리들은 다시 회합하여 작품을 끝내기로 작정했다. 그리하여 서로가 다 탈고한 12월 초순, 합평회를 가지고 최종 검토를 한 후, 한숙은 소설 「전황당인보기(田黃堂印譜記)」와 희곡 「혼황」을, 한모는 시 「멸입(滅入)」을 각각 한국일보에, 그리고 나는 소설 「흑산도(黑山島)」를 조선일보에 투고했다. 좀 건방진 이야기 같지만 우리들은 작품을 내놓고, 발표 전에 이미 당선소감을 써 놓았었다. 생명을 걸고 관철을 기약한 엄숙한 시합이었다.

예기한 대로 우리 셋의 작품은 다 입선되었고, 거기에 전영경(全榮慶)의 시(詩) 「선사시대(先史時代)」가 역시 조선일보에 당선되었음을 알게 된 우리들은 침착하게 새로운 출발의 신들메를 가다듬기로 하고, 영경이까지 합쳐 주막 동인은 네 사람이 되었다.

그 후 우리는 월례 합평회에 박차를 가하여 현재까지 82회의 모임을 가지고 서로를 비판하고 충고하고 격려하며 작품 창작에 전력을 다하여 정진하고 있다.

그러나 전도는 아직 요원하다. 필생의 일이기에 관 뚜껑이 덮이는 그 날까지…….

나의 당선소설 「흑산도」의 비밀

나의 당선작 「흑산도(黑山島)」는 목포 서남쪽, 본토에서 아득히 떨어진 망양대해 중에 버림 받은 절해의 고도 흑산도에서 취재한 것으로, 이 섬 사람들이 육지에 대한 향수를 숙명의 동경처럼 곱씹다가 바다에서 나서 바다에서 죽어가는 참담한 현실에 충격된바 컸기에 학술답사에서 돌아오자 곧 그 객관적인 영상을 나의 주관적인 의식 속에서 작품화한 것이다.

지금까지의 창작 태도도 그러했지만, 한국적인 풍토 속에서 싹터가는 개체의 존엄성에 눈 뜬 개성—이것은 '에고'라 하여도 좋다—을 그 숙명적인 역사의 배경 속에 부각시켜 보겠다는 나의 자세는 앞으로도 변하지 않고 일관될 것이다.

나는 나 자신으로서는 꾸준히 작품을 쓰노라고 노력하지만, 아직까지 별로 명예가 될 것도 없는 과작(寡作)에서 완전히 해탈하지 못했다. 그러나 이것도 앞으로의 시간이 반드시 해결해줄 것으로 믿어 의심치 않는다.

나를 아끼는 분들이 가끔 이러한 질문을 던져 주는 때가 있다.

'대체 작품을 창작할 것인가, 학문을 연구할 것인가고…….'

물론 전자다. 인간의 능력에 한계가 있는 이상 나로서 두 가지의 거창한 일을 다 이룰 수는 도저히 없는 것이다. 다만 내 직장이 교직에 있느니 만큼, 교단에서의 거름의 구실로도 당분간은 학구적인 노력을 완전 거세할 수 없는 딱한 실정일 따름이다. 나 자신도 어서 훨훨 날듯이 자유로이 되어서, 작품 창작에만 몰두할 수 있는 시기의 조속한 도래를 고대하고, 또한 그러한 방향으로의 노력을 경주하고 있는 과정임은 말할 것도 없다.

학교고 공부고 다 집어 치우고, 내가 대학으로 들어가던 때에 사업을 시작한 중학 동창의 몇몇은, 현재 한국 실업계의 실력 있는 경제인으로 거액의 부(富)를 쌓고 굴지의 재벌을 목표로 정진하고 있다.

그러나 지금 이 시간에도, 굳이 돈 벌 수 있는 기회를 놓치면서 대학을 다니고, 가난을 각오하면서 문학을 하느라고 허덕이는 현재의 자기를 조금도 뉘우치거나 나무라지는 않는다. 가끔 그까짓 것 다 집어 치우고 같이 일해 보자는 그들의 선의에 찬 권유가 나의 구미를 자극하지 않는 바도 아니나, 이제 내 반생에 이 천부의 일을 버리고 새삼 주지육림(酒池肉林)에서 호사를 누린다손 치더라도, 끝까지 작품을 쓰다가 쓰러지는데 비하여 운명하는 시간에 느끼는 스스로의 보람의 비중은 과연 어떠할 것인가 하는 자문자답이 없지 않다.

그러나 그 해답은 너무도 명약관화한 일이다.

아무튼 창작이란 자기 자신의 생각이나 감정이 응결되고 여과되는 피나고도 고독한 작업이요, 형극(荊棘)의 과정임에 틀림없다.

그 길을 나는 묵묵히 즐겨 가련다. 다행히 주막(酒幕) 동인의 줄기찬 인간 유대 속에서, 나대로의 잉태의 과정을 외롭지 않게 걷고 있으니 이 어찌 행운이 아니리오.

아, 올해는 주막(酒幕)의 19주년!

귀신이 곡할 노릇

하나의 작품을 창작한다는 것이 어느 경우인들 손쉬운 일이랴 마는, 「충매화(蟲媒花)」의 경우처럼 색다른 수난을 겪은 적은 좀체 있을 성 싶지 않은 일이다.

착상했던 것은 훨씬 오래전 일이었고 직접 집필을 시작한 것은 그 전해 12월 28일이었다. 집필 당초의 생각은 낡은 해를 넘기기 전에 탈고하여 거뜬한 기분으로 새해를 맞으리라는 심산이었다.

한편 분량도 2백매 가까이 되어야, 하고 싶은 이야기를 거의 다 담을 것 같았기에 좀 다부진 결의로 첫 머리를 시작했던 것이다.

그런데 막상 시작하고 보니 진도는 의외로 지지부진이어서 첫 날에 단 두 매, 이튿날에 자정까지 걸려서 26매 진전된 대로 정돈되어, 나머지 이틀은 아무 진척 없이 중도에서 어물어물 해를 넘기는 수밖에 없었다.

해가 바뀐 다음, 1월 2일 다시 집필을 시작하여 40여 매의 진전을 보아 총 70매까지 다다라 작품은 거의 반 고비에 접어들었다.

그러나 그 후 장편연재의 관계도 있어 오랜 동안 손을 대지 못한 채 방치되었다. 3월 말에야 겨우 근 3개월 만에 10여 매를 썼고, 4월 5일에 또 십수 매를 써서 총량(總量) 95매에 까지 달하였다.

그런데 이때에 괴이한 사태 하나가 돌발되었다.

때마침 집에 대한 약간의 수리가 진행 중이었으므로 그러지 않아도 순조롭지 못한 작품 진행이 집필할 처소마저 빼앗기고 말았다.

나는 마침 온 식구가 외출중인 이웃집을 빌려서 원고 진행에 박차를 가하고 있었다. 그것이 바로 백매 가까이 갔을 때의 일이다.

일터에서 목수가 좀 상의할 일이 있어 왔다 가라기에 쓰던 대로 쇠를 잠그고 집으로 돌아왔다. 그 사이 아마도 두세 시간은 흘러갔을 것이다.

오후 사(四)시 지나 집필을 계속할 양으로 다시 그 집 대문을 열고 방에 들어섰다.

그런데 이상하게도 분명 몇 시간 전 쓰고 있던 순서 그대로 차곡히 쌓아 놓고 간 원고가 한 장도 없지 않은가? 아직 쓰지 않은 백지의 원고지도 보이지 않고, 다만 작품 자료의 '메모'로 적어둔 몇 장의 종이가 한 쪽 구석에 흩어져 있을 뿐이다.

방구석을 샅샅이 뒤졌다. 아무 데서도 원고는 발견되지 않는다. 참말 귀신이 곡할 노릇이었다. 일순 머리가 아찔하였다.

나는 나의 어떤 착각인가 하고, 내가 방을 나갈 때의 경위를 더듬어보았다. 틀림없이 원고는 책상 위에 그대로 둔 채 나갔음이 분명하다.

다시 방속을 뒤졌다. 그러나, 끝끝내 단 한 장도 발견할 수 없었다.

그제서야 내가 닫아놓고 나간 안방문이 다시 들어올 때에는 열려 있었음을 깨달았다. 그러나, 바깥 대문은 그대로 잠기어 있었고, 사람이 드나들 구멍이라곤 하나도 없다.

설령, 사람이 들어왔대야 다른 값나가는 물건을 집어가지, 하필 쓸모없는 원고지를 가져갈 것인가 하고 의아심은 짙어만 갔다.

혹 아까 집으로 갈 때 얼결에 원고를 가지고 간 것이 아닌가 하고, 집으로 뛰어가 보았다. 그러나, 역시 집안 어느 구석에서도 원고는 발견되지 않았다.

시간이 흘러감에 따라 차츰 냉정하여지고, 미완의 원고이지만 애석한 생각을 금할 길이 없었다.

집 앞 실개천 시멘트 다리 위에 나와서 곰곰이 생각하여 보았다.

이제 다시 집필을 착수하면, 그 없어진 90여 매를 다시 쓸 수 있을까 하고, 그러나 그 어느 한 장도 전연 자신이 없었다. 그제야 앞이 캄캄해 왔다. 돈 몇 십만 원 정도의 분실이라면, 그렇게 암담하고 애석할 수는 없었을 것이다.

S사에는 익일 정오까지의 약속이었다. 나는 하는 수 없이 사에 전화를 걸어 자초지종의 실정을 이야기하고 양해를 구하는 수밖에 없다고 마음 먹었다. 그러나, 지금까지 그렇게 밀려오다가, 염치도 없이 이제 또 무슨 낯으로 구구한 변명을 할 것인가? 설령, 내가 이 사실을 솔직히 고백한다 손 쳐도 아직 다 쓰지 못하였으니, 또 핑계를 하는 것이라고 곡해를 할지 도 모른다는 생각이 들었다.

원고의 방기를 체념하기에는 그 동안의 수고가 너무도 아까웠다. 안타 까운 심정을 억누를 수가 없었다.

주위가 어두워오기 시작하였다. 이 원고는 영원히 찾을 길 없다는 절 망적인 상념이 엄습해 왔다.

나는 다시 집필하던 이웃집 대문 앞에서 자물쇠를 들이밀고 힘을 주었 다. 한식 가옥의 커다란 널대문은 고리가 잠겨진 채 안으로 밀려들어가, 어린아이 하나쯤은 쉬 드나들 수 있는 간격이 생겨지지 않는가.

필시 어린 깍다귀들의 장난이라는 육감이 떠올랐다.

방에 들어서니, 아까 분명 남아 있었던 작품 '메모'의 몇 장 종이까지 송두리째 없어졌다. 그새 또 들어 왔던 게로구나, 나의 추측은 적중된 것 이라고 생각하고 황급히 밖으로 나왔다.

골목에서 종이 한 장을 들고 노는 칠 팔세가량 되는 아이 하나를 붙잡 았다. 다른 아이들은 기겁을 하고 도망을 치고 있다. 이로써 사태의 전말

은 완전히 파악되었다

아이의 손에는 나의 원고 한 장이 딱지치기 종이로 네모지게 접어져 있었다. 19번의 원고지.

나는 흥분 속에 머리가 상기되어 있었다. 겁에 질려 달아나려는 소년을 꼭 붙잡았다. 아무 것도 꾸중하지 않을 터이니 가지고 있는 종이를 다 내놓으라고 타일렀다. 소년의 바지 호주머니에서 꼬기 꼬기 포갠 몇 장의 원고지가 나왔다. 포개진 종이마다 네모진 복판에 50이니 300이니 1000이니 하는 단위가 아라비아 숫자로 써있었다. 모조지로 된 하얗게 윤기 나는 원고지는 그들에게 가장 고귀한 딱지로 지폐 정도의 값비싼 교환가치를 가졌을는지도 모를 일이다.

이 소년을 앞세우고, 부근의 집집마다 찾아 다녔다. 절대로 꾸짖지 않을 터이니, 가지고 있는 종이는 다 내놓으라는 똑같은 부탁만을 애걸하듯이 되풀이했다. 겁결에 아이들이 아궁이나 변소에 집어 넣을까봐 걱정되어서였다.

이 틈에도 못난 어머니들은 자식의 역성을 들어 자기 아들은 절대로 단 한 장도 가진 것이 없다고 버티었으나, 부인네들에게 거의 타이르듯 해서, 고집하던 아낙들도 애들 호주머니를 손수 뒤지기 시작했다.

모퉁이나 골목길이 죄다 어두워졌다. 나는 모아온 어린이들의 손 때 묻은 딱지치기 종이를 흥분된 충격 속에서, 한 장 한 장 펴서 번호 순서로 맞추어 갔다.

그러나 태반이 부족하였다. 다시 집집마다 구걸 아닌 구걸을 돌아 다녔다. 한 집에서는 어린이가 제풀에 겁에 질려 책상 밑에 깊숙이 집어넣고 달아난 대로 돌아오지 않았다는 이야기와 더불어 아직 포개지도 않은 그대로의 20여 매가 나왔다.

밤이 이슥하여 총결산을 한 결과 용케도 거의 다 모여졌다. 그러나 끝끝내 석장은 나타나지 않았다. 초고에서의 제 34, 65, 90의 3매는 영원한 기아(棄兒)가 되고 말았다.

나는 반가웠다. 기적같은 회수에 대하여 감격에 벅찼었다. 그것이 어떠한 졸작이라 할지라도 나의 격한 감정은, 그 작품의 우열로 측정될 수는 없는 그런 것이었다. 기적, 기적하고 나는 혼자 뇌이면서 우선 공백으로 된 석상의 자리를 메우기로 했다. 그러나 따로따로 떨어진 이 세 구멍이 왜 그렇게 채워지기 힘든 것인가?

하는 수 없이 그 일은 뒤로 미루고 이 안도와 감격에 찬 흥분이 식기 전에 작품의 끝을 맺으리라 마음먹고 앞을 써나갔다.

그리하여 오전 한 시까지에 125매까지 진전되었고, 조금 눈을 붙였다가 새벽에 다시 계속하여 138매의 전 작품을 탈고했다.

코홀리개들의 손과 손에서 모여진 원고 「충매화(蟲媒花)」는 완전 소멸의 일보 직전에서 아슬아슬하게 각광을 받게 되었다.

나는 담배를 폐부의 한 끝까지 빨아들여 큰 숨과 함께 내뿜었다.

웬만한 현금을 잃고서야 그렇게 안달이 날 수 있을 것인가, 아니 오래도록 손때 묻은 그리고 그 누구의 잊을 수 없는 추억이 배어 있는 시계나 만년필이라 할지라도, 또한 그 밖의 생명같이 소중하게 몸에 지니던 물건들을 잃었다고 한들. 이렇게 까지 온몸이 닳아 조바심을 칠 것이야 있을 것인가 하고…….

나는 내가 숙명처럼 메우어 오고, 또 앞으로 죽는 날까지 메우어 갈 원고지의 네모진 구멍을 뚫어지게 응시하면서 담배만 연거푸 피우는 것이었다.

밖은 훤히 동이 터왔다.

나의 스승 일석一石 이희승李熙昇

1951년 겨울, 부산 피난 시절의 일이다.

그때 나는 내가 근무하던 신문사가 졸지에 문을 닫았기 때문에 가솔(家率)을 이끌고 엄동설한에 가두(街頭)로 방황할 형편에 놓여 있었다.

거기에다 불의의 도난을 맞아 입고 나갔다 갓 벗어놓은 출입복마저 걷어가는 바람에 설상가상 곤경이었다.

그러던 중 당시 명문으로 꼽히던 K여고의 피난학교에 교사자리가 났다는 소문을 얻어들었다. 그러나 그 때 나에게는 그 학교에 발을 들여 놓을 연줄이라곤 하나도 없었다.

이리저리 궁리하던 끝에 나에게는 한 가지 생각이 섬광처럼 떠올랐다. 그것은 일석(一石) 이희승(李熙昇) 선생님이 그 학교와 오랜 연분을 지니고 계시다는 사실이었다.

나는 곧 선생님을 찾아뵙고 전후의 사연을 말씀드렸더니 선생님은 상세한 내용을 곧 알아보겠다고 말씀하셨다.

며칠 후 나는 장관 비서로 있는 친구의 호의로 그의 지프를 잠깐 빌어 선생님을 모시고 영도(影島)에 임시로 자리잡은 K여고의 판잣집 피난교사를 찾았다.

우선 선생님만이 먼저 사무실로 들어가셨다. 나는 들어오라는 전갈이나 오기를 기다리면서 밖에서 기다리고 있었다. 한참 시간이 흘러갔다. 그러나 안에서는 아무런 소식도 없었다.

이윽고 선생님이 홀로 나오셨다. 그 얼굴 표정에서 나는 일의 전말을 어느 정도는 가늠할 수 있는 육감을 느꼈다.

"나가세, 천천히 이야기할게……"

나는 선생님을 따라 교사를 등지고 교문 쪽으로 걸어 나가고 있었다.

"교장선생님은 안 계시고 교감을 만났는데 모든 조건이 다 좋다고 하면서 다만 국어 선생은 표준어를 써야하니까 이같은 조건을 갖춘 서울이나 경기(京畿)지방 출신이면 좋겠다고……"

선생님은 약간 무거운 어조로 나를 건너다보시며, 선생님 자신이 오히려 안쓰러운 듯 미안해하시는 표정으로 말끝을 맺지 못하셨다.

추운 날이어서 몸도 녹일 겸, 이야기도 좀 더 자세히 들을 겸, 나는 선생님을 모시고 광복동 모퉁이의 다방으로 들어갔다.

자리에 앉자마자 나는 젊은 정열에 격하여 나도 그 이름을 익히 알고 있는 그 교감에게 앙갚음을 해야 하겠다고 되는대로 울분을 털어놓는 무례함을 선생님 앞에서 저질렀다.

선생님은 민망해 하시며 "너무 그렇게 흥분하지 말라."고 오히려 가라앉은 목소리로 나를 위무하고 타이르는 것이었다.

그 후 나는 어떻게 줄이 닿아 역시 명문교의 하나로 일컬어지는 S여고의 피난학교에 취직할 수 있었고, 그해 여름 공교롭게도 K여고의 그 교감이 친지의 취직부탁으로 S여고를 찾아 온 자리에서 그에게 보기 좋게 6개월 만에 '사투리'에 대한 치욕과 울분을 시원하게 설욕할 수 있었다. 그러나 그때의 나이는 겨우 삼십고개를 넘은 때였다.

일석(一石) 선생님을 40년 가까이 모시면서도 그때의 무례하고 어린애가 어버이 대하듯 무절제했던 내 언행을 생각하면 지금도 얼굴 둘 바를 모를 심정이다.

경향신문, 1982. 2. 12.

회초리

어릴 때 할아버지에게서 「천자문」을 배우기 시작한 것이 나의 글공부의 첫 출발이었다.

한 살 위인 고모, 동갑인 사촌누이, 이렇게 셋이서 할아버지의 가르침을 받았다. 그 중에서 고모가 가장 뛰어났고 사촌누이는 좀 뒤지는 편이었다.

고향 농촌에서는 선생을 모셔오는 서당에서나, 또는 집안 식구에게서 배우는 경우나, 농한기인 겨울에 주로 공부를 하기 마련이었다.

우리 셋은 첫겨울에는 「천자문」의 읽기부터 시작했다. 매일 아침 넉줄씩 16자를 배워 종일 낭송하며 익히고, 다음날 아침은 그것을 외어 바친 다음, 다시 그 다음으로 넘어가곤 하였다. 그리고 그 다음날은 처음부터 배운 것 전부를 외워 바쳐야 했다. 그리고 진도가 많이 나가면 전의 것은 어느 정도 한정하여 가며 외어 갔다. 이때 만약 도중에서 막히면 막힐 때마다 싸리 회초리로 종아리를 한 대씩 맞아 종아리가 부어올라 눈물을 짤 때도 있었다.

그럴 경우 옆에 계시던 할머니가 보다 못해 말릴라치면 할아버지는 오히려 할머니 쪽으로 회초리를 돌리기도 했었다.

이렇게 하여 겨울 석 달이 가고 해춘할 무렵에는 「천자문」 전부를 처음부터 끝까지 욀 수 있었고, 끝마쳤다는 축하의 '책거리'로 할머니는 콩을 닦아 주셨다.

다음해 겨울은 「천자문」의 쓰기를 시작했다. 깊이가 얕은 책상서랍 같은 네모진 '사판(沙板)'에 보드라운 모래를 담고 젓가락 모양의 싸리로 된 '살빗대'로 그 모래 위에 글자를 쓰고는 모래를 흔들어 지우고, 또다시 쓰곤 했다. 이때도 획의 선후가 잘못되거나 글자가 틀리면 회초리 맞기는 마찬가지였다.

이리하여 한겨우 내 걸려 「천자문」의 쓰기까지를 마치고 나는 여덟 살에 국민학교에 입학했다. 그때 익힌 한자의 실력은 내 생애를 통해 오늘날까지 나의 공부의 밑바탕이 되는 거름의 구실을 하여 주었다.

나는 이 방법을 나의 아들 딸 다섯에 다 적용시켜 그들의 눈물을 자아내게도 했다. 한번은 고등학교 1학년에 다니는 딸아이의 종아리를 때리고, 대문으로 나가는 것을 보니 종아리에 불그레한 줄 몇 개가 가로 부어 있는 것을 보고 아차 교실 계단으로 올라갈 때 뒷사람에게 보이겠구나 하고 섬뜩해 한 일도 있다.

30년 전 고등학교에서 교편을 잡고 있을 때의 일이다.

전교 반장인 고3 학생이 한 반 전체에 미치는 잘못을 저지르고도 조금도 뉘우치거나 반성하는 기색이 없이 오히려 뻔뻔스런 자세를 취하고 있었다.

다른 학생들은 그에게 대하여 못마땅한 눈초리들이었다. 나는 반장을 불러내어 교탁 앞에 세웠다. 다시 한 번 경고를 내려도 그는 방약무인한 몸가짐이었다.

그는 훤출히 큰 키에 체구도 좋았다. 나는 그를 돌려세우고 학생들이 주시하는 속에서 그의 뺨을 힘껏 한 대 갈겼다. 그는 쓰러지려다 몸을 추스르며 눈물방울을 떨구었다. 그것은 아마도 뉘우침보다 울분에 찬 눈물이었을 것이다. 이제껏 줄곧 우수한 성적으로 칭찬만 받아 오만해진 그가 난생 처음 학교에서 선생에게 얻어맞은 것이다.

그 다음날 그는 나한테로 찾아와 정식으로 사과했고, 그 성격도 더욱 폭넓게 좋아졌을 뿐더러, 오랜 세월이 흘러간 지금도 어쩌다 만날 기회가 있으면 술자리를 마련하고 그때의 뺨 한 대가 저에게는 큰 약이 되었습니다, 라고 실토를 하는 것이다.

진정한 애정, 그리고 진실에서 우러나는 교훈의 뜻이라면 열 마디의 말보다 경우에 따라서는 한 대의 매가 훨씬 효과적일 수도 있다. 자식을 미워서 때리는 부모나 제자를 증오하여 매를 드는 스승은 없을 것이다.

다만 이 경우 매는 꼭 진정한 애정에서의 한 대여야만 하며, 두 대 이상 때리는 것은 감정이 개입되기 쉽고, 또한 상대에게 교훈이 되기보다 분노를 일으키거나 적의를 가지게 하기 쉬운 것이다.

그리고 그것이 누가 보아도 꼭 맞을 짓을 했다는 판단이 설 수 있는 경우여야 하고, 일 대 일보다는 증언자들이 있는 현장에서 가하는 것이 가장 효과적이다.

"나는 평생 싸우지 않고 자랐다. 우리 부부는 한 번도 싸운 일이 없다."

이런 소리를 들을 때마다 나는 이들이 진정 삶에 적극성을 가지고 진심으로 상대를 아끼고 사랑했는가 하는 의아심을 품게 된다.

어떻게 정이 없이 무관심 속에 살았으면 말다툼 한번 안 했을까. 진실로 아끼고 사랑하고 삶을 보람차게 하려면 성인이 아닌 이상, 범부범부(凡夫凡婦)는 다투고 싸우고, 때로는 손찌검도 나오는 속에서 진정한 의미의 인간유대는 이루어지기 때문이다.

월간중앙, 1981. 8.

사판회억砂板回憶

소학교에 들어가기 전이었으니까, 아마도 여섯 살쯤 되었을 무렵의 겨울이 아닌가 생각된다.

나는 그때 한 살 위인 고모, 동갑인 사촌누이동생과 함께 조부에게서 「천재(천자문千字文)」을 배웠다. 그 천자문 책은 지금도 기억이 선명하지만, 두터운 한지(韓紙)에 들깨기름을 먹여, 진한 갈색으로 변한 **빳빳한** 종이를 겹으로 접어 맨 것이었다.

하루에 몇 줄씩 '하늘 천(天)', '따 지(地)', '가물 현(玄)', '누르 황(黃)'하고, 할아버지가 부르는 대로 소리 높여 따라 읽고, 그것을 외어서는 이튿날 아침에 눈이 뜨이자마자, 책을 덮어놓고 조부 앞에서 기억한 것을 바쳐야만 했다. 만약 바치는 도중에 틀리면, 그 틀리는 자수에 따라 가느다란 회초리로 종아리를 얻어맞는 것이다. 그 종아리 맞는 것이 무서워서였던지 곧잘 외어바치기는 했지만, 기억력이 가장 좋았던 고모가 아마도 셋 중에서 가장 적게 맞은 축에 든 것 같다.

그리하여 「천자문(千字文)」의 맨 끝줄 '이끼 언(焉)', '이끼 재(哉)', '왼 호(乎)', '이끼 야(也)'— 이 어조사 언자를 우리는 이런 이름으로 배웠었다 — 하고 힘겹게 바쳐, 책 한 권을 떼고 나면, 할머니는 '책거리'라고 하여 콩을 볶아서 주는 것이었다.

여기까지는 괜찮았는데 그 다음부터가 문제였다. 이제부터는 다시 첫머리로 돌아가, 천자문 글자 쓰는 것을 한 자 한 자 차례로 바쳐야만 하는 것인데, 그것은 획의 선후가 바뀌기만 해도 큰 난리가 나고, 바칠 때마다 수없이 회초리로 맞아 눈물을 찔끔 흘린 일도 한두 번이 아니었다.

그런데, 이 한자 쓰기를 익히는 데는 사판(砂板)과 새빗대(아마도 사필대(寫筆臺)의 뜻이 아닌가 생각된다)라는 것을 썼다. 사판이란 넓이 15센티, 길이 20센티, 높이 5, 6센티 정도의 얇은 판자로 짠 통에, 보드라운 모래를 1, 2센티 두께로 담은 것으로, 여기에 싸리를 말려 껍질을 벗겨 다듬은 젓가락 모양의 새빗대로 글을 쓰고는, 사판을 흔들어서 모래를 평평히 하고 다시 쓰고 지우고 또 쓰며 익히는 것이다.

그러기 때문에 사판의 널조각 사이가 조금이라도 틈이 나면, 방바닥은 온통 모래 천지가 되기 일쑤인 것이다. 따라서 사판의 판자 틈새는 종이로 발라서 모래가 흐르지 않게 손을 보고, 새빗대는 노리끼한 싸릿대에, 추수하고 난 수숫대의 불그레한 마른 잎을 좁고 길게 쪼개어 나선형으로 새빗대 전체에 위에서부터 아래까지 돌돌 감아, 그것을 쇠죽 끓이는 가마에 넣어 김 속에다 찌면, 새빗대에 나사 모양의 붉은 무늬가 보기에도 고운 것이었다. 그런데 이 새빗대는 또한 선생이 제자들에게 글을 가르칠 때 이것으로 한 자 한 자 짚으며 불러주기 때문에, 우리네 속담에, 자기보다 세상사에 대해서나 학식 정도가 높은 사람 앞에서 어떤 문제가 화제거리에 올랐을 때 쥐뿔나게 아는 체하고 나서면, "선생 앞에서 새빗대질을 한다"고 핀잔을 주는 말까지 있기도 한 것이다.

아무튼 나는 이 사판과 새빗대로 「천자문」 한 권의 한자(漢字) 천 자 쓰기를 배우고 완전히 익힐 수 있었던 것이다.

이 단계를 거쳐 나는 역시 조부에게서 모필(毛筆)글씨 쓰는 법을 배우기 시작하여, 처음에는 신문지에 먹칠을 했고, 그것이 어느 정도 진전을 보일 무렵부터 백로지(白露紙)(지금의 갱지 비슷한 것)에 쓰게 된 것이었다.

이때 조부는 글씨 쓰는 앉음 자세, 붓을 쥐는 손 모습, 먹을 가는 방법 등, 이 초보적인 기초에 몹시 신경을 쓰고 거듭 잔소리를 하며 나무라는 것이었다. 그때에 쓰던 가장(家藏)의 연적(硯滴)들은 지금 생각하니 청자(靑瓷)나 백자(白瓷)인가 보아, 추석 성묘 때만 벽장에서 꺼내어 일 년에 한 번씩만 쓰던, 장손집 전래의 갖가지 모양 자기(瓷器) 제주병(祭酒甁)들과 더불어, 삼팔선 너머 구름 거쳐 아득히 못내 아쉬운 생각이 문득 솟구치기도 하는 것이다.

이렇게 나의 보잘 것 없는 글씨는 사판에서 시작하여 신문지와 백로지의 초입을 거쳐, 소학교에서의 연필글씨와 습자 시간의 반지(半紙)(미농집 비슷한 것)에 쓰는 모필시대(毛筆時代)를 겪었다. 그리고 중학시절에는 습자에 관심이 깊은 일본인 선생이 있어서, 일본의 독학(篤學)·자수성가(自手成家)로 이름난 이궁존덕(二宮尊德)의 「이궁옹야화(二宮翁夜話)」 암파문고본(岩波文庫本)을 대본으로 모필(毛筆)·세자(細字)를 원고지 간보다 조금 더 큰 정도의 크기로 매일 한 장씩 써서, 일주일치 여섯 장을 일요일 아침에 제출해야만 하는 강제훈련을 1, 2년 받았었다.

그러나 필법이나 서체에 대한 전문적인 지도도 없이 그저 일본식 습자 교본에만 의지했기 때문에, 이렇다 할 서도(書道)의 성과는 이루지 못했을 뿐더러, 그 후는 또 줄곧 만년필로의 생활이 지속되었으므로, 오랫동안 모필(毛筆)과의 인연은 끊어져 악필(惡筆) 그대로의 오늘에 이르고 말았다.

그런데 공교롭게도 나는 내가 봉직하고 있는 서울대학교의 서예반에 명색 지도교수라는 이름으로 학생 서클활동의 한 분야에 연관되고 있으니, 참말 어울리지 않는 노릇이다. 짐짓 이런 실정을 잘 알고 있는 학생들은 자진 솔선하여 몇 해째 여초(如初)를 실제의 스승으로 모시고 그 지도를 받고 있어, 나의 심적 부담은 한결 가벼워진 셈이다. 비록 나는 체

제상의 지도교수라고는 하지만, 오히려 나 자신이 지도를 받아야 할 판이니 면구스럽기 그지없는 일이기도 한 것이다.

그렇지 않아도, 무슨 축하회니 기념식이니 할 때 접수의 방명록을 앞에 내대이고 보면, 등골이 오싹할 때가 적지 않음을 느끼게 된다. 그리하여 나도 늦으나마 이제부터라도 본격적으로 서도(書道)에 관심을 가지려고 마음먹기도 해본다. 그러나 그나마도 본 것은 많아 안고수비(眼高手卑)에 시간에마저 쫓기다시피 하고 보니, 생각은 간절하면서도 아직껏 기회를 마련하지 못하고 있다.

이제 만시지탄(晩時之歎)이 없지 않으나, 이 가을부터라도 서서히 낙엽과 더불어 여초(如初)의 문하(門下)를 두드릴 생각도 하고 있으나, 작심삼일(作心三日) 그것도 여의할지, 홀로 먼 하늘을 거쳐, 어릴 때의 사판(砂板)을 떠올리며 추사(秋史)의 필첩(筆帖)을 더듬어보는 것이다.

서도(書道), 1974. 8.

이남일녀론二男一女論

집의 큰 아이가 태어났을 때의 일이니 벌써 30년 가까운 예전 이야기가 된다. 백 호가 넘는 문족(門族)들이 모여 사는 마을에서 우리 집은 종가(宗家)요, 나는 그 장손으로 항렬자(行列字) 중에서는 내 이름자가 제일 아래 촌수로 되어, 나에게는 조카뻘은 물론 형님뻘 되는 사람 하나 없이 젖먹는 어린아이까지 모두들 아저씨 아니면 할아버지뻘 이상이었다.

따라서 칠순이 넘는 조부의 생전에 꼭 증손자를 보아야 하겠다는 염원은 거의 집념으로 고질화되어 있는 형편이었다.

그러므로 때마침 임신 중에 있는 장손 며느리에 대한 조부의 총애는 극진한 것이었으매, 그 출산을 기다리는 심정은 일각이 여삼추의 격이었다.

삼월 이른 봄날 새벽 산기가 있어 시골 농촌에, 이십리 밖 소읍에서 산파를 불러왔고 해산시 방바닥에 볏짚을 깔고 분만하던 마을의 전래적인 오랜 유습을 깨뜨리고 이 신식 며느리는 처음으로 돗자리 위에서 순산을 하게 되었다.

먼동이 터 문창살이 훤해질 무렵 진통의 신음 소리가 뼈를 에이는 듯하는 산모의 고역, 옆방에 비스듬히 앉아 문틈으로 새어 나오는 동정에 귀를 기울이고 있는 조부의 긴장된 모습, 방안에는 조부의 숨소리와 장죽

(長竹)을 빠는 댓진 소리뿐, 간간이 고조되는 산모의 통증이 간헐적으로 심연의 정적에 파문을 일으켜 올 따름이었다.

드디어 아기의 첫 울음 소리가 터져 나왔다.

조부는 앉음새를 고치며 문가로 몸을 기대어 갔다. 그렇게 몸서리치게 되풀이되던 산모의 신음 소리는 군대의 행렬이 멈추듯이 갑자기 뚝 그치고 아기의 울음소리만이 거세어질 뿐이다. 그러나 옆방에서는 무엇을 알리려는 아무 기척도 들려오지 않는다. 한참 시간이 흘렀다. 여전히 이렇다 할 아무 반응도 없다. 다만 놋양푼에서 출렁거리는 물소리와 아기의 울음소리가 뒤섞일 뿐이다. 조부의 긴장은 차츰 초조의 빛으로 변해 갔다.

참다못해 조부의 나지막한 소리가 터졌다.

"머이 낳는냐?"

알아들었는지 못 알아들었는지 옆방에서 아무 대꾸도 없다.

"거, 머이 낳는냐?"

조부의 찌렁찌렁한 호령기 어린 목소리가 다그쳐졌다.

그제서야 겨우 모기 소리만한 목소리가 들려왔다.

"예, 딸입니다."

아마도 옆에 거들어 앉은 며느리의 목소리인가 보다.

그 이후 조부는 세상을 떠날 때까지 그렇게 기다리던 증손자 대신에 나온 증손녀를 단 한 번도 안아주거나 거들떠 본 일이 없었다고 한다.

조부의 초상(初喪)을 치르고 난 장손 며느리는 세 살 난 첫아기를 업고 삼팔선을 넘어 서울에 있는 남편을 찾아왔다.

그리하여 2년 후 둘째 아기를 해산했다. 이때는 이미 유명(幽明)을 달리한 조부 대신에 나 자신이 아들을 낳기를 마음속으로 바랐다. 그러면서도 산모가 초조해 할까 봐 임신 과정에선 그런 내색을 곁에 나타내질 못했다.

그러나 낳은 아이는 딸이었다.

그리고 그해에 6 · 25사변이 터져 우리는 딸 둘을 거느리고 내외가 대구와 부산에서 피난시절을 보냈다.

서울로 환도하는 해 또 아내는 부산에 피난 와서 운영 중인 서울 위생병원에서 셋째 아이를 낳았다. 이때는 세상도 뒤숭숭했고, 나 자신 또한 아들이어야 하겠다는 특별한 바람도 없었기 때문에 무엇이 나든 그저 고생스러운 피난살이에서 순산만 했으면 하는 소망뿐이었다. 그러나 해산 소식을 듣고 내가 병원으로 찾아갔을 때 아내는 침대에 누운 채 내가 손을 잡자 눈물이 글썽해 중얼거렸다.

"상허(尙虛)의 소설이 돼서 미안해요."

이태준(李泰俊)의 소설 제목에「딸 삼형제」라는 것이 있기에 그것이 떠올랐던 모양이다.

그 후 서울에 수복하여 어수선한 북새통 속에서 집안의 터전을 잃어가는 사이 별로 바라거나 기다린 일 없이 그저 속칭 무 뽑듯 아들 둘을 계속 낳았다.

남들이 산아제한이니 임신중절이니 정관수술이니 하여 2남 1녀를 부르짖으며 떠들썩할 때 내 주위를 살펴보니 벌써 우리 집안은 그 이상형이라는 숫자를 초과한 3녀 2남으로 이미 저절로 단산까지 되어 세상 풍조에 끼일 수 없게끔 되어 있는 것이었다.

사람의 이상이나 욕망이라는 것은 끝이 없는 것이다. 그러나 나는 2남 1녀를 부르짖고 그것을 희원(希願)하는 것처럼 염치없는 사람은 없다고 생각한다. 사실 요새 법적으로도 남녀 동권이 되고, 또한 가정 내에서나 사회적인 활동에 있어서도 여성이 오히려 우위로 움직이는 현상으로 변해 간다지만 실제에 있어 시속(時俗) 대부분의 사람들은 여전히 딸보다는 아들을 더 좋아하고 또한 바라는 것만 같다.

왜 하필 2남 1녀일까. 1남 1녀든지 2남 2녀든지 돼야 할 것이지 모두다 2남 1녀의 이상형을 내세우고 인공적으로 근사치를 모색한다면 25프로의 모자라는 여자의 수는 대체 누가 채워 준단 말인지 참말로 속심이 빤히 들여다보이는 생각들이다.

그것은 마치 자기 자식은 병역을 필하지 않은 채 외국유학을 보내고 남의 자식만을 논산 훈련소에 보내어 일선에서 자기 몫까지 대신 싸우고 목숨을 바쳐달라는 식의 이기적이고도 뱃심 좋은 사고방식들이 아닌가 싶어 한심스럽기 짝이 없다.

나는 지금도 이런 생각을 할 때가 있다. 아들 하나가 더 있어서 3남 3녀가 됐더라면 하는 것을……

그러기에 나는 우리나라의 산아제한에는 원칙적으로 별로 찬의를 표하지 않고 있는 편이다.

인구가 6억이나 7억이 넘는 나라는 몰라도, 우리같이 남북한 합쳐도 기껏 오천만 밖에 안 되는 나라는 적어도 일억 선은 넘어서야 세계열강과 인적자원에서도 대결할 수 있지 않을까 하는 실없는 생각도 해보는 것이다.

사실에 있어서 산아제한이라고는 하지만 부양능력이 있는 부유층에서 오히려 그것이 강조 의식되고 정작 어찌할 바 없는 저 소득층은 그런 것을 생각할 겨를도 없이 생활에 쫓기고 시달려 저도 모르는 사이에 자녀 숫자만 늘어가니 이 또한 과녁을 헛나간 기현상이 아닐지……

과학이 발달하여 우주신비의 극소부분을 수식으로 풀 수 있을는지는 몰라도 아직도 인간의 출생 사망을 비롯한 생명의 열쇠는 인간이 용훼(容喙)할 수 있는 비중보다는 신의 섭리가 지배하는 힘이 더 크지 않을까 하는 부질없는 생각을 다시금 곱씹어본다.

월간중앙, 1973. 4.

글장수와 나무장수

　벌써 40여 년이 지난 예전, 나 자신이 보통학교(普通學校)에 갓 들어간 아주 어린 시절의 일이다. 이웃에 같이 입학한 내 또래의 주필이라는 아이가 있었다. 그의 할아버지는 백발의 노령에 들어섰으면서도 기골이 장대하고 위풍이 늠름한 유학자(儒學者)로, 그 우렁찬 호령소리는 온 마을이 떠나갈 듯이 쩡쩡 울려 사람들은 그 노인을 '와당태영감'이라고들 불렀다.

　이 와당태영감은 지극히 보수적이면서도 신교육에는 유달리 관심을 가져, 장손인 주필의 등교시에는 손주의 손을 잡고 동구 앞길까지 데려다주는가 하면, 매일매일의 공부에도 손수 참견하면서 손주의 미래에 큰 희망을 품고 뒤치다꺼리에 여념이 없었다.

　그런데 당자인 손주는 학교가기를 싫어하여 바래다주는 할아버지의 모습이 보이지 않을 거리에 다다르면 옆길로 뺑소니를 쳐 학교 안 다니는 아이들과 놀다간 학교가 파할 무렵 집으로 돌아가는 일을 거듭하기 일쑤였다.

　이 기미를 알아챈 와당태영감은 손주를 달래어 학교문전까지 데려가기도 하고 버릇을 고치라고 회초리로 종아리를 때리기도 했다.

그러나 손주의 학교가기 싫어하는 성미는 좀처럼 고쳐지지 않아 조부가 오늘 무엇을 배웠느냐고 물으면, 저 앞집 금바우에게 물어보면 안다고, 나의 아명(兒名)을 일러대는 일까지 있었다.

결국 주필이는 할아버지의 정성에도 불구하고 소학교를 흐지부지 그만두게 되었고, 손주를 달래고 타이르고 혼을 내는데 지친 할아버지는 때리던 회초리를 끝내 내던지며,

"응, 만춘 고개를 넘어가면 나무 사겠다는 사람은 있어도 글 사겠다는 사람은 없다더니, 차라리 잘됐다!"
고 역설 어린 개탄을 했다는 이야기는 그 후 오래도록 마을 사람들의 입에 오르내렸다.

만춘(晚春) 고개란 우리 마을에서 동해안의 포구(浦口) 신창(新昌)에 이르는 중간에 있는 고갯마루로서 주필은 끝내 공부는 아주 집어치우고 와당태영감이 돌아가신 후 조부의 안타까운 푸념 그대로 농사꾼이 되어 이 고개를 넘어 바닷가 포구로 늘 나무 팔러 다니곤 했다.

교육정상화(敎育正常化)라는 말이 사설(社說)을 비롯하여 뻔질나게 신문 지상에 오르내리는가하면 그와 대조적으로 교육부재(敎育不在)라는 말 또한 뜻있는 사람들의 입에서 입으로 번져가고 있건만, 모두 다 하나의 구호나 개탄에 그칠 뿐, 당국의 무관심과 조령모개의 문교시책 속에서 그 구체적인 실천의 서광은 묘연하기만 한 것 같다.

청명한 가을 하늘 아래 자가용에 골프는 고사하고 노을 비낀 저녁 어스름에 붐비는 버스를 타려고 교문을 나서는, 정년을 눈앞에 둔 늙은 교감선생의 뒤집어 고친 양복 윗저고리 오른쪽 가슴에 옮겨 붙여진 윗포켓을 보면 어쩐지 서글퍼지고 낙엽이 흩날리는 황혼의 캠퍼스에 학문을 위하여 생애를 바쳤다는 백발이 성성한 노교수의 12인치 낡은 바지통을 보고 있노라면 처량하고 허망하기 그지없어진다.

사실 한길에 나서 후줄근한 옷에 어깨가 축 늘어지고 핏기 없는 군색한 얼굴로 무표정하게 서성거리며 손때 묻은 낡은 가방을 들고 있는 사람을 보면, 거개가 훈장임에 틀림없는 것이다. "훈장의 똥은 개도 안 먹는다."는 속담이 있지만 이제 훈장의 시세는 참말 고관·재벌집 셰퍼드 신세만도 못해진 것만 같다.

청빈(淸貧)이란 권위나 가치 기준이 서있는 정상적인 사회에서 상대적인 조건에서의 미덕일지 몰라도 권위도 가치도 선악 곡직도 판별할 수 없는 혼탁한 사회에서는 주변머리 없고 고지식한 무력무능과 통할는지도 모를 일이다.

국립대학 강사료가 한 시간에 3백 원, 거기다 세금을 빼고 나면 백시간을 백묵가루를 마시며 떠벌리고 주워섬겨야 겨우 양복 한 벌이 될까말까 하는 소위 경제위주의 체제이고 보면 백묵가루에서 피땀을 짜낸 돈이 외국차관으로 꿔서 물쓰듯하고는 부실기업 채로 넘겨버리는 벼락치기 돈보다 더 두텁지 않는 한, 청빈도 탐욕도 구분이 안갈 수밖에 없는 일인 성싶다.

이번 투표에도 신문지상의 보도로는 이백억의 신화폐를 발행했다고들 하니 물가를 자극한다는 전문적인 이야기야 어찌되었건 이런 돈과 고질적인 부정부패에서 오는 국가수입의 감소를 캐내어 밝히고 지출의 낭비를 막는다면 우선 전국 국민학교의 낡은 교사쯤은 고치고 훈장을 그렇게 초라하고 궁상맞게 만들지는 않았을까 하는 문외한의 터무니없는 주먹구구도 없지 않게 된다.

무조건 항복으로 패전한 일본이 종전 후 이십년도 채 못 되어 다시 세계의 열강(列強)으로 군림하게 된 것은 그들의 근대화 이후 한 세기에 걸친 교육입국(敎育立國)의 국시(國是)의 덕택이 아니었을까 하는 생각도 없지 않다.

사실에 있어, 돈 벌어 놓고 나서 자식 공부시키겠다는 사람치고 자녀 교육 하나 제대로 해낸 예를 볼 수 없는 반면에, 고달픈 살림 속에서도 간난신고를 참아가며 애써 자식의 교육에 집념하는 가정에서 그 실효의 열매를 거두고 있는 실례를 우리는 우리 주변에서 너무도 많이 보게 되는 것이다.

경제 제일주의도 좋고 고속도로도 좋아, 먹고사는 것이 하도 다급한 고장이니, 발등에 떨어진 불부터 우선 꺼야 할 것은 누구나 다 아는 사실이다. 그러나 정신문화가 방기 내지 망각된 물질위주의 경제 일변도는 그 앞날이 막막하기 짝이 없는 것이다.

세계에서 국민소득이 가장 높은 나라는 쿠웨이트라고 한다. 그러나 그 나라 사람들을 가장 행복한 국민이라고 생각하는 사람은 별로 없는 것 같다. 또 남양 토인은 일년내내 나무 밑에 누워 잠자고만 있어도, 먹을 것은 나무에서 떨어져 내려와 아무 걱정도 없다고 한다. 그렇다고 남양 토인더러 가장 문화의 혜택을 입는 문명국인이라고 여기는 사람 또한 별반 있는 것 같지 않다.

역시 인간은 소나 돼지같이 미거한 동물이 아닌 한, 먹는 것만으로 모든 것이 충족될 수는 없는 것이리라. 속된 말로 만물의 영장이라는 인간은 어쩌면, 단순히 먹고 목숨을 부지하는 것보다 그밖의 정신문화에 연관되는 일이 더 삶의 보람찬 부분인지도 모를 일이다.

모든 것이 물질로만 환산되는 사회, 그리고 인간의 존엄성이나 값어치마저 물질로만 환원되는 권위의 심벌이 붕괴된 가치체계, 이러한 상황은 참말 못 견디게 허황하고 절망적인 현상이 아닐까보냐!

교직자의 83퍼센트가 교단에서 밀어져가고 있다는 극단의 위험신호를 조간신문은 보도하고 있다. 보수가 적고 장래성이 없으며, 사회적 지위가 낮기 때문이라고. 교직신성설(教職神聖說)은 아득한 신화의 유적으로만 남고, 그 자리에 대치된 것은 열등감밖에 없다고. 그래도 아직 사설(社說)은 보는 눈이 남아 이렇게 이야기하고 있다.

공장 노동자의 전면 파업보다도 두려운 이 현상을 땜질함이었는지 한때는 궁여책으로 대학 입학 자격 예비고사 불합격자를 스승이 되는 교육대학에 입학시키겠다고 당국책임자가 공공연히 언명한 바도 있었으니, 이는 일제(日帝)때 비록 식민지 교육정책일망정 전국의 수재만이 당시의 사범학교에 진학할 수 있었던 실정에 비추어보면 격세지감(隔世之感)으로 한심스럽기 짝이 없는 일인 것만 같다.

정신면의 뒷받침 없는 경제 제일, 물질문명의 바탕이 없는 정신문화, 모두 다 절름발이일진대, 돈 벌어 놓고 공부시키겠다는 몽매한 탐욕보다는 돈 벌면서 공부시키려는 정상적인 사고의 바탕이 우리의 전통적인 사고나 현실적인 실정에 더 알맞은 방향이 아닐지……

나무장수 대신에 등장한 무연탄장수와 기름장수의 자가용차가 기고만장하여 클랙슨을 울리는 골목길을 엇갈려 글장수의 때문은 묵직한 가방이 버스정류장 쪽으로 걸어가고 있다. 싸락눈이 걷힌 맑은 하늘 너머 아득히 흰 구름이 휴전선 쪽으로 흘러가고 있다.

주필이도 살아있다면 이제 오십고개를 넘었을 것이다. 그는 오늘쯤 어느 탄광에 끌려가 있는지 그렇지 않으면 추수를 끝내고 그의 할아버지 와당태영감이 되뇌인 그대로 나무지게를 지고 만춘고개를 넘어가고 있는 것일까. 전세계에서 가장 아름답다는 푸른 하늘 아래 산 너머 백발이 성성한 와당태 할아버지의 영상만 명멸한다.

정녕, 나무 살 사람은 있어도 글 사겠다는 사람은 영영 없을 것인지……

대학신문 1969. 12. 8.

제2부

두고 온 고향故鄉

- 함경남도咸鏡南道 북청北靑 -

나의 고향은 함경도 북청(北靑)이다.

북청이라는 지명이 많은 사람들의 귀에 익어지게 된 것은 주로 다음 두 가지의 연유에서인 것 같다. 그 하나는 소위 '북청 물장수'로 까지 불리다시피한 물장수로 이름난 곳이요, 다른 하나는 흔히 '덤비 북청'이라고 일컫는 솔직 저돌형의 지방기질의 탓인 성싶다.

수도 시설이 아직 변변치 않았던 8·15 전까지만 해도 서울에 있어서의 물장수란 분명 명물의 하나였고, 물장수의 대부분은 또한 북청 사람이었으니 말이다. 사실 북청 물장수라 하여도 그 실마리는 개화 이후 신학문 공부가 시작되어서부터의 일이다. 그런데 특이한 사실은 북청 물장수 치고 치부(致富)를 하기 위해 장사를 했다는 사람은 단 한사람도 없고 그 물장수 뒤에는 반드시 유학생(留學生)이 있었다는 향학열(向學熱)의 소치라는 점이다. 아들이나 동생의 학자를 위해 물지게를 지는 경우는 말할 것도 없거니와 그들은 머리 좋은 조카나 사촌을 위해서까지도 서슴지 않고 물장수의 고역(苦役)을 희망과 기대 속에서 감내했던 것이다.

북청(北靑) 물장수

　여기 한 토막의 일화가 있다. 북청 안곡(安谷) 출신의 한 중늙은이가 서울 삼청동(三淸洞) 일대의 물을 공급하고 있었다. 그는 눈이 오나 비가 오나 연중무휴로 이른 새벽부터 밤늦게까지 물지게를 지고는 물을 쓰는 집에서 순번으로 대주는 음식으로 끼니를 때우고 저녁에는 소위 '물방'이 라고 불리는 그들의 합숙소에서 잠을 잤었다.

　그러던 어느 날 그의 고객 중에서는 가장 부유한 층에 속하는 큰 대문 (大門)집에서의 일이었다. 그가 물지게를 지고 대문 안에 들어서니 그집 마나님이 방금 배달된 등기 우편물을 받아 들고 남자들은 출타한 사이라 어디서 온 것인지 몰라 서성대고 있는 판국에 접했다. 마나님의 하도 안 타까워하는 양을 보다 못해 그는 마나님이 들고 있는 편지를 비스듬히 넘겨보다가 경성제국대학(京城帝國大學)에서 온 편지라고 넌지시 일러주 었다. 그것은 이집 아들의 경성제대 예과(豫科) 입학시험에 관계되는 서 류가 들어있는 편지 봉투였다. 판판 무식꾼으로만 대해왔던 물장수의 식 견에 마나님은 깜짝 놀라 그 후부터는 대하는 품이 달라졌었다.

　그후 얼마 지난 3월 상순, 저녁 해질 무렵에야 겨우 물지게를 지고 대 문안에 들어선 이 물장수는 곤드레만드레 취해가지고는 물통에는 물이 반도 안 남게 쏟아져 바지 아래통을 적시고 그의 손에는 신문 한 장이 들 려 있다. 이것은 그의 아들 '이재옥'의 경성제대 예과 수석합격의 신문 보도였다. 공교롭게도 큰대문집 아들은 떨어지고 물장수의 아들은 영예 의 합격을 했던 것이다.

　파인(巴人) 김동환(金東煥)의 시 「북청(北靑) 물장수」는 이러한 물장수 의 단면을 보여주기도 한다.

새벽마다 고요히 꿈길을 밟고 와서

머리맡에 찬물을 쏴— 퍼붓고는

그만 가슴을 드디면서 멀리 사라지는

북청(北靑) 물장수

물에 젖은 꿈이

북청(北靑) 물장수를 부르면

그는 삐걱삐걱 소리를 치며

온 자취도 없이 다시 사라져 버린다.

날마다 아침마다 기다려지는

북청(北靑) 물장수

사실 물장수의 덕만이 아니다. 북청에는 유학생이 많아 일제 말엽, 학병문제가 났을 때도 북청에서 나간 숫자가 충북(忠北)에서보다도 더 많다는 이야기까지 있었다.

8·15 해방 되던 날 현재, 백호(百戶)가 넘는 순 농촌인 우리 마을에서 십 세부터 사십 세 사이의 남성으로서 문맹은 단 두 사람밖에 없었고, 여자도 한글을 해독하지 못하는 사람이 몇 명되지 않았었다.

한편 '덤비 북청'이라는 말은 솔직담백하고 불의에 꺾이지 않는 북청 사람의 적극적인 진취성을 뜻하는 것 같다. 을사보호조약 후 네덜란드의 헤이그에서 열린 만국회의장(萬國會議場)에서 순사한 이준(李俊)열사도 북청 출신의 그 한 표본이며 오늘날까지도 그의 집을 '해아택(海牙宅)'이라고 부르고 있다.

이러한 나의 고향을 나는 언제나 자랑하고 또한 북청 출신이라는데 대해 자긍을 가지기까지 한다. 그러한 부질없는 아집 때문인지 나는 서울살림 근 삼십년, 그것도 국어선생 노릇을 줄곧 해오면서도 아직 사투리의 억센 악센트를 벗어나지 못하는지도 모를 일이다. 그러나 이제는 가호적

(假戶籍)이 진호적(眞戶籍)으로 변함에 따라 본적(本籍)도 서울로 바뀌고 기껏 신원조회 따위에서나 그리 유쾌하지 않게 출생지니 원적(原籍)이니 하는 것을 밝혀야만 하니 현실만이 아니라 문서에서마저도 고향은 영영 실향(失鄕)으로 돌아가는가 보다.

노래가락으로 푸는 망향(望鄕)의 갈등

우리 집에는 어른의 생일(生日) 법이 없다.

부모의 생사도 모르고 사는 불효자식이 어머니가 가장 뚜렷이 기억하고 있을 아들의 그리고 딸의 그 생일을 제가 먹자고 저희들끼리 차리다니…….

이런 지극히 단순하고도 유치한 논법으로 나와 내 아내의 생일을 차리는 일이 없고, 그대신 아이들의 생일에는 그들을 즐겁게 해주려는 노력을 기울이고 있다.

고향 생각을 가장 절실하게 느끼게 하는 것은 추석 명절이다. 그러기에 우리집에서는 아직 제사 모실 대상도 없으므로 추석날에는 일찌감치 등산차림을 하고 온 식구가 도봉(道峰)이나 우이동(牛耳洞)같은 데로 떠나간다. 거기서 밤에 달이 떠오를 때까지 시간을 보낸다. 아이들은 들국화를 딴다, 개울의 돌을 들치고 가재를 잡는다 하며 신명이 나 놀지만 나는 나대로 그리고 아내는 아내대로 두고 온 고향의 옛 추석을 더듬어 북녘 푸른 하늘 한끝에 시선을 박은 채 끝없이 추억과 상상의 날개를 펴는 것이다. 그리고 나면 마음속이 좀 후련해지는 것 같으면서도 여전히 뭉쳐진 덩어리가 숨가쁘게 가슴 한구석을 짓누르고 있음을 무겁게 느끼곤 하는 것이다.

그런 날 밤이면 대개 집에 돌아와서 고향에 연관된 노래를 듣게 된다. 이원수(李元壽) 씨의 「고향의 봄」을 "나의 살던 고향은 꽃피는 산골……"

하고 아이들은 예사롭게 흥에 겨워 합창을 하지만 나와 아내는 벌써 표정이 달라지는 것이다.

'고향무정(故鄕無情)'인가 하는 노래가 처음 나왔을 때 나는 술에 만취하여 자정이 가까워서야 돌아와서 그날 밤 주석(酒席)에서 들은 풍월로 배운 서투른 곡조를 밤새 주기(酒氣)속에 울면서 몇 시간이고 되풀이 불렀던 적이 있다. 나는 지금도 그 노래를 들을 때마다 고향의 나의 집을 망막 속에 그리면서 눈을 지그시 감고 회상에 잠기는 것이다.

그러면 고향에서의 흘러간 갖가지의 일들, 그리고 그리운 사람들의 모습이 안타깝게 명멸하곤 하는 것이다. 그런 때에는 사진첩이라도 펴보면 속시원하련마는, 지금 나에게는 8·15 이전의 고향 사진은 단 한 장도 없다. 아내는 그럴 때마다 결혼식 사진만이라도 하고 아쉬운 푸념을 되뇌곤 한다.

어쩌다가 고향사람들끼리 모이면 고향의 민요가 쏟아져 나온다. 그런 날이면 체신 없이 동심(童心)으로 돌아가 가뭄에 비 맞듯이 망향(望鄕)의 갈증을 그 노랫가락 속에서 해갈하려고 억지의 안간힘을 쓰는 것이다.

8·15 직후인 팔월 하순 고향을 떠나 서울에 온 나는 고향이 그립고 궁금하여 그해 겨울 방학과 다음해 여름 방학 두 번을 고향에 다녀왔었다.

두 번째 갔을 때는 집에 닿아 하룻밤 자고 나자 다음날 아침 보안지서에 끌려 나갔다. 그러자 당일로 육십 리가 넘는 군청소재지 보안서에 연행되어 일개월간의 교화소(敎化所) 신세를 졌다. 그때의 죄명(罪名)은 '하경자(下京者)'였다. 서울서 내려왔다 하여 그러한 해괴한 명칭이 붙여진 것이다. 나는 그 속에서 적리(赤痢)를 앓아 격리병동으로 이송되는 소동까지 벌어졌었고 그 시절 만병통치로 알려졌던 초기 '다이아찐' 덕분으로 위기를 모면할 수 있었다.

출감하고 집으로 돌아오니 나의 절친한 친구의 한 사람이며, 그쪽에서 열성적으로 깃발을 높이 들고 있던 Y군이 나를 만나자 대뜸 이렇게 말하는 것이 아닌가.

"너를 감옥에 집어넣은 것도 나고 나오게 한 것도 나다."

나는 순간 등골을 스쳐 내리는 전율을 금할 수 없었다. 주위의 모든 것이 더욱 두려워질 뿐이었다. 그때 서울로 돌아온 후에는 얼마동안 고향생각만 해도 몸서리쳐졌고 또한 다시 고향으로 갈 기회도 없었고 가지도 못했었다.

그런데 그후부터는 간혹 고향 꿈을 꾸게 되면 꼭 붙잡혀 욕보는 장면으로만 나타나고 빨리 서울로 돌아가야겠는데 하고 신음 소리를 치다간 잠을 깨는 것이다. 마음속으로는 그리운 고향이지만, 꿈에서는 두려운 고향으로 나타나는 것이었다.

그러나 이상한 일은 고향집 식구의 꿈만 꾸게 되면 그후 며칠 사이에 반드시 길사(吉事)가 생기는 일이다. 어떤 때는 꿈을 꾸고 나서 아무 것도 좋은 일이 생길만한 계기가 없는데 이상하다고 흘려버리고 있으면, 얼마 안 가서 어디서 문학전집(文學全集)을 내는데 우선 계약금 조로 인세(印稅) 선불(先佛)하니 이것을 받아 달라고 사람이 일부러 찾아오는 경우 같은 것이 생긴다. 그리던 고향의 꿈자리는 사나우면서도 다사로움을 되새겨 주고 삶에 보람을 안겨다 주는 마스코트의 구실을 하는가 보다.

지구의 한끝보다 더 먼 고향

나는 며칠 전, 강화도로 가는 길에 예상치도 않았던 임진강 하류의 맨 선봉 초소인 애기봉(愛妓峰)을 찾는 우연한 기회를 가졌다. 마침 화창하게 개인 봄날씨라, 육안으로도 짐작이 갈 가까운 거리에 강 건너 북녘땅이 말없이 가로놓여 있었다.

작년 판문점에 갔을 때는 양쪽 군대가 엇갈려 왔다갔다하는 속에서 살벌하고도 긴장에 찬 분위기를 느꼈지만, 이날 애기봉에서의 조망은 병자

호란(丙子胡亂)때 끌려간 낭군을 애태우며 기다리다 이 봉우리에서 그대로 돌이 되었다는 애기(愛妓)의 단장애곡(斷腸哀曲)의 전설과 더불어 역사의 짓궂은 작희 같은 국토양단의 비극과 망향의 그립고 애타는 정(情)을 더욱 뼈저리게 느끼게 하는 것이었다.

나는 망원경 속에 어린 북쪽 마을의 모습을 눈여겨보며 한겨레의 핏줄기를 눈앞에 두고도 지구의 한끝으로 가기보다 더 어려운 현실을 탓하며 지금으로선 아득하게밖에 느껴지지 않는 조국통일의 환호성이 온 누리를 뒤흔들 그날이 하루 빨리 찾아오기를 머리 숙여 되풀이 기원할 따름이었다.

나는 지금 이 글을 쓰면서도 몇 번이고 내 고향의 풍경화를 머릿속에 그리면서 문득 문득 내가 살던 옛집 앞에 다가서는 듯한 착각에 사로잡히곤 한다.

서북(西北)으로는 풍산(豊山) 삼수갑산(三水甲山)쪽의 계선(界線)을 이루는 원치령(原峙嶺), 이를 분수령으로 하여 고을 한복판을 유유히 꿰뚫어 흘러 기름진 북청(北靑) 평야(平野)를 이루면서 동해(東海)로 사라지는 남대천(南大川), 그 평야 동남쪽에 숙신(肅愼) 고도(古都) 토성(土城)(고적 제63호)이 자리잡고, 남대천(南大川)하류 서쪽 바닷가 모래 언덕에는 여진비(女眞碑:고적 제12호)가 있고 이원(利原)과의 군계(郡界)를 이루는 만령(蔓嶺)에는 진흥왕순수비(眞興王巡狩碑:국보 제208호)가 있는 내 고향 북청(北靑)

음력 설과 보름 사이에는 고도(古都)의 유적지인 토성리(土城里)를 중심으로 하여 '사자(獅子)춤' 놀이가 한창이고, 한식날에는 남대천 철교 밑에 군내 각처에서 모여든 수많은 부녀자들이 유폐속에서 해방감으로 북을 울리며 북청의 정서어린 민요 '돈돌나리'를 목이 쉬도록 불러댄다.

단오에는 면마다 그네와 씨름대회가 벌어지고 놀이나 모임의 자리마다 천하의 절색으로 구혼하는 온갖 신랑감을 낱낱이 물리치고 결국 오매한 촌(梧梅韓村)에 시집을 갔다는 양천(楊川) 전촌(全村) '전갑섬'의 전설에 깃들인 민요 가락이 퍼져 흐른다.

우리 마을은 이끼 낀 거석(巨石)으로 둘러싸인 옛 성지(城址)아래 기찻 길을 끼고 자리 잡은 아담한 고장으로, 삼 킬로 동남쪽에 출렁거리는 푸른 바다가 내다보인다. 마을 주변은 온통 과수원으로 둘러싸여 있고, 정거장 학교 면사무소 우편국 등이 바로 옆 이웃 마을에 자리 잡고 있다.

방학 때마다 유학생들이 고향을 찾아 모여들면 이 성터에서 환영회를 베풀고 향토의 소박미와 도시에서 얻은 새로운 지식의 신선미(新鮮味)가 호기심 속에 한데 얼려 대화와 토론과 주흥(酒興)이 엇갈리는 정다운 분위기를 이루고, 한편 소인극(素人劇)을 꾸미고 새로운 양악기(洋樂器)를 사들여 온 마을이 떠들썩하도록 연극과 음악의 축전을 베풀던 일들이 어제일같이 눈에 선하다.

나는 어릴 때, 늘 집 앞 수양버들이 서있는 높직한 돌각담 위에 올라가 아득히 수평선 가를 스쳐가는 기선을 바라보면서 일본으로 유학간 아저씨들을 그려보곤 했었다. 지금쯤 팔십이 넘었을 어머니가 살아계신다면 어쩌면 그 돌각담 위에서 터널 속으로 사라지는 남행(南行) 기차의 기적 소리를 들으며 흩어져가는 연기 너머에 아들의 모습을 그리고 있을지도 모를 일이다.

신동아, 1971. 7.

내 고향故鄕 여름 - 북청北靑

고향이란, 봄은 봄대로, 여름은 여름대로, 그리고 가을 겨울 할 것 없이 철따라 동심(童心) 속에 포개진 추억의 실마리를 풀어예는 요람(搖籃)이라고나 할까…….

내가 태어난 고장은 동해바다가 5리 밖에 내다보이는 함경선(咸鏡線) 철도 연선의 아득한 농촌, 마을 어른들이 노상 자랑스럽게 이야기하는 소위 장작불에 이팝(쌀밥)을 먹는다는 함경도(咸鏡道)하고도 북청(北靑) 거산(居山)이다.

내가 국민학교에 다닐 무렵까지 우리 면에는 아직 4년제 사립학교밖에 없었다. 그래 나는 사립우신학교(私立又新學校) 4학년을 마치는 해 봄, 당시 우리군안에 일곱 개 밖에 없는 6년제 학교의 하나인 양화공립보통학교(陽化公立普通學校) 5학년 입학시험을 치르고 편입했었다. 그 덕으로 나는 2년동안 매일같이 백리 길을 기차통학을 해야만 했다.

그 시절의 기차란 요새같이 그렇게 붐비지도 않았고, 또 '디젤' 기관차도 아닌 증기 기관차여서 기차 차장이 호각을 불며 푸른 깃발을 흔들면 우렁찬 기적소리와 함께 증기를 뿜으며 '칙칙폭폭' 움직이기 시작하는 열차의 모습은 산모퉁이를 돌아 '터널'로 사라질 때의 푸른 하늘에 길게 비껴 흩어지는 흰 연기의 잔해와 더불어 한가닥의 여수(旅愁)를 자아내는 것이기도 했다. 여름의 첫 부르짖음은 그 통학하는 기차간에서 어린 가슴에 첫 '노크'를 해오는 것이다.

7월 중순에 접어들면 여름방학으로 고향에 돌아오는 서울 유학생들이 찻간을 메우기 시작한다. 남녀 학생들의 갖가지 교복에 못잖게 어린 나의 시선을 끈 것은 참대을등우리에 넣어 선반위에 얹혀 놓은 노랑 참외의 인상이었다.

이것은 서울 유학에 대한 동경과 더불어 계절의 변화에 따르는 청순한 미각을 한꺼번에 자극해 오는 것이었다. 아마도 그것은 함경도는 추운 지방이라, 8월에 들어서야 겨우 참외를 구경하게 되고 그것도 노랑 참외는 드물게 보는 탓이었는지도 모를 일이다.

바닷가에 자리잡은 학교 앞은 송림(松林)이 우거지고, 그에 잇달아 해당화(海棠花)가 만발한 백사장이 끝없이 펼쳐져 하루의 수업이 끝나기 바쁘게 우리는 짙푸른 바닷물에 뛰어들곤 했던 것이다.

이밖에 우리 고을에는 바닷가 모래산에 여진비(女眞碑)(고적 제12호)가 있는 속후(俗厚)해수욕장, 진흥왕(眞興王)의 마운령(摩雲嶺) 순수비(巡狩碑: 국보 제208호) 아래 낭떠러지 밑에 있는 윤관(尹瓘)이 여진을 칠 때의 유적인 시중대(侍中臺)의 기암괴석의 해수욕장 등 여름과 곁들여 떠오르는 명승지가 이루 헤아릴 수 없이 많다.

지금쯤 함경선 열차에 몸을 싣고, 차창에 어리는 동해안의 절경에 눈을 팔고 있노라면, 어느덧 '북청(北靑) 사자(獅子)놀이'로 이름난 숙신(肅愼) 고도(古都) 토성(土城)(고적 제63호)이 있는 토성리(土城里)를 지나 내 고향에 닿을 수도 있으련만……

고향에 어리는 갖가지 회억(懷憶)과 더불어 향수(鄕愁)는 가슴이 메도록 사무치누나. 삼복의 더위는 무더운데 뭉게구름은 고향쪽 북녘으로만 떠가고…….

중앙일보, 1972. 8. 5.

팔도인八道人 기질氣質의 재평가

─ 함경도咸鏡道, 「이전투구泥田鬪狗」─

1

사람에게는 누구에게나 다 제 나름의 개체적인 성격인 개성이 있다. 젊은 시절에는 선천적인 타고난 성품이 그것을 지배하는 비중이 크지만, 세월이 흘러감에 따라 갖은 환경에 부딪쳐 체험과 교양이 쌓여지면 여기에 후천적인 요소가 가미되어 개성은 점차 변모하며 굳어져 가는 과정을 밟기 마련이다.

그러기에 같은 연대에 속하는 사람들끼리도 각기 개성은 다르며, 같은 지방 출신이라고 하여 개성이 같으라는 법도 없는 것이다.

그러나 우리는 현대 도시 젊은이들의 십대나 이십대의 어떤 공통되는 성격을 발견할 수 없는 것은 아니며, 농촌출신 젊은이들의 일반적인 성격을 추출할 수 없는 바도 아니다.

이와 마찬가지로 우리는 어떤 지역출신의 보편적인 성격의 특색을 추려내는 일도 전연 무모한 일이라고 일축해 버릴 수만은 없는 일면의 일반성이 없지 않음을 볼 수 있다.

이 지역별 출신의 특징적인 성격이 확대되면 한 민족의 민족성이나 한 국가의 국민성이 될 수도 있는 것이요, 동양인과 서양인의 성격이 갈라지는 분기점도 발견할 수 있게 되는 것이다.

2

한 지방인의 성격이나 기질의 어떤 공통성은 그 지방 고유의 역사나 전통에 유래되는 바가 크겠지만, 지리 풍토를 비롯한 자연 조건에 영향되는 점도 또한 적지 않는 것 같다.

아아(峨峨)한 산악지대 출신이 웅건(雄建) 단순 기질의 소유자가 많음에 비하여, 탄탄한 평지(平地) 출신은 활달 다양한 기질을 가진 사람이 많고, 거기에 또 농촌, 어촌 도시 출신이 각각 다른 기질을 지니고 있음을 볼 수 있다.

또한 언어를 비롯한 생활권내의 환경적인 조건과 각 지방 고유의 풍습은 자연히 개인의 성격이나 기질에 영향을 주는바 적지 않다고 보겠다.

우리는 서울 말씨의 부드러운 어감(語感)과 경상도나 함경도의 거센 억양의 말투에서, 그 사람은 보지 않아도 말소리만으로 그 성격이나 기질의 암시 같은 것을 받을 때가 적지 않음은 부인할 수 없다.

서울만 하더라도 예전엔 북촌(北村)의 양반과 청계천(淸溪川) 변의 중인과 성(城)밖의 하층 계급에는 각각 그 특징적인 기질이 있었고, 언어도 또한 그 지역 사회의 독특한 표현이 있었음을 누구나 다 익히 아는 일들이다.

그러고 보면 한 지방 특유의 성격이나 기질에 그 나름의 어떤 공통되는 일반성이 있음을 시인하지 않으면 안 되는 결과로 되는 것 같다.

그러나 문명이 고도로 발달해 가는 현대에 와서는 그러한 인간 성격의 지방성을 띤 보편적 특색도 점차 변모해 가는 것만 같다.

교통기관의 가속도적인 발전은 인간 상호 교류의 속도를 압축시키고,

교육의 보편화는 언어를 비롯한 인간관계의 밀착성을 촉진하고, 거주지의 빈번한 이동은 출생지의 특생을 희박하게 하여 어떤 특정의 지방적인 성격이나 기질이 몸에 배일 겨를이 없게 만들었다.

그만큼 인간은 종래의 폐쇄적인 지방성에서 좀 더 광범위한 지역으로의 개방적인 보편성으로 전환되어 가는 것만 같다.

양반 상놈의 사회계급이 없어지고, 남녀 인권의 평등화로 남존여비(男尊女卑)의 기성관념이 사라지고, 문화시설의 보급으로 도시와 농촌의 생활수준이 접근해 가는 판국에, 이제 새삼스럽게 지방색을 들추어내어 성격이나 기질을 이러쿵저러쿵 한다는 것은 시대의 흐름에 역행하는 진부한 이야기가 아닐 수 없다.

차라리 돈이 모든 가치 기준의 척도인양 착각되어가는 1960년대의 현실적인 시점에서는, 돈 있는 계층의 기질과 가난한 계층의 기질, 또는 그와 병행하여 집권층의 기질과 무력한 서민층의 기질, 이러한 것이 더 화제에 올라야만 할 시기가 아닌가 하는 심정도 없지 않다.

3

그러자니 자연히 함경도인(咸鏡道人)을 '이전투구(泥田鬪狗)'로 표현한 사언(四言) 구절(句節)도 흘러간 배경 속에서 사랑방의 옛 이야기처럼 과거를 더듬는 수밖에 없는 노릇이다.

내가 태어난 곳은 함경남도 북청(北靑)이지만 고향을 떠난 지 이미 삼십여 년이고 보니, 고향에 연관되는 이야기도 호랑이 담배 먹던 아득한 옛적 추억으로 돌아가는 수밖에 없다.

그것도 삼팔선이 가로막힌 지 어느덧 이십년, 전제주의 일관으로 인간의 개성보다 집단사회 전체의 복무가 선행조건으로 되어야 하는 지금의 내 고장에서, 지방적인 성격이나 기질을 찾는다는 것은 더욱 현실 도착

(倒錯)의 결과로 밖에 되지 않으리라.

조선 팔도(八道)중의 맨 북쪽에 놓여있는 함경도는 백두산을 중심으로 하여 서북으로 압록강을 사이에 두고 만주와 접하고, 동북으로 두만강을 격하여 북간도(北間島)와 해삼희(海蔘戲)에 접경하고 있는 그야말로 문자 그대로 심산유곡(深山幽谷)의 변경(邊境)이다.

일찍이 여진족이 드나들었다는 이 고장은 역대로 외적(外敵)의 침해에 시달리며 외로웠고, 중앙정권에는 언제나 기아(棄兒)처럼 버림받으며 이단시되어 왔다.

오랜 세월을 두고 지위와 권세에 외면을 당해온 이들은, 산악(山岳)과 장강(長江)과 원시림(原始林)과 해초(海礁)에서 자연과 싸우며 살아왔기에 성급하면서도 뒤가 무르고, 곧은 것을 자랑으로 알면서도 타협할 줄 모르는 아량(雅量)의 미덕(美德)을 결한 채 살아왔다.

이조(李朝) 오백년은 반역자의 낙인 아래 벼슬과는 담을 쌓았기에, 양반 상놈의 계급의식이 비교적 희미한 것은 현대적인 시민계급을 위해서는 차라리 다행이었을지도 모를 일이다.

실지 이들의 대부분의 본관(本貫)은 영남(嶺南)으로 되어 있으니, 학정과 부패의 가렴주구(苛斂誅求)에 견디다 못해 집권자에 상소항거(上疏抗拒)하다가 유배나 야밤 도주한 유민(遺民)의 후예일지도 또한 모를 일이다.

세상이 개화되고 인지(人智)가 밝아지고 과학이 발달하여 문화수준이 높아져 제 나라 살림을 남의 나아간 나라처럼 스스로 이룩해 가는 이 마당에도 알래스카의 새로운 단어가 귀를 거슬리니, 그 연유(緣由)나 진부(眞否)는 이 또한 알고도 모를 쓸쓸한 사연들이다.

4

현재의 서울 인구 삼백여 만중에서 오대(五代) 이상 서울에 산 사람은 대체 얼마나 될 것인가 하고 나는 생각해 본다. 기껏 오만 정도일까…….
그렇다면 삼대 이상 서울에 산 사람은? 그것도 십만에서 기껏 이십만을
넘지 못할 것만 같다.

내가 보통학교 다닐 때의 경성 인구는 외국인을 합쳐서 삼백만이었으니
근 사십년간에 열배나 인총이 는 셈으로 된다.

그러고 보니 지금의 서울은 팔도(八道) 놈팽이의 오가잡탕이 몰려든 삶
의 도가니로 밖에 보이지 않는 것만 같기도 하다.

그 속에서 나는 수많은 인간들과 접해왔고 접하고 있고 또한 앞으로
많은 사람들의 틈바귀에서 좋든 궂든 그들과 접하며 살아야만 할 것이다.

이 경우 나는 인간 개체의 개성이나 인품을 아끼고 믿으며 사귀어 왔
지, 그의 태어난 곳을 가리는 선입관은 한번도 작용해 본 일이 없었다.

그러기에 나의 가까운 친구에는 평안도, 충청도, 경상도, 전라도 그리
고 서울, 출신들이 뒤섞여 있다.

나의 체험으론 모두가 사람 나름이지 곳 나름은 아닌 것 같다.

그러나 첫 인사에 고향 사투리를 쓰는 어감에 접하였을 때, 어딘가 모
르게 상대가 쉽게 대해지는 관성(慣性) 같은 것은 또한 부인할 수 없다.
그것은 살아온 풍속 습관이 같은 처지에서 허물이 없는 안도감의 탓인지
도 모를 일이다.

그런 경우도 또한 길게 사귀게 되면 자연 그 개성의 인품으로 상대를
판단하게 되는 결말은 역시 변함이 없다.

오히려 이름 모를 골목으로 지나다가 아낙네의 앙칼진 함경도 사투리
욕지거리를 들을 때는, 등골이 오싹하는 불쾌감이 느껴지는 것도 또한 숨
길 수 없는 일이다.

역시 여자 말씨는 서울이 으뜸이고, 경상도 풋내기 소녀의 앳된 사투
리에서 이국적인 감정을 느끼는 것은 나 혼자만의 괴벽에서일까?

　사실 「이전투구(泥田鬪狗)」의 여덕(余德)인지 함경도 출신 문학인들을 더듬어 보면 신문학 반세기의 풍상 속에 그 풍모도 다양함을 볼 수 있다.

　「국경(國境)의 밤」의 파인(巴人) 김동환(金東煥), 「탑(塔)」의 설야(雪野), 「동경(憧憬)」의 이산(怡山) 김광섭(金珖燮), 「문학(文學)과 자유(自由)」의 소천(宵泉) 이헌구(李軒求), 「녹색(綠色)의 문(門)」의 최정희(崔貞熙), 「기상도(氣象圖)」의 편석촌(片石村), 「후처기(後妻記)」의 임옥인(林玉仁), 「오랑캐 꽃」의 용악(庸岳), 이 밖에 손소희(孫素熙), 박연희(朴淵禧), 윤금숙(尹金淑), 김성한(金聲翰), 김규동(金奎東), 공중인(孔仲仁), 전영경(全榮慶), 이호철(李浩哲) 등 많은 시인(詩人), 작가(作家)들을 들 수 있다.

　역시 작가의 역량도 지운(地運)을 타는 것일지…….

　성골(聲骨)도 진골(眞骨)도 없고 백정(白丁)도 비복(婢僕)도 없는 평민(平民) 대등(對等)의 현실기껏 빈부(貧富)의 가늠이 귀천(貴賤)도 영고(榮枯)도 될 수 있고, 심지어 의(義) 불의(不義)의 평가 기준도 되는 일이 있는 현재의 시점에 서서, 문득 "타향이라 정이 들면 내 고향 되는 것을, 가도 그만 와도 그만 언제나 타향"이란 유행가의 한 구절이 머리를 스친다.

　엄마 아빠의 고향은 북청이라지만 내 고향은 서울이야 하고 제 생일날에 뇌까리던 끝놈의 티없는 동심(童心)을 떠 올리다가, 경주(慶州) 전씨(全氏) 십칠대조(十七代祖)의 입북(入北) 시조(始祖)와, 월남(越南) 시조(始祖)가 될 나의 환상을 저울질하며, 나는 '이전투구(泥田鬪狗)'의 흘러간 낙화유수첩(落花流水帖)을 덮어 버린다.

세대, 1965. 11.

달 없는 추석秋夕
─국토통일원장관國土統一院長官에게 보내는 공개서한公開書翰─

〈국토통일원장관 귀하 혹 참고 되실는지, 다음 글월에 보셨으면 합니다.〉

시간에 쫓기듯 살아가는 나날의 번잡 속에서 까마득히 잊었다가도 추석이 오면 문득 고향 생각이 난다.

고향을 잃은 지 어언 30년.

그것도 안간 것이 아니라 못간 것이다. 38선 그리고 휴전선에 따르는 타의(他意)에서였다.

10년이면 강산도 변한다는데 그 세 갑절의 한 세대가 흘러갔으며 그 사이 나라는 변하고 세상도 변하고 인심(人心)도 변했다. 그리고 나 자신도 20대에서 50대의 중간에 접어들었다.

그 후에 태어난 아이들이 벌써 셋씩이나 대학을 나오게 되었으니 시간도 어지간히 흘러갔는가 보다.

내 평생에는 통일을 못보고 영영 이역(異域)으로 굳어질 고향인가…….

허공을 향하여 외쳐보나 대답도 반응도 없이 안타까운 분노의 소리만 막막한 공간에 산산이 부서질 뿐이다.

추석은 명절 중의 명절,

양력설은 관청만이, 음력설은 도시 서민과 시골 농촌사람들만이, 크리스마스는 기독교인들과 그것을 핑계삼는 사람들의 명절이지만 대보름과 한식과 단오는 이제 있는 둥 마는 둥 일부에서만 흔적을 남길 정도다. 그러고 보면 추석만이 온 겨레가 즐길 수 있는 유일한 명절 같기만 하다.

그러나 산소 없는 나는 그 추석날마저도 갈 데가 없다.

고향에선 전씨문중(全氏門中)의 장손(長孫)집.

그래서 추석엔 음력 열사흘 날부터 성묘를 시작하여 사흘 동안 꼬박이 돌아다녀야 겨우 조상들 무덤을 한 차례 돌 수 있는 것이다.

지금 이북(以北)엔 제사법이 있는지 없는지 모르지만, 속된 말로 그곳에 있는 조령(祖靈)들은 그곳 시속(時俗)을 따라야 할 것이겠으므로, 굳이 이곳에선 애초에 제사법이란 없다. 그것은 또 그렇게 하는 것이 통일을 더 재촉하는 일이 될지도 모르기에.

조부는 장손 구실을 하느라고 명당(名堂)자리를 골라 조상의 무덤을 파헤쳐 송장을 메고 다니며 면례하기에 바빴지만 8·15 후 38선을 넘어온 대부분의 월남가족(越南家族)이 산소 타령에 극성부리던 사람들의 후예들이고 보니 명당(名堂)의 발운(發運)도 얻기 어렵거니와 이 판국에 명당(名堂)자리 또 그 어디에 있나 싶기도 하다. 오죽잖은 지금의 장손은 그 조부의 세상 떠났다는 소식은 얻어 들었으나 정작 제삿날도 모르고 산소자리도 알지 못하고 있으니 이 불효는 차라리 천재지변으로 돌려 무령(撫靈)의 구실로나 삼으련다.

꺼져가는 희망의 등불

이번 추석엔 친구가 일부러 전화를 걸어 나의 무료함을 달래주고자 자기 산소로 같이 가자는 권유도 있었으나 그도 마음이 내키지 않아 모처럼의 호의를 거절하고 말았다.

하는 수 없이 궁여지책으로 가족동반 류색을 둘러메고 등산하기로 했다.

어디로 갈까 하고 한참 망설였으나 성묘객으로 차편이 여의치 않은 날이기에 돌아올 길을 걱정하여 가까운 정릉(貞陵) 골짜기를 찾아 들었다.

도시 한 복판의 유흥가를 뺨치게 흥청거리던 텐트 속 주점(酒店)들은 피난이라도 간 듯이 텅텅 비었고 발 디딜 자리 없이 밀리는 인파에 골짜기를 울리고 하늘에까지 치솟던 장구와 노랫소리도 사라져, 오래간만에 계곡의 물소리를 들을 수 있는 것만도 다행이어서 어릴 때의 고향 산골짜기를 찾은 기분이기도 했다.

바위틈을 숨어서 흐르는 산골물에 발을 담그고, 물소리에 가락을 더해주는 벌레 소리를 들으며 단풍이 한두 잎 반점(斑點)을 찍어가는 활엽수의 숲을 바라보며 시간 가는 줄 모르게 하루를 보냈다.

아이들은 아무 거리낌 없이 가재를 잡는다, 산꽃을 딴다 하며 천진하게 놀고 있지만 나는 흘러가는 구름 속에 간간이 고향생각을 실어 보내곤 했다. 지금쯤은 선대(先代)의 묘가 가장 많이 있는 황룡동(黃龍洞)에서 제사를 지내고 음복할 시간일거다, 그리고 철질 터널을 굽어보며 우이동(牛耳洞) 고개를 넘어 집으로 돌아오는 길일 것이다, 하며 어린 시절을 되새겨 보는 것이었다.

그러나 문득 지금 그 정치 하에서 무슨 추석이 있으며 제사법이 있을 것인가. 도시 먹을 것이 있어야 제물(祭物)도 차려 놓고 조상이고 뭐고 할 것이 아닌가. 어느 때인가 북한에서 요직에 있다가 넘어온 사람의 라디오 대담에서 그곳에선 결혼식을 하는데도 냉수 몇 그릇으로 제한된 인원만 참석하여 대사(大事)를 치른다던 이야기가 겹쳐 떠올라 슬며시 입맛이 써지는 것이었다.

몇 해 전 적십자회담이 처음 열리고 계속 남북조절위원회(南北調節委員會) 모임이 남북으로 번갈아 가며 열릴 무렵에는 이거 어디 통일이 정말 되려는가 보다 싶더니 그것도 흐지부지, 잠시 멈춰졌던 욕지거리가 다시 시작되고 보니 분위기는 전보다 더 굳어지는 것만 같다.

6·25전까지만 해도 서신왕래는 되었고 삼팔선을 넘어 다니는 사람도 더러 있어 간간이 고향소식도 얻어 들을 수 있었건만 이제는 국경 아닌 국경으로 굳어져 가니 실오라기만한 희망의 등불마저 꺼져가는 것만 같다.

우리 힘으로 통일을

지난번 아시아 올림픽 때에는 남북이 대결하는 종목이 많아 우리측이 이길 때마다 통쾌한 기분을 금치 못 하면서도 동족끼리 남보는 데서까지 꼴사납게 싸워야만 하는 운명이 안타까워 서러움을 이길 길 없었다.

왜 더 큰 나라들을 이길 생각은 안하고 꼭 북한에만 이겨야 하는가. 여기에도 겨레의 비극은 도사리고 있는 것이리라.

선수들이 돌아와 청와대를 방문했을 때 박대통령은 나타난 점수로 보아 남북이 합친다면 얼마나 큰 성과를 올릴 수 있었겠느냐는 뜻의 이야기를 했다는 보도를 보고 다시금 코허리가 시큰해짐을 느꼈다.

남북이 통일된 국력으로도 주변 강대국에 인구로나 부강의 정도로나 대적하기 힘들 판인데 둘로 갈라놓고 보니 어떻게 열강들 틈에 끼어 견디어 나갈 수 있을 것인가.

이해를 달리하는 이웃 나라들은 영원한 우리나라의 분단을 마음속으로 은근히 바라고 있을는지도 모를 일이다.

그러한 속셈을 가진 나라들을 상대로 제발 우리를 통일시켜 주시오, 통일하는데 도움을 주시오 한들 참말 실효가 어느 정도 있을 것인지 애처롭기도 하고 믿겨지지도 않는 일이다.

조국 광복이라는 8·15는 우리 겨레에게 국토분단의 역사적인 암(癌)을 함께 안겨다 주었다. 8·15의 해방이 우리 힘으로 이루어진 것이 아니니, 조국의 통일도 강대국의 힘으로 이루어질 것이라는 추리나 의타심은 허황되고도 미덥지 않을뿐더러 자기 스스로를 비하하는 것만 같게 느껴진다.

8·15의 광복도 삼일운동의 항일 의거, 광주학생사건(光州學生事件), 독립투사들의 항쟁, 민족의 말과 글을 지키려는 조선어학회사건(朝鮮語學會事件) 그리고 해외에 망명한 임시정부 등 국권회복의 염원을 달성하기 위한 끈질긴 민족적 항거의 실적이 있었기에 우리에게 주어진 것이 아닐까.

하늘에서 떨어지는 과일을 받아먹으려도 입에다 구멍 뚫린 삿갓을 거꾸로 대고 땅에 드러누워 받을 자세를 하는 사람에게 떨어지는 확률이 더 높다는 농담같은 이야기가 있다. 이 이상의 진실이 또 어디 있을까 보냐.

우리 주변을 비롯한 세계 강대국의 입김이 우리의 국토통일에 영향되는 바가 큰 것을 모르는 사람은 없겠지만, 그래도 우리 힘으로 하는 적십자회담(赤十字會談)이나 남북조절위원회(南北調節委員會) 등 남북대화의 채널을 통한 통일의 모색이 더 그 바탕이 될 것만 같아 성급히 체념하거나 지연해서는 안 될 것만 같다. 휴전선이 굳어지기 30년, 그 얼음이 풀리려면 다시 30년의 세월이 필요할지도 모른다. 그러나 겨울 석 달을 굳혀 온 한강의 얼음도 따사로운 햇볕을 만나면 하루아침에 녹는 수도 있다.

북한은 이제 지리적으로는 가장 가까운 곳에 있으면서 지구상의 어느 나라보다도 가장 먼 이역(異域)으로 변신한 것만 같다. 소련이나 중공보다도.

왜 이렇게까지 극단으로 갔을까.

일본은 이웃이라지만 그리고 자유(自由) 우방(友邦)이라지만 사상적인 대결이 없어도 남이요, 더욱이 이해관계가 상반되면 삽시간에 적(敵)이 될 이웃나라다.

그러나 북한은 사상만 제거하면 하루아침에 한품에 안길 한 핏줄의 겨레인 것이다. 여건(與件) 미비(未備)를 핑계로 그리고 지루함에 지친 나머지 조국통일에 대한 노력을 포기하거나 시간을 미루어서는 안 되겠다. 그리고 주변 국가의 힘을 너무 믿지 말자. 그들도 사상을 빼고 나면 언제나 우리와는 이해가 상반될 수 있는 남의 나라이기에.

쥐도 한모서리를 긁으면 자리 난다는데—.

열 번 찍어서 안 넘어가는 나무 없다는데—.

호랑이 굴에 가야 호랑이를 잡는다는데—.

수천년 내려오는 사이 조상들의 입에서 입으로 전하여온 이러한 속담들은 지속될 외적의 침략 속에서도 나라와 겨레를 지켜온 그들의 슬기와 체험과 노력이 응결된 그들의 얼의 외침이리라.

어느 때 추석에나 성묘하러 다시 고향산천을 찾을 수 있을는지!

달 없는 추석은 추억을 헤살 짓고 희망마저 거세하는 것만 같아 나를 더욱 슬프게 한다.

세대, 1974. 11.

추석날 도봉산道峰山에 올라 터뜨린 울음

1, 3, 5, 7, 9.

무슨 놀이의 대기번호와도 같은 인상을 주는 숫자다. 1일은 국군의 날, 3일은 개천절, 5일은 추석, 7일은 일요일, 9일은 한글날, 이렇게 하여 1979년의 10월 상순은 격일 공휴일의 연속으로, 한달의 3분의 1을 뭉정 집어삼키고 달아난다.

이것이 오히려 5일간의 연속 휴일이라면 더 모이차게 쓰여질지도 모르지만, 격일 휴일이란 차라리 그 갑절인 열흘 휴일의 기분 속에 여유만만한 자세로 계속적인 기대에 부풀어볼 만도 한 일이다.

시월로 접어드니, 가을도 정말 무르익어간다는 실감을 안겨다 준다. 나뭇잎 하나 떨어지매 천하에 가을을 알린다고(일엽낙지천하추—葉落知天下秋) 하지만, 이제는 가는 데마다 가을이요 닿는 데마다 가을이요 둘러싸이는 것이 그대로 가을이어서 가을의 한복판에 겹겹이 싸여 우뚝 서 있는 감을 준다.

세월이 흘러갈수록 계절의 변화에 점차 둔감해 감을 느끼지만, 그래도 가을은 가장 세차게 그 무딘 감각을 일깨워주듯 문틈으로까지 짓궂게 스며들며 그의 공음(跫音)을 엿듣게 한다.

가을이 안겨다 주는 가장 큰 선물은 결실에 따르는 수확이요, 이 풍요로운 자연의 섭리에 감사하는 소박한 정감은 그대로 조상을 섬기는 애틋한 정성의 흐름으로 이어지고, 그것은 다시 그러한 마음가짐이 의식으로 옮겨지는 추석으로 연결되게 마련이다.

사실, 현재 우리네 생활에 있어서, 온 겨레가 한결 같이 쉬고 즐기며 행사에 참여하는 명절이나 공휴일은 추석 하나밖에 없는 것 같다.

설은 설대로 양력, 음력에 따르는 신정(新正)과 구정(舊正)이 갈라지고, 정월 대보름이나 한식, 단오와 같은 명절은 지방적 특색의 차이가 짙어 겨레의 전체적인 명절 구실은 하지 못하고 있다.

더욱이 석가탄신일이나 크리스마스는 비록 공휴일로 되어 있기는 하지만, 각기 그 종교의 신도들을 위한 특정일에 지나지 않고, 3·1절이나 광복절이나 개천절은 그 의의는 크다 하지만, 각자의 생업과 직결되는 아무 영향력도 없으므로 한갓 관청의 행사에 머물고 마는 느낌이 없지 않다.

그러고 보면 전국민이 모두 깊은 관심을 가지고 모든 생업에서 잠시 손을 떼고 철저하게 쉬면서 각자 행사에 손수 참여하는 날은 추석밖에 없는 것 같다. 그러니 추석은 진짜 온 겨레의 명절이랄 수밖에 없다.

다른 명절도 고향을 연상시키지 않는 것은 아니지만, 추석처럼 망향(望鄕)의 정(情)을 들볶는 명절은 없다. 1년 내내 일에 쫓겨 분주하게 지내는 사이, 고향을 잊기 일쑤이지만 추석만 되면 문득 그리고 뼈에 사무치게 가슴이 아리게 고향이 그리워지는 것은 유독 나 하나만의 경우일까.

사실 나에게는 추석날이 와도 어디고 갈 곳이 없다. 명색, 한마을 백호(百戶)가 넘는 전씨(全氏)일가 문중의 장손이라지만, 남북이 갈라진 이후 줄곧 그 구실을 못해왔다.

비단 추석만이 아니라 한식(寒食)은 물론 일체의 기제(忌祭)도 차리지 않고 흘러왔다. 그것은 조상의 모든 산소가 38이북인 고향에 있기에 그곳에 요행히 누가 살아남았으면 어련히 치르지 않으랴하는 심사에서였다.

그리고 서울에 근거를 둔 30여 년간은 아직 성묘할 일이 생기지 않았으므로 그러한 의도적인 체념 속에서 그렇게 넘겨왔다.

따라서 추석날만 되면 우리가족은 아침 일찍 등산차림을 하고 온 식구가 도봉산이나 북한산을 찾아 하루종일을 산속에서 보내고 달이 뜰 무렵에야 산을 내려오는 것이 연중행사처럼 되어왔다.

이런 경우 북녘하늘 멀리에 눈을 박고 있는 나나 집사람의 가슴 속엔 착잡한 회향(懷鄕)의 심회가 헤살짓지만, 예사로 아버지 고향은 이북이지만 내 고향은 서울이야 하고 입버릇처럼 조잘대는 아이들의 심정에는 아무 반응도 없는 것이다.

그렇게 해오던 내 심경에 한가닥의 변화가 일어났다. 그것은 작년 추석 때 일이다.

남북통일이란 피차의 아쉬운 구호일 뿐, 좀체 그 실마리가 풀리지 않을뿐더러, 이 겨레를 싸고도는 사국(四國)의 정세마저도 '부조도 못하는 주제에 제상을 친다'는 격으로 도움은커녕 오히려 심심찮은 훼방놀이로 반복되는 현실을 돌아볼 때, 통일에 대한 염원을 포기하거나 체념할 수는 없지만, 조급한 안간힘은 늦추어야 하겠다는 생각이 들었다.

한편 성장해가는 아이들에게도, 조상의 뿌리도 없는 떠돌이라는 착각이 굳어질까보아, 그리고 그들에게도 그들 나름대로 제의(祭儀)에 대한 예의범절(禮儀凡節)을 이론으로서가 아니라, 실제의 체험으로 체득케하여 시집장가 간 후에도 보고 자란 것이 있다는 그 시범을 보이려는 뜻에서, 거기에다 늦게나마 나 자신의 조상에 대한 오랜 결례를 갚음하는 자위의 뜻으로 추석과 설날에 제례(祭禮)를 올리기로 마음먹었다.

이리하여 작년 추석에 처음으로, 전례에 따라 등산은 하되, 도봉산의 사람의 발톱이 덜 닿는 물 맑은 계곡을 찾아 제수(祭需)를 차려놓고 북쪽을 향하여 배례(拜禮)하는 것으로 첫 의식(儀式)의 문을 열었다. 그런데 그 자리에서 나는 아이들에게 고향산천과 조상에 대한 이야기를 하는 도

중 그만 참다못하여 울음을 터뜨리고 말았고 그것은 가슴쓰린 오열로 변하였다. 아이들도 무슨 느낌에서였던지 눈물이 글썽해 있었다. 그것이 나에게는 그렇게 고맙고 반가울 수가 없었다. 아마도 나의 사무친 심사가 그들의 심금에 닿은 것 같은 공감의 표정을 발견한 탓인지도 모를 일이었다.

이번 추석에는 며칠 전부터 집사람은 정성들여 제수(祭需)를 갖추고 며칠 전부터 과일 궤짝에서도 아이들의 손이 가기 전에 첫물을 제수로 가려놓는 것을 보면서 나는 고향의 추석을 회억(懷億)하는 것이었다.

음력 8월에 접어들면 제물에 쓸 생선을 구해 싸리 꼬챙이에 줄줄이 끼어 긴 장대 끝에 달아매어 쉬파리 슬지않게 높은 공중에서 말리던 광경, 일년에 한 두 번씩 겨우 쓰는 놋쇠로 된 제기(祭器)를 끄집어내어 아낙네들이 모여앉아 기와가루로 녹을 닦아내고 윤기를 내는 일을 하던 모습, 제사에 쓰는 멥쌀은 정미소에서 찧어온 쌀은 마다하고 굳이 남겨둔 묵은 벼나 햇벼를 가려 디딜방아에 찧어서 메를 마련하던 정성어린 손길, 고향에서의 흘러간 일들이 눈앞을 어제일 마냥 스쳤다. 그 환영(幻影)속엔 어머니의 모습이 커다랗게 자리 잡고 내 얼굴을 덮었다.

이번 추석에도 식사 전 이른 아침에 전 가족이 집을 나와 도봉산 계곡 그 자리에서 성묘 아닌 망향(望鄕)의 제례(祭禮)를 올렸다. 쌀쌀한 산골짜기의 아침나절이었다. 제주(祭酒)를 들고난 나는 아들놈들에게도 차례로 한잔씩 따라 주었다. 제사(祭祀)를 드리고 음복(飮服)할 때에는 으레 제주 한잔씩 들면서 조상의 유덕(遺德)을 생각하는 법이라고 하면서……

문득 내 머릿속엔 전날 신문에 보도된 남북한 간접 교역의 외신기사가 떠올랐다. 사무당국자는 사실무근이라고 부인했고 신문 사설은 그렇다면 외국 일류신문에서 허위 보도를 한 것이냐, 솔직하게 내놓고 이야기하라는 힐책에 가까운 논조(論調)도 상기되었다.

아니 땐 굴뚝에 연기 나랴만은 아무튼 제 3국을 경유했건 어쨌건, 30여

년만의 동족간의 교역이라면 깊은 관심을 가지고 지켜볼 일이다.

이 한 가지 사태로 즉각 통일의 실마리가 풀리는 것처럼 착각하거나 속단하는 우거(愚擧)를 저지르는 것은 바람직한 일이 아니지만, 그런 일이 없었다는 것보다는 있는 것이 나은 것같이 느껴진다.

같은 겨레끼리 철천지원수처럼 되어있는 이 마당에서 한쪽에 모자라는 석탄을 가져다 쓰고, 그쪽 살림살이에 부족한 것이 있으면 가져가는 것이, 꼭 이적행위(利敵行爲)로만 해석될 것인가 하는 의아심을 자문자답도 해본다. 이렇게라도 조금씩 풀린다면 천년(千年)절벽보다는 한가닥의 서광을 기대할 수도 있는 것이 아닐까.

격일연휴(隔日連休)의 틈새에 신문지면을 뒤덮은 정치기사의 열기는 우리가 흔히 자랑하는 청명한 가을날씨와는 너무도 어울리지 않아 마음이 무겁기만 하다. 인간사(人間事)에 서로의 의견이 엇갈리고 엇갈리는 의견들이 맞부딪치는 다툼이 없을 수야 없겠지만 우리의 정치인들은 이를 좀더 슬기롭게 해결하고 극복할 지혜를 갖추지 못하고 있는 것인가.

동쪽 산마루에 모습을 드러내기 시작하는 보름달을 바라보며, 나는 아직도 그 생사조차 모르는 어머니의 모습을 더듬고 있는 것이다.

한국일보, 1979. 10. 7

북창한화北窓寒話

　　족보를 내세우고, 문벌을 거드는 것은 가장 못난 짓이요, 현대 민주의
식에 역행하는 보수성에로의 복고의식이라고들 평하는 이가 적지 않다.

　　그러기에 서구인들의 대다수는 네 조상이 얼마나 유명하고 얼마나 잘
살았느냐가 문제가 아니라, 지금의 네가 보람차고 멋지고 뜻있게 살고 있
는가 하는 그것이 바로 문제라고 예사로 일컫기도 한다. 따라서 그들에게
는 조상을 숭상하고 경배하는 기제(忌祭)도 없거니와, 한식(寒食)이나 추석
(秋夕)같은 명절도 없다. 여기에도 그들 나름의 일리가 없는 것은 아니다.

　　그러나 다른 동물과는 다른, 만물의 영장이라고 하는 인간이 살아가는
데 있어서, 자기가 핏줄기로 이어온 뿌리를 찾아 그 조상을 숭배하고 흠
모하고 기리는 것이 꼭 미개하거나 후진성의 소치인 것처럼만 해석하는
방향도 반드시 옳다고는 할 수 없는 것이다.

　　또한 우리의 경우는 혈통의식의 확대인 민족의식이, 역사적으로 그렇
게 허다했던 국난(國難)을 극복할 수 있는 애국사상과 직결되었음을 상기
할 때, 추호도 이를 경시하거나 간과해서는 안 될 것 같다.

　　바로 이 시각에 있어서도, 남북통일은 그러한 혈연의식에 바탕을 둔

겨레의 재결합으로 생각할 때 필연의 당위성이 긍정되지만, 실지수복(失地收復)이나 국토환수(國土還收) 정도의 미지근한 일반률로는 그 성취를 기대하기 난망할 것으로 본다.

다만 혈연이나 족벌의식에 선입관적으로 너무 치우쳐, 공(公)과 사(私)를 혼동하거나 공사(公事)의 공평성 내지 정당성을 해치는 결과를 가져올 우거(愚擧)는, 의식 무의식 간에 절대로 저질러져서는 안 될 것이다.

여기에 바로 족보론의 한계가 있다고 본다.

우리 전씨(全氏)는 정선(旌善)이 유일 본관으로 되어 있지만, 후세로 내려오면서 많은 분파(分派) 본관이 쓰여진 것으로 알고 있다.

본인의 직계 조상은 시조(始祖) 섭공(聶公)에서 이십칠세(二十七世)인 공식공(公植公) 때에 계림군파(雞林君派)로 갈라져 호적상에는 본관이 경주(慶州)로 등재되어 있다. 그 후 삼십사세(三十四世) 염공(捻公)이 입북(入北) 시조(始祖)로 되어 함흥(咸興)에 머물렀다가, 다시 함남(咸南) 북청군(北靑郡) 성대면(星垈面) 살귀(행동(杏洞))에 이거(移居) 정착(定着)하였다. 다음 삼십구세(三十九世) 광건공(光建公) 때에는 북청군(北靑郡) 거산면(居山面) 자산(慈山)(성천촌(城川村))에 이주(移住)하였고 그 아우인 광우공(光遇公)은 북청군(北靑郡) 양천면(楊川面) (신북청면(新北靑面)) 경동(慶洞)에 자리잡았다.

그 후 사백유년(四百有年)의 성상(星霜)이 흘러가는 사이, 그 후예들은 각각 그 곳에서 면면히 대(代)를 이어 살아왔고, 오십오세손(五十五世孫)인 나 자신도 이 자산(慈山) 마을에서 태어나서, 어린 시절을 이 고장에서 자랐다.

그런데 이 삼십구세조(三十九世祖) 시대에 얽혀진 한토막의 이야기가 전설처럼 후손에게 전해 내려오고 있다.

즉 형 광건(光建)은 자산(慈山)에 살고, 아우 광우(光遇)는 경동(慶洞)에 살고 있었는데, 자산(慈山)과 경동(慶洞)의 거리는 삼십리 가량되고, 그 중간에는 '큰고개'라는 높은 고개가 있다.

그런데 형에게는 기(畿)와 예(藝)라는 아들 둘이 있었으나, 아우에게는 후사(後嗣)가 없었다. 결국 형의 아들 하나가 동생에게로 계대(繼代)로 들어가야만 했다. 그러나 형은 쉬이 그것에 응하지 않았다. 결국 형의 작은 아들 예(藝)를 큰고개까지 데리고 가서, 그 영마루에 세워 놓고, 형은 자산(慈山) 쪽에서 그리고 아우는 경동(慶洞) 쪽에서 서로 오라고 불러, 어린 예(藝)가 경동(慶洞)쪽으로 가면 아우가 예(藝)를 맡기로 형제간에 약조가 되었다. 이 결과, 아직 철들지 않은 어린이는 삼촌 쪽으로 갔으므로, 아우는 기뻐서 예(藝)를 안고 갔고, 형은 하늘이 시키는 운명이라고 체념 끝에 흔쾌히 보냈다는 이야기다.

그 사십삼 세 때에 와서는 자산(慈山) 쪽에 후사(後嗣)가 없어, 경동(慶洞) 쪽에서 다시 계대(繼代)로 온 사실(史實)도 있다.

이러한 연유로 경동(慶洞) 정착(定着) 시조(始祖)인 광우공(光遇公)의 묘소는 형의 정착지인 자산(慈山) 뒷산 비석골(碑石洞)에 모셔 있다.

그후 오랜 세월이 흘러갔다.

나 자신이 보통학교에 다니던 1920년대에, 형의 후예인 자산전촌(慈山全村)과 동생의 후예인 경동전촌(慶洞全村) 사이에, 바로 광우공(光遇公)이 묻힌 비석골 임야(林野) 소유권 문제로, 논쟁이 벌어지고, 결국은 소송사태(訴訟事態)로까지 비화되어, 상고심(上告審)까지 수십 년간에 걸쳐 형제의 혈족 간에 상투를 끌고 치고받는 골육상쟁의 불상사가 벌어졌고, 양쪽다 소송비용으로 문중재산이 탕진되는 결과까지 빚은 일이 있다.

지금 혼자 앉아 생각하면, 산(山)값 전체를 쳐야 대체 몇푼어치 되는 것을 가지고 그렇게 아귀다툼을 한 것인가 하고 한 가닥의 개탄(慨歎)과 스며나오는 쓴 웃음을 금지 못하지만, 그 시절 노인들의 명분론을 내세우는 오기(傲氣)란 대단한 것이었음을 회상해 본다.

이제 남북이 갈라진 지 삼십여 년, 장손으로서 조상의 산하(山河)에 성묘 한번 못한 채 한 세대의 세월이 흘러갔다.

숙야(夙夜) 명당(名堂)을 찾아 선대(先代)의 면례에 여념이 없으시던 조부의 명(命)도 지키지 못하고, 어디에 묻혔는지 분묘(墳墓)의 소재도 모르는 채 멀리 망향(望鄕)의 시름 속에서 문득 족보에 얽힌 사연을 더듬어 본다.

한국일보, 1979. 11. 10.(63호-속 13호)

망향望鄕 30년······ 잊었던 차례茶禮를 올리며

임술년(壬戌年), 1982년의 새날이 밝았다.

우리집의 신년 행사는 온 식구가 한데 모여 올리는 차례(茶禮)로부터 시작된다. 사실 그 차례도 올리기 시작한지 몇해 되지 않는다.

삼팔 이북에 고향을 둔 나는 어머니를 비롯한 가족의 생사를 알길 없이 30여 년의 세월을 흘러 보내는 사이 그 응어리 진 망향(望鄕)의 그리움을 아쉬움 속에 달래면서 살아왔다.

종중(宗中)의 장손집인 우리집은 봉제사(奉祭祀)로 일년 열두달 기제(忌祭)가 끊이는 달이 없고, 추석도 3일 연속으로 겨우 성묘를 끝내는 형편이었다.

그러나 지나간 삼십여 년 간, 나는 이북에 남아 있는 가족들이 으레 조상의 제례 절차는 치르겠거니 지레 체념하고 그에 군이 관심을 쏟지 않았고 8·15 이후의 서울 살림 또한 제의(祭儀)에 연관될 아무 일도 생기지 않았으므로 차례에 대한 별다른 관심도 없이 지내왔다.

그러던 것이 삼년 전의 일이다. 아이들이 눈앞에 직접 접할 수 있는 조부모나 그 밖의 가까운 친척도 없고, 제례의 행사도 없으므로, 선대의 조상마저도 있는지 없는지 실감할 수 없어 가계(家系)에 대한 투철한 의식조차 가지고 있지 못함을 알았을 때, 그저 이렇게 방치 상태로 있어서는 안 되겠다는 생각이 들었다.

그때 문득 내 머릿속에는 언젠가 국민학교 다닐 때의 아들놈이, "아버지 오늘 우리 선생님이 그러시는데, 이북에는 공산당 나쁜 사람만 산대, 그러면 할아버지 할머니도 나쁜 사람이야?"하던 장면이 다시 떠올랐다.

결국 우리 내외는 상의 끝에 아이들에게 제례에 대한 예의범절을 배우게 하고, 조상 숭배에 대한 마음가짐을 가다듬게 하기 위하여 결단을 내렸다.

또한 이북에 남은 가족의 생사도 모르는 판국 속에 한세대의 세월도 흐르고 하였으니, 이제 이쯤 하여 이곳에서 제사를 올려야만할 계제도 되었다고 느껴져 새로 맞는 설날 차례를 올리기로 하고 실천에 옮겼었다.

그리고 추석에는 도봉산 골짜기 한끝 맑은 샘터를 찾아 멀리 북쪽을 향하여 성묘의 배례를 하여오곤 했다.

이번 설날에는 뿔뿔이 흩어져 있는 아이들도 다 모였다. 이제는 그들이 차례에 관심을 가지고 더 정성을 기울이고 있는 것을 볼 때, 시작하기 참 잘 했다는 생각이 들었다.

아내는 제물 생선을 오랫동안 정성들여 말린 것을 비롯하여 떡을 해오거나 사과나 귤 같은 과일 상자를 뜯거나 우선 제물에 놓을 것을 추리고 제상 차릴 것 하나하나에 신경을 쓰고 있는 것을 볼 때 나는 문득 장손 며느리로 호랑이 같은 시아버지 밑에서 불평 한마디 없이 평생 봉제사에 몸이 사그라져가던 어머니의 모습을 더듬고 있는 것이다.

이제 팔순이 넘었을 어머니는 아직도 그 모진 환경속에서 아직 살아 계실는지…….

차례상을 차리면서 아내가 물었다. 수저는 몇 벌을 놓느냐고. 새삼스러운 질문이었다. 언제나 수저는 한 벌이었다. 5대(代) 봉사(奉祀)의 모든 조상을 통틀어 올리는 제사이기에 개별적인 수효를 가릴 수 없는 것이요,

생사를 모르는 속의 한두 분도 끼여 있을지도 모르는 일이기에…….

설날은 세배와 더불어 흥겨워지고 평소 다정했건 소원했건 간에 친분(親分)의 다사로움을 되새기게 한다.

어린 시절 이웃 어른들에게 세배를 가면 보통 1전(錢)짜리 구리 동전 한닢을 받는 것이 그렇게도 즐거웠다. 마을 아래쪽에 외톨로 떨어져 있는 동네에서 제일 부자라고 하던 '신창집'에는 조부자의 어머니 되시는 백발의 할머니가 계셨다. 그 할머니에게 세배를 드리면 5전(錢)짜리 백동전(白銅錢) 하나씩을 주었다. 그것이 탐이 나서 마을 어린이들은 그 집 앞에 줄을 지어 차례를 기다려야만 했다. 어제일 같은데 벌써 60년 가까운 세월이 흘러갔다.

정월 초하룻날 하오 다섯 시에는 학과(學科) 동문회(同門會)의 신년 교례회가 연례적으로 베풀어지고 있다. 백명 내외 모이는 속에는 1년에 한 번쯤은 이렇게 만날 수 있는 사람이 있는가하면, 너무 오래간만에 만나 그 변모의 흔적을 더듬어 보노라면 불현듯 자신의 늙어감을 더 의식하게 되는 경우도 없지 않다.

명절은 이웃을 비롯한 많은 사람들이 한데 어울려 즐기는 속에서 명절다운 환희와 흥분에 젖게 마련인 것이다.

그러나 우리 골목에는 십여 가구가 있지만 그 속에서 우리집과 또 한 집 밖에는 신정(新正)을 쇠는 집이 없다.

다른집 사람들은 다 평상시의 옷을 그대로 입고 출입하는데 우리집 식구들만 한복차림의 설빔을 하고 나서니 서먹하고도 멋쩍은 감이 없지 않다.

구정(舊正)을 공휴일로 하느니 마느니 하고 한때 국회에서까지 말이 오고갔으나 결국 도로아미타불이 되고 말았다.

서양사람들도 크리스마스를 종교적인 경축일 내지 거국적인 공휴일로 삼아 온 국민이 놀면서 사무적인 행사는 신년이나 그 밖의 정한 날을 출발 기점으로 삼고 있음은 우리 모두 잘 아는 사실이다.

이 땅에 불교도가 얼마나 되기에 불탄일(佛誕日)을 공휴일로 하고, 기독교도가 국민의 몇 퍼센트나 되기에 크리스마스를 공휴일로 하고 있는가에 생각이 미치면 그 이상의 할 말이 없게 된다.

구정을 민속절(民俗節)이나 그밖의 알맞은 이름을 붙여 겨레 대다수가 즐기고 싶어 하고 또 실지로 쇠고 있는 그날을 공적인 휴일로 명절 대접을 하여 현실화하는 것이 훨씬 자연스러울 것 같이 느껴진다.

한해의 새아침!

통행금지도 없어졌고, 중·고생의 교복과 머리모양도 자율화돼가고 올림픽의 열풍이 감도는 속에서 이제 경제의 어려움을 극복하고 좀 더 안정된 삶의 터전이 이룩되어 남북통일의 길잡이가 될 수 있는 뜻 깊은 한해가 되기를 바라는 마음 간절하다.

그리하여 신의(信義)가 회복되어 인간과 인간의 믿음과 사랑이 성실하게 엉겨질 수 있는 풍토(風土)가 조성되기를……

서울신문, 1982. 1. 9.

실향기失鄉記
─ 삼팔선과 시계 ─

방학 때마다 넘던 삼팔선

8·15 조국 광복을 맞이하자마자 그해 9월, 나는 고향을 떠나 서울로 올라왔다. 그리곤 곧 대학에 입학했다. 그후 방학 때마다 그 험난한 노정을 겪으면서도 굳이 고향을 찾아갔으니 2년도 못 되는 사이에 무려 다섯 번이나 삼팔선을 넘나든 셈이 된다.

첫 번의 귀향은 1945년 겨울방학이었다. 먼젓번 서울로 올라온 상경의 길이 평양 경유인 데 반하여 이번 귀향길은 철원 경유의 함경선 길이었다. 그리하여 다시 서울로 돌아오는 길은 역시 철원 경유의 노정을 택했다. 그런데 여기에서 뜻하지 않은 변고가 생겼다.

물론 그 당시 소련군 주둔하의 무시무시한 경계망을 뚫고 삼팔선을 넘는다는 것은 예사로운 일이 아니어서, 나의 고향 나들이는 번번이 잊지 못할 에피소드 한 두 토막은 곁들여지는 것이었다.

그 첫 길은 삼팔선을 넘기 전부터 고역을 치러야 했다. 그 시절은 정기적인 열차편이 없어 부득이 소련군 지휘하의 군용차에 편승해야 하는데,

그 화물차간에서의 일이었다. 여러 명의 소련 졸병 속에 친구와 나 두 사람이 끼어들었다. 소련 병정은 양말이라는 건 없이 발에 광목천 같은 거친 천을 뚤뚤 감고 그대로 구두를 신고 있었다.

양쪽 팔목에는 대개 몇 개씩의 팔뚝시계를 차고 있어서 귀에다 대고 째깍째깍 소리가 나지 않으면 그것은 버리고, 한국 사람이 차고 있는 시계를 보아 마음에 들면 닥치는 대로 빼앗아 팔목에 연이어 차곤 쓱 사라져버리는 그런 날도둑판의 시절이었다.

그러나 서울로 빨리 올라가야 한다는 조바심에 쫓겨 무턱대고 그런 차에 뛰어오른 우리 둘은 노상 불안과 공포감에 싸여 경계의 눈을 게을리 하지 않고 있었다. 다행히도 나 자신이 함흥에서 며칠간 청강한 쥐꼬리만한 노어(露語)의 덕으로 이 짐차간에 오를 수도 있었지만 그들과의 분위기도 차츰 어느 정도 부드러워져 갔다.

그러나 그들의 대부분은 뒤에 안 일이지만 머리를 깎은 죄수 출감자의 거친 성품이었고 제 나라 문자의 해독조차도 하지 못하는 무식꾼들도 끼어 있었다.

그런데 이들 중의 하나가 난데없이 자기네들끼리 들던 술잔에 소련 술 보드카를 가득 채워 나에게 바싹 들이미는 것이었다.

우리 둘은 그들이 그 독한 보드카를 큰 잔에 따라 단숨에 들이키곤 화물차 바닥에 팽개쳐지듯 아무 것으로도 싸지 않은 채 뒹굴고 있던 '흘레발'이라는 소련 빵을 뚝 뜯어 입에 넣는 것을 보고, 야만종들이라고 막 말을 주고받는 찰나였다.

엉겁결에 술잔을 받아들고 당황하는 나를 뚫어지게 바라보고 있던 술잔을 권한 장본인은 빨리 잔을 비우라는 투의 시늉을 해 왔다. 하는 수 없이 나는 술잔에 입을 댔다.

그런데 겨우 한 모금 넘어갈까 말까했는데 목이 타는 것만 같았다. 내가 도저히 들지 못하겠다고 하자 이들은 합세하여 잔을 한꺼번에 들라고 우격다짐을 해 왔다.

결국 나는 그 큰 잔의 술을 억지로 비우곤 한참 몸부림치다시피 괴로움을 겪었다. 그런데 그들은 손뼉을 치며 환호성을 올리고 있었다.

순식간에 텅 빈 짐 선반

그 다음 둘째 번 봉변으로는 그해 겨울방학에 고향으로 내려갈 때의 일로 기억된다.

12월 하순의 어둑어둑한 저물녘 서울역에서 동두천행(東豆川行)의 경원선(京元線) 열차를 탔다. 가슴속에는 고향의 육친을 비롯한 그리운 사람들을 만날 즐거움과 삼팔선을 넘을 불안감이 함께 서로 엉켜지고 있었다.

차간에는 일반 손님이라고는 거의 없고 나같이 륙색을 메거나 또는 가방을 든 이북행 여행자로 가득 차 있었다. 나는 차에 오르는 즉시 륙색을 선반에 얹어놓고 격변하는 정치풍토 속에서 고향이 얼마나 변모했을까 하는 궁금증을 되풀이하며, 나의 귀향중의 처신에 대해 여러 가지 궁리를 되새기고 있었다.

그런데 동두천역에 기차가 닿기 직전이었다. 그렇지 않아도 너무 희미하여 좀 떨어진 자리의 사람 얼굴조차 분간하기 힘들던 차간의 전등불이 갑자기 더 어두워지면서 선반에 있는 자기 짐조차 식별하기 어려울 정도였다.

나는 짐을 챙기려고 선반 위를 살펴보았다.

그런데 이게 웬일인가. 탈 때 분명히 머리 위 선반에 올려놓은 나의 륙색은 흔적도 없고, 그 옆의 짐들도 하나하나 내려져 순식간에 선반은 텅텅 빈 채로 남겨졌다.

순간 나는 아찔했다, 누가 잘못 바꾸어서 가져간 것일까. 그러나 남은 짐이라곤 하나도 없었다. 결국 도난을 당한 것으로 단정할 수밖에 없었다. 빈손으로 정거장을 빠져 나와 대열을 짓듯이 걸어가는 하차객을 훑어 나갔지만 어두운 밤길에서 아무리 눈에 익은 자기 류색이라 해도 식별해 낼 재간이 없었다.

그 속에는 책(冊)과 노트, 그간의 중요한 기록, 당시의 정치·사회정세를 반영한 신문·잡지·성명서·삐라, 그리고 일용품을 비롯한 손때 묻은 소지품, 의복 등이 들어 있었다. 하는 수 없이 단념을 했지만 그 아쉬움은 오랫동안 마음속에 감돌았다.

그런데 이 세 번째 삼팔선 길에서의 변고는 이만저만한 것이 아니었다.

고향 북청(北靑)을 떠나 원산(元山)·철원(鐵原)을 거쳐 연천(漣川)까지의 기찻길은 삼엄한 분위기 속에서 차를 바꿔 타는 등 불안한 여행이었지만 용케도 비집고 나갈 수 있었다.

험한 탈출(脫出)의 길

그런데 연천(漣川)에서부터는 어려운 고비를 계속 겪어야만 했다. 기차에서 내려 정거장 밖으로 나오자 보안대원의 조사를 받았으나, 억지로 둘러 댄 핑계가 주효하여 간신히 빠져 나올 수 있었다. 이제는 최후의 난관인 삼팔선상의 전곡(全谷) 철교만 넘으면 된다고 다른 일행과 어울려 큰길을 활보하던 중 돌연 소련 병정의 저지를 받았다.

억지로 연행되어 가 알고 보니 소련 사령부의 특별조사반이었다. 벌써 수십명이 끌려 들어와 있었고 그 속에서 뜻밖에도 지난 학기에 직접 강의를 받은 김한주 교수를 만나게 되어, 그 황망한 중에서도 감격적인 해후를 했다. 나는 서울로 가는 길이었지만 김 교수는 서울서 내려오는 길이었다. 마르크스 경제학 전공인 김 교수는 얼마 있지 않아 풀려 나갔다. 그러나 나는 다른 일행과 함께 몇 시간 그렇게 억류되어 있었다. 그러는 사이에 나는 탈출해야 되겠다는 생각을 점점 굳혀 가고 있었다. 대낮에 들어왔는데 해질 무렵이 되어 구류소 안은 약간 어둑어둑해 왔다. 나는 새로 몇 사람이 들어오는 틈을 타서, 문 옆에 섰다가 그대로 밖으로 뛰쳐나갔다. 내 뒤로 몇 사람이 함께 묻어 뛰쳐나오고, 그 뒤를 따라 감시원의 고함소리가 들려왔으나 맨 선두에 선 나는 뒤도 돌아보지 않고 결사적으로 뛰어 첫 모퉁이를 돌아섰다.

순간 뒤쪽에서 몇 발의 총성이 울려왔다. 나는 대문이 열려 있는 첫 집으로 무턱대고 뛰어 들어가 아무 기척도 없음을 느끼고 대문 뒤에 숨었다. 이윽고 내가 뛰어온 앞길을 따라 달리는 여러 발자국소리가 들리고, 그 뒤를 고함소리가 따랐다. 나는 내가 숨은 집으로 쳐들어오지 않을까 하여 겁을 삼키고 있었지만 열려 있는 이 집 대문으론 아무도 들어오는 기척이 없었다.

얼마간의 시간이 흘러갔다. 자신의 숨소리밖에 들리지 않는 정적 속을 뚫고 보안서장이 어쩌고 하는 밖의 소리가 들려왔다. 나는 비로소 그곳이 보안서장의 집이라는 것을 깨닫고 호랑이굴에 뛰어들었다는 생각에 몸이 오싹했다. 다시 주위가 고요해진 틈을 타서 달아오르는 속을 누르고 태연한 기색을 지으며 그 집 대문을 빠져 나와 빠른 걸음으로 방향을 바꾸어 그 주변을 벗어났다.

수난(受難)의 길은 계속되고

길을 우회하여 해질 무렵 전곡 철교에 닿았다. 그러나 철교에는 소련 병사가 총을 메고 버티어 서 있었다. 이미 먼저 온 몇 사람이 손짓발짓을 해 가며 소련병사에게 철교를 건네 줄 것을 간청하고 있는 참이었다. 오랜 승강이 끝에 병사는 한 사람 한 사람 소매 끝을 걷고 시계가 있는지의 여부를 조사하는 눈치였다. 그러나 어디에 감추었는지는 몰라도 팔목에 시계를 차고 있는 사람은 나 하나뿐이었다. 내 시계를 발견한 병사는 사못 다행이라는 듯이 웃음까지 띠면서 그 시계를 주면 모두 철교를 건너게 해주겠다는 손짓을 했다. 나는 한참 망설였다. 주위의 낯모르는 일행도 그렇게 양보해서 모두 함께 건너가게 해달라고 설득해 왔다. 나도 약간 마음이 움직이기는 했다. 그러나 그 시계는 결혼할 때 신부에게서 받은 기념품이었다. 나는 난처한 속에서 몸속에 감추지 않고 시계를 그대로 차고 있는 것을 뉘우치고 있었다.

내가 주저하자 이제 일행은 약간 강압적으로 나를 다수의 힘에 굴복시킬 낌새를 보였다. 나는 슬그머니 반발 같은 것을 느끼며 거부적인 자세로 나갔다. 그랬더니 이들은 더욱 강제로 나와 모욕적인 언행을 거침없이 해 대기 시작했다. 순간 나는 휙 몸을 돌려 뒤도 돌아보지 않고 북쪽으로 걸어갔다. 뒤에서 떠들썩하는 말소리가 들려왔다. 그 내용은 분간할 수 없었다.

사면이 어두워지자 나는 강가로 다시 나갔다. 마침 훤한 달밤이었다. 나는 옷을 벗어 짐과 함께 묶어 머리에 이었다. 그러나 물결이 달빛에 반짝여 수면은 환하나 물의 깊이는 알 길이 없었다. 그때 두 사람의 그림자가 달빛 속에 강가로 다가왔다. 나는 의아심이 앞질러 흠칫했다. 그러나 그들은 아랫도리를 벗은 나의 몰골을 보고 안심했던지 자기들도 옷을 벗기 시작했다. 나도 안도의 숨을 쉬었다.

이리하여 그들 신참자와 더불어 강물의 아래 위를 훑으며 낮은 곳을 찾아 한탄강을 건넜다. 이제는 38이남이구나 하고 큰 숨이 나왔다. 밤이슬에 젖으며 동두천으로 가는 한길에 접어들었을 때 아까 철교에서 시계 때문에 옥신각신했던 일행과 다시 마주쳤다. 그들 속에는 이죽거리는 축도 있었고, 감탄하는 발언을 하는 사람도 있었다.

그러나 그 시계는 그후 삼팔선을 힘겹게 넘어온 가족을 데리고 무더운 여름날 처음 뚝섬유원지에 갔다가 돌아오는 길에 지금은 없어진 뚝섬 동대문간의 기동차에서 다시 봉변을 당했다. 오른손에는 짐을 들고 왼손으론 승강구의 손잡이를 잡았기에, 차가 떠나는 순간 팔목의 시계가 소매치기에게 채여 가는 것을 눈앞에 보면서도 어쩌는 수 없었다. 태양 볕이 내려쬐는 환한 대낮에 그것도 많은 사람들이 지켜보는 정거장 플랫폼에서의 일이었다.

이미 뛰어내릴 수 없게 기동차의 속도는 빨라져 가고 있었다.

통일, 1982. 12.

하경자下京者

벌써 30여 년 전의 일이다.

1946년 여름 방학, 나는 38선을 넘어 두 번째의 고향길을 다녀와야만 했다.

그때는 이미 미·소 양군의 남북 분단·점령으로 38장벽이 굳어져가는 때여서 나는 모험을 감행할 각오로 서울을 떠났으며, 평양 경유의 노정을 택하기로 하였다.

동행의 C군은 서울에서 대학 입학시험에 응시하였으나 실패로 돌아갔으므로 실의에 빠져 귀향길에 오른 것이다.

그해 여름은 몹시 무더운데다 오랜 가뭄에 겹쳐, 콜레라까지 전국에 만연되어 불안과 공포에 휩싸인 계절이었다.

8월 10일 서울역에서 경의선 북행열차를 탄 우리는 개성에서 내렸다. 그리고 도보로 38선을 넘는 데까지는 덜 시달림을 받았던 것 같다. 다시 며칠을 어떻게 걸었는지는 기억에 희미하나, 남천에선가 신막에선가 기차를 간신히 얻어타고 평양에 닿은 것은 8·15 바로 전날이나 전전날 같은 생각이 든다. 그것은 8월 15일 평양시청, 즉 당시의 북조선 인민위원회 앞 광장에서 벌어진 광복절 기념행사를 구경한 기억이 떠오르기 때문이다.

그때 평양에서는 김일성대학이 새로 창립되어 그 첫 신입생을 모집하고 있었다. C군은 그대로 고향으로 돌아가느니, 궁여지책으로 그 신설대학에 응시라도 해보겠다고 하여 평양에 처지게 되었으므로 나는 혼자 고향길을 재촉할 수밖에 없었다.

C군은 그때 농학과에 합격하여 대학에 잘 다니고 있다는 소식을 6·25 전까지 서신 왕래로 알 수 있었다. 그 후는 그가 졸업하여 농정(農政) 관계 기관에 근무하고 있다는 이야기를 1·4 후퇴시 월남한 친지에게서 들을 수 있었다.

요새도 나는 문득, C군이 서울에서 대학에 합격하였더라면 그대로 학업을 마치고 여기에서 직장을 가졌을 것인데, 그것이 여의치 않아 귀성길에서의 돌발사가 결국 그를 이북에 묶어두게 한 결과로 되었구나 하고 부질없는 운명론을 곱씹어보기도 하는 것이다.

결국 나 혼자서 북행길에 올라 평원선 기차를 탄 고원까지의 여로는 비교적 순탄하였으나, 그 이후는 경비와 콜레라 방역의 이중 경계망에 걸려, 걷다가 타다가 하며 고향에 닿은 것은 8월 하순이었다.

그런데 여기에서부터 간난은 더욱 심해지는 것이었다. 늦은 여름의 저녁 무렵 모닥불이 타오르는 엷은 연기를 거쳐 예고도 없이 갑자기 나타난 아들과 맞닿는 순간, 어머니는 기쁨에 넘치는 웃음 속에 가녀린 불안의 그림자를 거두지 못하고 있었다.

집안에 들어간 후, 사위의 형편을 알 양으로 나와 어머니의 대화는 낮은 목소리였고, 아직 이웃에 인사도 가지 않았지만, 소식은 퍼져 반가움과 호기심에 찬 친척들의 모습이 나타나기 시작했다. 그렇게 고향에서의 첫 밤은 불안하고도 시들했다.

아니나 다를까, 보안대에 좀 다녀가라는 전갈이 아침 밥상을 받고 있는 자리에 와 닿았다.

보안대장은 타지방에서 온 사람이라 낯선 얼굴이지만, 그 옆에는 빈농

출신의 낯익은 면당위원장이 같이 자리하고 있었다. 서울서 내려온 경위에 대한 간단한 신문이 있을 뿐, 특별히 추궁하는 것은 없었다.

"동무, 읍의 보안서까지 같이 가야 하겠오. 갔다가 금방 돌아오게 될 거요."

보안대장의 말이다. 순간 심상치 않다는 예감이 내 머리를 스쳤다. 금방 돌아온다는 덧붙임이 오히려 나를 의혹 속으로 몰아넣게 하였다.

북청읍까지는 50리, 기차는 부정기로 하루 한두 번 있을까 말까 하니, 천상 도보로 가는 수밖에 없다는 것이다.

세 사람이 함께 길을 떠났다. 이미 꾸며진 각본인지, 우연히 마주친 것인지는 몰라도 면 인민위원회 부원장인 문족(門族)이 앞에 서고, 내가 그 다음, 보안대장은 맨 뒤에서 몰고 가는 꼴이었다.

넓은 신작로에 들어서서 셋이 나란히 걷는 때도 보안대장은 한발짝 뒤에 처지고, 일본 군대옷 허리에 권총을 찬 그는 헌팅 캡 같은 제모를 쓰고 있었다.

하루 종일 걸어서 북청읍에 닿은 것은 오후 늦게였고, 나는 시내 어느 모퉁이에 걸터앉아 쉴 사이도 없이 곧장 보안서 보초 앞을 스쳐 입구에서 인계되었고, 두 사람은 흐리멍텅한 인사말을 남기는 둥 마는 둥 당황하게 사라졌다.

나는 신분 확인의 간단한 조사를 받았을 뿐, 보안대장이 이들에게 넘겨준 서류가 챙겨지는 대로 소지품 조사를 받고, 그들이 교화장이라고 부르는 유치장으로 밀려들어갔다.

이리하여 죄상도 죄명도 모르는 감방생활이 시작되었다.

감방 속에서는 신참자인 나는 출입문에서 가장 먼, 맨 뒤쪽 변기 옆에 첫 자리를 차지할 수밖에 없었다.

그런데 답답한 것은 하루가 가고 이틀이 가도 불러내지 않는 일이다. 불려서 무엇이든 내용을 캐묻고 대답하고 따지고 해야 무슨 결말이 날

터인데 며칠이 지나도 그야말로 방치한대로 무관심인양 팽개쳐져 있는 것이다.

같은 감방원들 속에는 불려나가 한국 사람의 조사도 받고, 또는 소련 고문관의 신문도 받고, 더러는 모진 고문을 당하고 오는 사람도 있었지만, 이렇게 불리지 않는 사람은 오히려 궁금증에 안달이 나 있었다.

그러다가 의외의 사태가 벌어졌다. 감방에 들어온 지 열흘이 지났을까 말까한때의 일이다.

나는 갑자기 구토 설사에 시달려, 고열 속에서 사경을 헤매었다. 그들은 하는 수 없이 마지못해 의사를 불러왔다.

이런 때에 기적이 일어났다.

도립병원 원장이 직접 왕진을 왔다. 원장은 나와 보통학교에서 한 책상에 같이 앉은 클래스메이트요, 다정한 친구였다.

병명은 이질이어서 나는 급거 도립병원 전염병 병동으로 이송, 격리 수용되었다.

그때의 나의 죄명은 서울에서 내려온 자라는 '하경자(下京者)'였음이 일개월 후 출감할 때에야 밝혀졌다.

문학사상, 1983. 4.

북청北青 소식

1. 봄소식

음력설이 지나고 입춘(立春)도 지나갔다.

북청(北靑) 지방에는, 입춘 후에 얼어 죽은 귀신은 제사도 지내지 말라는 속담이 예전부터 전해지고 있다.

그것은 아무리 추운 북쪽 고장이라고 할지라도 입춘이 지나고 나면, 별수 없이 동장군(冬將軍)은 물러가고, 서서히 따스한 봄기운이 들기 마련이라는 계절의 변화를 뜻하는 것으로 된다.

그런데 이제는 정월 대보름마저 지나고, 우수(雨水) 경칩(驚蟄)으로 접어들게 되었으니 봄의 발자국소리도 들릴 만한 절기에 놓인 것 같다.

이 무렵이 되면 고향산천과 더불어 유달리 떠오르는 것이 있다. 그것은 설 보름에서 그 뒤로 이어지는 연례적인 민속놀이이다.

우선, 설 보름 사이 서당(書堂)이나 도청(都廳)을 중심 무대로 이루어지는, 북 장단에 곁들어 울리는 통소 횡적(橫笛)의 구성지고도 애련한 가락, 대보름날 전후의 밤에 빚어지는 동네 간의 횃불싸움, 또한 토성(土城) 지방을 중심으로 하여 각지에 번지는 사자(獅子)놀이, 그리고 흐리지 않은 대보름 달밤에 행하는 '달윷(달육끼)'에 의한 새해 신수풀이 '화락수'의 해독(解讀) 등이 떠오른다.

한편 주로 여인네에 의한, 벼짚으로 쌓아진 두엄더미 위에서의 '널뛰기', 버치(자배기)에 물을 담아 그 위에 바가지를 띄우고, 다 해진 모트락비(몽당비)로 바가지를 때려 울리는 소박한 가락의 '바가지 장단', 여기에 겹쳐 부르는 '돈돌날이', '라리라 둥둥 리떨리', '에야라야누야' 등 토속성(土俗性)이 짙게 어린 애잔한 가락은 가슴 구석구석을 후비고 지나가는 것이다.

그리하여 대보름 다음 날의 '까막닭이'에서부터 음력 2월 초하루의 '구럭닭이'까지의 무슨무슨 '닭이'를 흥분과 흥겨움과 해방감 속에서 치르고 나면, 여인네들은 다시 허탈감과 강박감에 휩싸여 제자리로 돌아오게 된다.

이 무렵 젊은 사나이들은 새봄의 꿈틀대는 자극과, 멀리 흥남(興南)이나 청진(淸津), 그리고 만주(滿洲)나 서울 일본 등지로 떠나려는 유혹 속에서 봄샘을 겪는다.

이리하여 마을에 남은 사람들은 남녀노소 할 것 없이, 다시 새 봄의 농사일에 손을 대어, 논밭에 두엄부터 내기 시작하는 것이다.

아, 고향(故鄕)의 봄이여!

북청소식 26호, 1982. 2. 15.

2. 가을의 고향(故鄕)

중국 당(唐)나라 때의 유명한 시인인 두보(杜甫)가 사천성(泗川省) 깊은 곳에 유배되어 불우한 세월을 보내고 있을 때, 저물어가는 가을을 맞아, 고향의 그리움과 자신의 처량한 신세를 읊은 「추흥(秋興)」 팔수(八首) 중에 다음과 같은 시(詩) 한 수(首)가 있다.

玉露凋傷楓樹林(옥로조상풍수림), 巫山巫峽氣蕭森(무산기협기소삼)

江間波浪兼天湧(강간파랑겸천용), 塞上風雲接地陰(새상풍운접지음)

叢菊兩開他日淚(총국양규타일루), 孤舟一繫故園心(고주일계고원심)

寒衣處處催刀尺(한의처처최도척), 白帝城高急暮砧(백제성고급모침)

(옥같은 이슬인데 매섭고 차가워서, 단풍 숲 붉은 잎이 시들어 떨어진다. 고요한 무산무협엔 가을 기운 차 있네, 강물은 급히 흘러 파도만 일고 있다. 하늘에서 솟아 온 듯 드높게도 뵈는구나, 구름은 바람을 타고 어둡게만 만드네. 떨기 떨기 고은 국화 두 해째 보는 구나, 제 집에 못 가는 몸 꽃 보아도 눈물이네, 외롭게 매인 배에도 고향 생각 담겼네. 겨울 옷 마련하라 재촉이나 하는 듯이, 다듬이 소리소리 급하게도 들려 온다, 백제성(사천성에 있는 성(城)) 높은 곳에는 시름 서려 있구나)

고향을 멀리 떠나 있는 사람이 고향을 그리워함은 비단 그 시절 그곳에서의 두보(杜甫)뿐이겠는가. 더욱이 떠나 온 그 고향으로 마음대로 갈 수 없는 신세나 처지가 됨에랴.

남북(南北)이 갈린 지 삼십팔년, 이제 이 한 해도 얼마 남기지 않은 가을의 막바지에 접어들었다. 그 사이 월남 실향민 속에서 고향을 그리다가, 그 마지막 소원마저 이루지 못해 한(恨)에 사무친 채 유명(幽明)을 달리한 사람은 얼마나 많을 것인가.

영덕산(靈德山), 남대천(南大川), 그리고 후치령(厚峙嶺), 대덕산(大德山) 골짜기, 거기에 마양도(馬養島) 동해(東海) 바다, 이 모든 곳이 무르익은 결실의 황금 물결과 더불어 눈앞에 펼쳐지듯 삼삼하게 아른 거린다.

'내 이남에 나갔다가 며칠만 있으면 곧 돌아올게' 하고, 또 꼭 그렇게 될 줄만 알고 떠나온 사람들, 그 마지막 인사, 한 마디조차 던져두지 못하고 떠나 온 사람들, 이젠 백발과 주름만 늘어 허전한 체념 속에 세월에 얹혀 늙어만 간다.

이제 삼팔선(三八線), 아니 휴전 아닌 휴전선(休戰線)은 자꾸만 굳어져만 가는 것인가, 기러기 떼 떠나가는 아득한 구름 너머에, 죽었는지 살아 있는지조차 알 길 없는 피붙이들의 고향 소식을 엿들어 보는 가을밤이다.

북청소식 35호, 1982. 11. 15.

3. 이느마 다라나라

이느마 다라나라! 벌써 삼십삼년(三十三年)의 세월이 흘렀건만 이 한 마디는 아직도 귀에 쟁쟁하다. 6 · 25 전란이 일어난 한 달 후인, 1950년 8월 하순, 해질 무렵, 문족(門族)으로 그해 봄 대학에 갓 들어간 영(榮)이, 여느 때와는 달리 좀 심각한 표정으로 찾아 왔다. 이때는 공산군 점령 하의 서울이라, 공기가 삼엄할뿐더러, 의용군 강제 지원과 납치 소동으로 모두 공포에 질려, 거리에 나돌지 않고, 집안에 칩거하여, 눈치만으로 주위 형편을 헤아리고, 라디오에 매달려 정세를 판단하던 때이다. 그런데 그 뒤에 젊은이 한 사람이 따라 들어섰다. 순간 섬찟한 생각이 스쳤다. 그러나 찬찬히 눈여겨보니 윗마을의 을섭(乙燮)이 아닌가. 그는 바이올린을 잘 켜서 마을 칠인(七人)조 밴드의 일원이기도 했다. 어떻게 된 건가 하는 의아심을 곁들이면서도 반가이 맞았다. 함께 저녁을 마친 후 이야기의 실마리를 풀도록 질문도 하고 유도(誘導)도 해 보았다. 고향에서 인민학교에 근무하다가 전쟁이 터지자 선무(宣撫) 요원으로 남쪽으로 파견되었다는 것이다. 목적지도 충청도 이외의 자세한 것은 알고 있지 않았다. 이북(以北)의 당시 형편에 대해서는 좋은 점만 강조할 뿐, 결함에 대해서는 별로 언급하지 않았고, 남쪽으로 밀고 내려간 세력이 불원에 조국 통일을 이룰 것이라는 말만 되풀이했다.

그때 전세(戰勢)는 공산군이 대구 가까이까지 밀고 내려가 전국을 거의 휩쌌으나 그 이상은 전진의 진도가 뜸한 때여서 인민군 점령 하의 서울 시민도, 국군과 유엔군의 반격을 학수고대하던 시기였다. 을섭은 서울에 계속 머물러 사태의 진전을 살피라는 권유에 별로 반응을 보이지 않은 채, 밤 늦게 영(榮)과 함께 자리를 떴다. 그는 십여일 당숙택(堂叔宅)인 영(榮)의 집에 머물은 후 다시 영(榮)과 함께 찾아 왔다. 첫 마디가 지금 충청도를 향해 떠나야 하겠다는 것이다. 영(榮)의 집에서도 온 식구가 만류했으나 듣지 않았고, 여기서도 두 손을 붙잡으며 강권했으나 그의 뜻을 돌릴 수는 없었다. 그런데 그는 문득 다음과 같은 한 마디를 터뜨렸다.

"집을 나올 때 아마이가 귀에 대구 '이느마 그때처럼 또 가마이 다라나라' 그럽데……"

그때란 그가 일제(日帝) 말기(末期) 징병으로 끌려가던 때를 가리키며, 그는 조모의 말대로 일본 군대에서 도주하여 8·15 한 달 후에 살아 돌아왔던 것이다. 이 뜻 있는 한 마디를 남기면서도 그는 모두의 만류를 뿌리치고 그대로 떠나가 버렸다. 2주일 후 국군은 UN군과 함께 인천에 상륙하였고, 9월 28일 수도 서울은 탈환되었다. 그러나 을섭은 끝내 돌아오지 않았고, 그 후 오늘날까지 영영 소식이 없다. '이느마 다라나라'의 소리만 남기고…….

북청소식 38호, 1983. 2. 15.

4. 이산가족(離散家族)의 메아리

이산가족을 찾는 KBS 텔레비전의 생방송 특별프로는 연일 온 겨레를 눈물바다로 이끌어 가고 있다. 그것은 꾸며진 드라마가 아니라 뼈저린 우리의 현실이며 또한 가식이나 과장이 끼이지 않은 절실한 진실의 충격과 감동이기 때문이다.

6·25전란이 터진 지 33년의 세월이 흘러갔다. 10년이면 강산도 변한다는데 그 세 갑절의 시간이 흘러갔다. 그러나 그 추억은 어제일 같이 너무도 뼈저리게 생생하고 그 상처는 너무도 깊어 아물 날을 바랄 길이 없다.

부모와 자식이 그리고 형제자매가 서로 얼굴을 알아보지 못해, 집안 내력과 흩어진 사연으로 핏줄기를 더듬고, 몸의 상처나 이상적인 특징으로 겨우 혈육임을 확인하면서도, 금방 그 자리에서 오래 살아 온 익은 정(情)처럼 서로 부둥켜안고 오열하고 탄성을 발하는 것을 보면 혈연 속에 깃들인 천륜(天倫)의 신비에 새삼 놀라지 않을 수 없다.

6·25의 참상을 목격하고 '아시아의 비극(悲劇)'이라고 애절한 명명(命名)을 한 사람도 있고, 1960년대의 한국 현실을 보고 쓰레기통에서 장미꽃이 피기를 기다리는 것과 같다는 극단적인 야유와 멸시로 이 나라의 앞날을 거론한 사람도 있었다.

그러나 우리는 6·25의 폐허에서 재생하여 재건의 꿈을 키워 오고, 그 쓰레기를 발판으로 장미꽃을 가꾸어 가는 과정에 있다. 국민의 민도(民度)로나 산업의 발전상으로나, 그리고 국민소득에 있어서나 이제 우리는 후진국에서 벗어나서 선진국으로 발돋움 하고 있다. 우리는 비로소 스스로의 의지와 노력 위에서 남들의 불안이나 조바심을 디뎌 넘고 힘찬 도약 속에서 희망에 찬 미래로의 전진을 계속하고 있다. 그리하여 처참한 비극을 불식(拂拭)하고 행운의 신(神)의 손길에 닿으려고 애쓰고 있다.

이번 KBS의 기획이 가능한 한 모든 희망자가 빠짐없이 흩어진 가족에게 자기의 소재를 알리는 기회를 갖게 할 때까지 지속되고, 또 많은 이산가족이 재상봉의 행운을 맞을 수 있도록 기원하는 동시에, 이러한 거족적인 염원이 조국통일에의 의지로 더욱 굳게 결속될 계기가 되기를 기구(祈求)하여 마지않는다.

북청소식 43호, 1983. 7. 15.

5. 거듭되는 시련(試鍊)

금년은 몇 십년에 한 번 올까말까 하는 대풍(大豊)의 해라고 한다. 논밭의 곡식은 말할 것도 없거니와 과일 채소에 이르기까지 먹을 수 있는 열매를 맺는 온갖 것이 풍요로운, 문자 그대로 오곡백과의 풍년이다. 굳이 고사(故事)를 빌린다면 시화연풍(時和年豊) 함포고복(含哺鼓腹) 격양가(擊壤歌)가 울려 퍼지는 태평성대(太平聖代)격이라고나 할까.

그러나 태평성대의 구가(謳歌)는 고사하고, 우리 사위(四圍)는 내우외환(內憂外患) 너무도 어수선하다. 이 가을에 접어들면서부터 청천벽력으로 이 겨레 위에 덮쳐진, 남북분단의 비극에서 빚어진, 불운한 참사, 그 하나는 소련에 의한 KAL기 피격사건이요, 다른 하나는 북괴에 의한 아웅산 암살 폭발 만행이다.

이들 공산집단은 왜 이다지도 끈질기게 물고 들며, 이 나라 백성을 못 살게 구는 것일까. 공산주의의 종주국(宗主國)인 소련은 269명의 무고한 인명을 앗아가고도 단 한 마디의 사과도 없이 오히려 엉뚱한 변명만 늘어놓는가 하면, 그 손아래에서 움직이는 북한 공산정권 또한 외국에까지 테러단을 밀파하여, 같은 겨레를 악랄하게 괴롭히며, 가공할 국가원수의 시해를 음모, 결국 17명의 희생자를 내고도 후안무치(厚顏無恥)의 책임전가를 하고 있으니, 이같이 극악한 불한당들이 또 어디에 있단 말인가. 그러나 그러한 와중에서도 당사국인 버마 당국이 면밀한 수사 끝에 확증을 잡아, 사태 전모를 밝힘과 아울러, 북한에 대한 외교 단절에 겹쳐 국가 승인마저 취소하는 결단을 내린 것은 사필귀정(事必歸正)의 조처라고 하지 않을 수 없다. 이러한 주변의 부정적인 사태를 연이어 접하고 보니 1970년대 초부터 약간 무르익어 가는듯한 남북조절민족화합의 분위기는 완전 소멸, 이제 그 원점에서 더 후퇴한 감마저 없지 않다.

가을이 무르익어 가는 이즈음, 연속 열리는 군민회 면민회의 모임에서

울려 퍼지는 애절한 퉁소 가락에서, 사그라져 가는 아득한 고향의 추억을
아쉬움 속에 곱씹으면서, 이제 우리 생전에는 고향땅을 밟기는 틀렸구나
하는 체념과 포기의 모습이 스치는 연로(年老)들의 표정에 접할 때 억누
를 수 없는 쓸쓸함과 슬픔에 잠기게 된다.

그러나 이대로 팽개치고 망연자실할 수만은 없는 통일의 염원을 뼈에
사무치게 되새기며, 안타까운 '망향의 한'을 넋두리 넋두리 곱씹어 보는
가을밤이다.

북청소식 47호, 1983. 11. 15.

6. 뱅뱅두리

최근에 발간된 함남민보(咸南民報)에 실린 함경도 사투리에 대한 글에
서, 문득 '뱅뱅두리'라는 단어에 눈길이 닿는 순간, 가슴 속이 찌릿해 옴
을 느꼈다. 실로 근 40년만에 우리 고장 특유의 이 사투리에 접하게 된
것이다.

'뱅뱅두리'란 놋쇠로 된 식기의 일종이다. 놋양푼이나 알루미늄 세숫대
야처럼 들기 쉽게 위쪽이 '걲으'로 된 것이 아니고, 큰 놋대접과 비슷한
모습에 울이 좀 깊은 형태의 놋그릇으로 밥이나 국을 담아 여러 식구가
둘러 앉아 먹을 때의 식기로 쓰이는 것이다.

함경도, 그것도 북청(北靑) 지방 이외의 곳에서는 별로 그런 식기의 이
름을 들어 본 일이 없다.

사투리란 늘 그 고장의 특색을 가장 잘 나타내 주는 것이고, 또한 고향
을 떠나 온 그 고장 사람들에게는 절실한 향수(鄕愁)를 자아내게 하는 대
상이기도 하다. 더욱이 '뱅뱅두리'같은 특이한 단어는, 그 음향이 주는 독
특한 감각과 더불어 어린 시절 '정지'의 가매목에 여인네들 위주의 식구들

이 모여 앉아, 식사하던 정겨운 장면을 함께 떠올리게까지 한다.

그런데 이 '뱅뱅두리'에 해후하던 날은 공교롭게도, 우리 테니스 팀이 중공(中共) 땅 곤명(昆明)에서 데이비스컵 세계대회 출전권을 앞에 놓고 중공 팀과 겨루는 날이었다.

우리 겨레의 대부분은 중공과의 테니스 대결에 있어, 그 승부에 관심을 가지기보다, 오히려 우리 선수가 양국 간의 합의 하에 처음으로 중공 땅을 밟았다는 역사적인 사실 자체에 대하여 더 관심의 초점을 모으고 있은 성싶다.

그러나 한편, 북한에 고향을 둔 실향민들에게는 여기에 한 가지 덧붙는 상념이 없을 수 없었다. 이민족(異民族)이요 이방(異邦)이요, 적지(敵地)라고 생각하는 중공까지 가면서, 바로 한 핏줄인 자기 겨레가 사는 조국 땅의 한 쪽으로 갈 수 없다는 안타까움과 한(恨)이 되새겨졌다는 비극적인 사실이다.

이제 소련을 비롯한 동구권의 공산국가에도 거의 다 학술이나 예술의 회의에는 우리 대표가 참석하고 있으니, 결국 겨레끼리 발도 들여 놓지 못하는 곳은 이 세상에서 고향인 북녘 하늘 밑뿐인가 싶다.

'뱅뱅두리'가 실려 있는 신문을 앞에 놓고 고향 산천과, 남겨진 육친들의 모습을 애틋하게 더듬어 보는 그리운 사념(思念)의 시간이다.

북청소식 51호, 1984. 3. 15

7. '입쌀' 골미떡

뜻하지 않은 홍수의 난리로 남북은 다시 접촉의 계기를 가졌다. 수해 이재민을 도우려는 북쪽의 제의를 우리 측이 순순히 받아들여, 약간의 우여곡절은 끼었지만, 결국 그 물자가 판문점과 서해와 동해를 거쳐 서울에까지 도달하여 해당자들에게 나눠지기까지에 이르렀다.

그러나 그것이 동포애와 화기에 넘치는 순탄한 교류가 아니라, 어딘가 석연치 않고, 꺼림칙한 감정을 씻을 수 없게 하는, 상호 명분론의 수수(授受)에 그친 감이 없지 않다.

수해 물자를 보내겠다는 것이 하나의 선전의 방편이지, 그것이 실현될까보냐 하는 추측, 주겠다고 하면 설마 받겠다고 나설 것인가, 그럴 바에야 국제사회에 명분이나 세워 명예 회복이나 해 보자는 허세에 연유되었으리라는 생각, 정작 받겠다고 나서니 응하지 않을 수는 없어 백성들의 고초를 자초(自招)하면서 물자를 보낸 안간힘, 그것을 받고도 고마움을 느끼기보다 의혹에 찬 불신과 민족 분단의 비애에 얽힌 착잡한 심회를 금치 못하는 상황, 남북간 해빙(解氷)의 실마리는 계속 묘연해지기만 한다.

북에서 온 '입쌀' 맛이 어떤지 맛이나 보라고, 이산가족의 안타까움에 늘 관심을 가지고 있는 친지로부터 휴전선을 넘어 온 그 쌀로 만든 절편을 보내 왔다.

한 입씩 뚝 떼어 입안에 닿는 순간, 문득 고향의 가을 벼 무르익은 황금 벌이 떠오르고, 아직 살아 있는지 모를 늙은이들의 모습이 겹쳐 스쳐 간다.

사촌이 기와집을 사면 배 아파 한다든가 그런 속담 탓인지, 같은 피붙이의 남북은 세월이 갈수록 그 사이가 더 굳어져만 가는 것 같다. 동서독(東西獨)은 서로 오고 가고 한다는데, 그것도 소련의 입김이 서려 양독(兩獨)의 최고 책임자가 서독에서 만나는 것이 용이하지 않은 것 같다.

우리의 이웃에 연접한 나라, 일본, 중공, 소련 그리고 멀리 있는 우방(友邦)인 미국이 저희들의 이해관계를 떠나 우리의 통일을 진심으로 환영하고 또 노력할 것인가 하는, 의아심은 좀체 가셔지지 않는다.

결국 우리의 힘을 키우는 방도 밖에 없다지만, 이 지정학적(地政學的) 운명을 어떻게 타개할 것인지, '입쌀 골미떡(절편)'을 씹으며 곰곰이 생각에 잠기는 가을 아침이다.

8. 돈돌라리

돈돌라리 라리요, 라리 라리요
모래나 청산에 돈돌라리요……

문득 호젓한 깊은 밤에, 그리고 덧없이 자리에 홀로 앉아, 문득 문득
입술로 스며나오는 이 노래의 멜로디를 읊조려 본다. 애련하고도 가녀린
그 노래 가락이 아리도록 가슴을 저며감을 느끼는 것이다.

이 민요가 언제부터 북청(北靑) 고을에서 불러졌는지 확실치는 않으나,
8 · 15 전 일제 말엽에 젊은이들이 일본 군대로 한창 끌려가던 그 무렵부
터 귀에 익게 들어 온 기억만은 선명하다.

노래의 애잔한 정조(情操)는 그대로 고향 산천으로 이어져, 짜릿하고도
애닲은 향수(鄕愁)를 자아낸다.

남북이 갈린 지, 삼십육년, 일제가 이 땅을 지배한 시간과도 맞먹는 엄
청난 세월이 흘러갔다. 이제 대부분의 월남민(越南民)들은 고향에서 지낸
세월보다, 서울을 비롯한 남한 객지(客地)에서 보낸 시간이 더 길게끔 되
었다. 따라서 고향이란 추억 속의 꿈길일 뿐, 객지고 타향이 아니라 새로
운 고향으로 자리바꿈을 해 가는 것만 같은 착각마저 일으키게 한다.

지구상에서 가장 가깝고 가장 정다운 땅이, 하필이면 왜 이렇게 가장
먼 이방(異邦)으로 둔갑을 해 가는 것일까. 남북 대결의 장벽에서 오는 거
리감에서만 그런 것이 아니라, 사람과 사람의 마음속마저도 삼팔선이 가
로 놓여 서로가 원수로 변해 가는 것이나 아닌지 두려움을 가눌 수 없게
한다.

마음이 천리(千里)면 지척(咫尺)도 천리요, 마음이 지척이면 천리도 지

척이라는데, 정녕 이제 우리 피발간 육친(肉親)끼리 마음의 천리(千里)로, 그리워 애타는 피붙이들을 머나먼 남남으로 여위고 말 것인가……

아득한 북녘 하늘 한 끝, 흰 구름 조각 위에, 향수(鄕愁)의 안타까운 시름을 실어 하염없이 보낼 따름이다.

북청소식 7호, 1980. 7. 15.

9. 송구영신(送舊迎新)

이제 경신년(庚申年)도 거의 저물어 간다.

나라 안이나 밖이나 이해처럼 어수선하고도 복잡다난한 해는 근래에 없었던 것 같다.

전세계적인 이상 기후로 전에 없는 농작물의 흉년을 가져 와서 나라마다 식량난의 아우성이 드높고, 몇 차례의 석유 파동으로 심각한 에너지난에 부닥쳐 있을뿐더러, 소련의 아프가니스탄 침공, 이라크와 이란 간의 전쟁 등으로 국제정세는 날로 험악해져 가고만 있다.

이로 말미암아 우리나라도 극심한 인플레와 국가 시책의 방향 전향으로 물가는 그 끝을 모르게 치솟아, 해방 이후 가장 격심한 경제난과 불경기에 직면하여 민생(民生)은 극도의 위협 속에서 허덕이고 있는 실정에 놓여 있다.

거기에다가 정국(政局)의 혼란에 병행된 자유화(自由化) 분위기는 학생들의 연이은 데모 소요를 불러 일으켜 급기야는 광주(光州)사태의 비극으로까지 번져 영원히 민족사에 씻을 수 없는 일대 오점을 남겨 아직도 그 후유증은 완전히 치유되지 못하고 있다.

이 같은 정치, 경제, 사회 전반에 걸친 불안을 안은 채 다사다난한 이해의 막은 서서히 내려져 가고 있다. 이러한 위기를 헤쳐 나가려면, 국민 모두의 인내와 관용과 단결, 그리고 불굴의 의지에 의한 건설적인 노력과 이의 길잡이가 될 위정당국의 지혜로운 시책만이 그 해결의 관건이 될 것으로 믿는다.

그러므로 악몽이 겹겹이 쌓인 1980년의 낡은 껍질을 훨훨 벗어 버리고, 희망에 찬 1981년의 새 아침을 새로운 결의와 각오로 맞아야만 하겠다.

그리하여 다져진 결실의 성과로 온 겨레가 몽매간에 갈망하는 조국통일 숙원을 달성하는 데 전력을 다하여 고향 땅을 밟는 꿈의 실현을 앞당겨야만 하겠다.

북청소식 12호, 1980. 12. 15.

10. 춘삼월(春三月)

이제 활짝 피어오른 봄이 네 활개를 치며 가슴으로 안겨 온다.

우리 고향에도 눈 녹은 산야에 새싹이 움트고, 진달래 개나리 함박꽃 살구꽃 복숭아꽃 봉니꽃 그리고 배꽃 능금꽃 들이 연이어 피어날 것이다.

음력 정월의 마지막 날에서 이월 초하루에 걸치는 구럭닭 날까지 지내고 나면, 어딘가 약간 허전한 마음속에서 새해의 농사철에 접어들어 더움(肥料)내기부터 시작하고, 농우(農牛)가 있는 집과의 상호 품앗이인 「보도치」 짝을 짓게 된다.

이 무렵이면 마을 젊은이들은 누군가는 서울 일본 등지로 고학(苦學)의 길을 떠났고, 어느 누구는 흥남이나 청진이나 만주로 일자리를 구하여 떠나갔다는 소식에 허전하면서도 설레이는 마음과 뒤숭숭한 들뜬 심정을 가눌 수 없게 되는 것이다.

이른 봄의 하루해는 지루할 정도로 나날이 길어져, 대부분의 농가는 봄마다 덮치는 춘궁기(春窮期)를 겪게 마련이다. 밭에서 '메'를 파먹고, '나시'

(냉이)와 '달내'(달래)를 캐고, '송기'를 벗기고 칡뿌리를 파 양금을 내어 연명하는 가솔들이 적지 않게 된다.

일년내 농사 지어 거둬들인 벼는 대부분 팔아 넘겨 만주속(滿洲粟)으로 바꾸고, 제사(祭祀)나 산제(山祭)나 생일날 같은 대사 때가 아니면 초처럼 새하얀 '이밥'은 천신을 못하고, 잡곡으로 계량을 유지해간다. 그것도 해방 전후의 긴박한 식량사정 속에서는 가축의 사료로나 쓸 대두박(大豆粕)으로 연명을 하였었다.

먼 전설만 같은 이야기가 어슴푸레한 추억으로 스쳐간다.

천하가 뒤집힌 '토지개혁'도 해방 다음 다음해 봄에 있었다.

지금쯤, 두고 온 부모 형제 처자 그리고 친척 친구들은 어디에 흩어져 어떻게 살고 있는 것일까? 또 그 사이 세상을 떠난 그리운 얼굴들은 얼마나 될 것인가? 지긋이 눈을 감고 아련히 명멸하는 고향산천의 정경을 아스라이 더듬어 본다.

북청소식 15호, 1981. 3. 15

11. 올림픽의 꿈

1988년의 제24회 올림픽대회가 우리 서울에서 개최되기로 확정되었다.

독일 바덴바덴에서 열린 IOC(국제올림픽위원회) 총회에서, 북한은 서울 개최를 끝까지 훼방을 놓았고, 일본은 이미 하계와 동계 2차의 올림픽을 개최하였음에도 불구하고, 이웃나라인 한국을 거들어 주기는커녕 오히려 최후까지 맞서 격렬한 대결을 벌이게끔 비우호적이고도 오만한 자세를 취했다.

그러나 온 국민의 성원과 올림픽 유치위원들의 열성적인 노력으로 서울은 적수인 일본 나고야(名古屋)를 52대 27이라는 압도적인 숫자로 누르고 기어코 올림픽 개최권을 획득하고야 말았다.

이는 그 동안 우리가 전후(戰後)의 참담한 고생을 겪으면서도 인내와 성심으로 쌓아 올린 국력(國力)의 뒷받침 덕이어서, 긍지와 자부심과 그리고 감격과 흥분을 금하지 못하게 한다.

분단된 나라, 아직 UN에도 가입하지 못한 개발도상국가에서 이 거창한 세계적 잔치가 벌어지기는 이번이 처음이다. 참말 통쾌감을 금할 수 없다.

이런 기회에 남북한 단일팀이라도 구성되어 남북 교류, 그리고 조국 통일에의 실마리가 풀릴 수 있는 길잡이가 이룩된다면 얼마나 좋을까.

1964년 동경(東京) 올림픽 때에는 신금단(辛今丹)(함남 이원(利原) 출생) 부녀(父女)의 15년만의 상봉이 극적으로 잠깐 이루어졌으나, 다시 딸을 북쪽으로 보낼 수밖에 없는 단장(斷腸)의 애곡(哀曲)으로 끝났다.

이제 우리는 각자 마음을 가다듬고, 자세를 바로잡아, 이 거창한 잔치를 최선을 다하여 정성껏 치뤄, 우리의 국력을 과시하고, 아울러 우리 겨레가 빛나는 전통을 지닌 문화민족이라는 저력을 온 세계에 널리 돋보이게 하여야만 하겠다.

또한 이러한 노력의 과정과 성과가 정치, 경제 등 우리가 당면하고 있는 긴박한 난국이 풀릴 수 있는 계기가 되도록 위정자나 일반 국민이나 모두가 합심하여 이 절호의 전환기를 잘 활용하여야 하겠다.

한편 이에 덧붙여 남북 선수가 서로 부둥켜안고 눈물이 뒤범벅이 되어, '아리랑'을 목청 높여 부르는 기적까지 나타나기를 기원하는 꿈마저 그려 본다.

북청소식 22호, 1981. 10. 15

6·25 전후前後

1950년 6월. 만학(晚學)인 나는 그때 대학 졸업반에 재학하고 있었다. 그리고 그 당시의 대부분의 학생들이 직장을 가지고 있었듯이 나도 한성일보(漢城日報) 기자(記者)로 취직하여 국방부 출입을 하고 있었다. 내가 입사했을 때 한성일보 사장은 민세(民世) 안재홍(安在鴻)씨였으나, 후에 장주원(張逎源)씨로 바꾸어졌고, 1950년 6월에 접어들어서는 극도의 운영난으로 신문 발간이 부진한 상태에 놓여 있었다.

한편 이 해는 학제(學制)가 변경되어 신학년도(新學年度)가 9월에서 4월로 바뀌는 첫 해였으므로 그 과도조치로 6월 개학으로 되어 있었다.

6월초에 새학기가 시작되어 중순에 접어들자 내가 다니던 서울 문리대 국문학과에서는 교수 및 학생으로 구성된 학술조사단이 서해의 안면도(安眠島)로 현지답사를 떠나게 되어 나도 그 일원으로 참가했었다.

방언조사·민요 및 민속자료 수집 등의 예정된 조사를 마치고 돌아오는 뱃길에서는 가랑비 내리는 속에 발동선(發動船) 갑판에 모여앉아 섬에서 육지로 장보러 오는 장꾼 아낙네들과 어울려 안면도 특유의 민요 '베틀가'를 합창하면서 그때만 해도 아직 순박했던 섬사람들의 토속미(土俗味)에 흠뻑 젖기도 했고 귀경 후 곧 있을 신입생 환영회에서 채집민요의 발표회를 가질 의논까지도 했었다.

그러나 서울에 돌아온 후 본격적인 새학기 수업을 꼭 1주일간 치른 다음날인 6월 25일, 일요일에 돌발적인 동난(動亂)은 터졌었다. 그리하여 예정했던 신입생 환영회는 물론 영원히 사라져 버리고 그후의 졸업식마저도 배우던 '캠퍼스'에서 치를 수 없는 비극의 와중에 빠지고 만 것이다. 그러기에 나는 지금도 그 안면도의 '베틀가' 곡조만 들으면 순간적으로 1950년의 6월로 회상의 물결을 돌려가곤 하는 것이다.

6월 25일, 그 날은 내 친구 K군의 결혼식날이었다. 나는 내가 살고 있던 안암동(安岩洞)에서 전차를 타고 식장으로 되어 있는 공회당(지금의 상공회의소)으로 12시의 시간을 대어갔었다. 거기 모인 사람들의 뒤숭숭한 대화에서 나는 처음으로 38선이 터졌다는 소식을 알았다.

모두들 심각하기는 했지만 그러나 38선에서의 충돌사건은 가끔 있었고 더욱이 얼마 전에는 개성(開城)에서도 접전(接戰)이 있었으나 그이상 확대되지 않고 수습되었으므로 그 정도의 것으로 생각하여 대수롭지 않은 것으로 해석하려고들 하는 기색이었다.

그러나 라디오에서는 점차 예사롭지 않은 전황보도가 나오므로 거리의 표정들은 차츰 불안한 모습으로 변모해 가고 가두(街頭)에는 방송차가 휴가병의 원대복귀(原隊復歸)를 목이 터지게 외치며 지나가고 있었다.

이튿날 6월26일 나는 며칠 전에 R교수로부터 새로운 취직처에 대한 이야기를 듣고 이날 함께 찾아가기로 하였으므로 아침 일찍 R교수댁을 찾았다.

그런데 R교수의 관사가 있는 청량리역전(淸凉里驛前) '로터리' 부근에 들어서니 보따리를 이고 진 피난민들이 띄엄띄엄 나오고 소를 몰고 오는 사람들도 눈에 띄었다.

어디서 오느냐고 물었더니 포천(抱川)쪽에서 온다고 했다. 피난민의 얼굴들은 땀에 절어 벌겋게 달아있었다.

나는 불길한 예감에 사로잡히면서도 그렇게 절실하게 실감으로 느끼지는 못하는 심정이었다.

약속이 되어 있으므로 R교수를 모시고 취직처에 가서 책임자를 만나기는 했으나 사태가 그쯤 되고 보니, 어리둥절한 속에서 즉석 결단은 내리지 못했다.

그런데 중앙청(中央廳) 부근은 아직 아무 일도 없는 것처럼 비교적 고요했다.

그러나 하오부터는 북쪽에서 오는 피난민수가 늘어갔고 다음날인 27일에는 길을 메워 사람들이 밀려 내려오고 있었다.

나는 아버지가 대통령 비서인 동창생 K양을 만나 좀 더 자세한 형편을 알아보려고 효자동에 있는 정부 관사로 그를 찾아갔다. 그러나 대문은 굳게 잠기고 아무리 두드려도 대답이 없었다. 주위의 사람들에게 물으니 아침에 떠나가고 없다는 것이다.

나는 육감(肉感)으로 느껴지는 것이 있었다. 아, 대통령을 직접 모시고 있는 이 사람이 떠난 것을 보니 정부 고위층은 벌써 서울을 빠져나간 것이 아닌가 하는 생각이었다. 그때는 27일 하오 3시쯤이었던가….

그러나 얼마 뒤 저물녘의 라디오에서는 정부는 수도(首都)를 사수(死守)할 터이니 시민은 동요하지 말고 서울을 끝까지 지키라는 요지의 방송이 나왔다.

나는 종일 거리를 헤매느라 지친 위에 실망하고 있었지만 다소 용기를 얻을 수가 있었다.

그러나 9·28 후에 안 일이지만, 이때 이미 대통령은, 그리고 정부는 수원으로 옮겨간 뒤의 일이었다고 한다.

하는 수없이 나는 원효로에 있는 가장 가까운 친척집으로 찾아갔다. 그 댁에서는 온 식구가 모여앉아 식량준비에 혈안이 되어 시장으로 들락날락하고들 있었다.

나는 다시 안암동을 향하여 걸었다. 종로부터는 피난민에 걸려 발을 떼놓을 수가 없었다. 거리에 물결처럼 밀려가는 사람들은 남쪽으로 가는데, 나는 북쪽으로 거슬러 가니, 사람의 물결에 치여 좀처럼 빨리 움직일 수 없었다.

밤에 집에 닿으니 북쪽에서 들려오는 포성은 멈출 줄 모르고 더욱 거세어지고만 있었다.

나는 식구들과 함께 솜이불을 쓰고 움츠리고 앉아 있었다. 지금 생각하면 우스꽝스러운 꼴이지만 그때는 그 방법밖에 아무 방도도 떠오르는 것이 없었고 또 그 이상의 능력도 없었던 것이다.

이리하여 가랑비 내리는 속에 새벽의 천지가 진동하는 굉음을 듣고 더욱 몸을 움츠렸다. 후에 알고 보니 한강 인도교(人道橋)가 폭파되는 폭음이었다고 한다.

그리하여 동이 트자 서울은 적군에 짓밟히고야 말았다.

단 사흘에 무력하고도 시시하게 떨어져 나간 수도(首都). 나는 울었다. 회상하기조차 몸서리쳐진다. 이제 이런 일이 다시 있어서는 안 되겠다.

그러기 위해 우리는 남의 나라를 의지하지 않고 남의 힘을, 남의 구원을 바라지 않는 자신만을 믿는 자신의 힘을 길러야하겠다.

주먹이 법보다 가깝다는 말은 개인뿐만 아니라 나라사이에도 엄연히 존재하는 진리 이상의 현실인지도 모를 일이다.

서울신문, 1975. 6. 23.

제3부

제주濟州와 한란寒蘭

사람들은 흔히 기개의 고결함을 학에 비하고 인품의 단아함을 난에 견준다. 그리하여 학을 일컬어 날짐승의 으뜸이라 하고 난을 기리어 화초의 왕좌에 모시기도 한다. 그만큼 학은 범속한 새들처럼 흔하지 않고 난 또한 진귀한 품종일수록 구하기 어렵고 가꾸어 기르기 또한, 이처럼 손이 가고 힘든 것이 없다고들 한다. 나는 몇 해 전, 제주도에 갔던 길에 서귀포에서 난 중에 귀품의 하나로 꼽힌다는 한란 한 포기를 구득하여 왔다. 그곳 화원 주인에게서 배운 그대로 화분에 잘다란 조약돌, 왕모래, 세모래의 순서로 깐 다음, 뿌리를 흙에 싸고 그 위에 다시 젖은 이끼를 포개어 비빌 주머니에 넣어 가지고 온, 한란 봉지를 풀었다. 갓 돋아난 마늘 대가리 같은 그 뿌리에는 세근(細根)이라곤 하나도 없지 않은가……

아마도 모두들 가꾸기 힘들다고 한 것은 이 때문인가 싶었다. 화원의 주인이 시키던 대로 맑은 물에 뿌리를 깨끗이 헹구어 화분에 옮겨 심었다. 그날부터 나의 일과는 한 가지 늘었다. 거센 햇볕은 쪼이면 안 되니 아침나절의 연한 볕가에 잠깐 내놓으라는 주인의 말 그대로, 엷은 아침볕에 잠깐 쪼이고는 개나리 포기 밑 햇볕이 성기게 구멍 뚫리는 곳에 옮겨 놓곤 하여 어린 아기 다루듯이 품을 들였다. 물을 주는데도 한꺼번에 퍼

부으면 안 된다고 하기에 줄기 밑으로 살금이 붓지 않으면, 손가락을 펴 흔들며 그 사이로 물을 뿌려 잎이 다치지 않게 조심했다.

그러한 정성의 덕이었는지 몇 달 후에는 뿌리에서 새줄기가 돋아 나와 안타까울 정도이면서도 조금씩 자라가는 것이 보였다. 이제는 뿌리가 붙은가 보다 싶어 애쓴 반응의 기쁨을 느끼게끔 되었다.

그 다음 해에는 또 새순이 돋고 하여 삼년간에 꽤 보기 좋게 줄기가 늘고 잎은 검푸른 빛으로 커 갔다. 분(盆)의 흙을 갈아주기도 하고 잎을 청주로 닦아 주기도 하며 가꾸는 사이에 정이 들기까지 하였다. 그것은 아마도 난에 대한 사랑의 정도 있었겠지만 자기의 노력에 대한 보람에서 느껴지는 기쁨의 소치인지도 몰랐다.

그런데 하루아침에 갑자기 변화가 일어났다. 눈을 뜨자마자 밖으로 나간 나는 여느 때처럼 화분 가까이로 갔다. 그런데 화분 위엔 이끼만 보일 뿐 아무 것도 없이 그대로 뻔뻔한 것이 아닌가. 나는 자기의 눈을 의심하며 화분을 찬찬히 들여다보았다. 줄기의 밑동강이만 남아 있다. 그것도 뿌리가 반쯤이나 빠진 채로 팽개쳐지듯이 넘어져 있고 잎은 하나도 보이지 않는다. 자세히 둘레를 살펴보니 갉아 먹다가 남긴 것 같은 잎사귀 한 쪼가리가 땅위에 뒹굴고 있는 것이 눈에 띄었다.

응, 쥐새끼의 소행이로구나! 순간 애석함과 낙심과 울분이 한꺼번에 겹쳐 솟구쳐 왔다. 그날 이후 두고두고 공들인 난에 대한 아쉬움은 가시지 않았다.

그러나 작년 가을에 소위 은혼이라고 하여 결혼 이십오주년을 맞았으므로, 그 사이 형처(荊妻)를 혹사한 미안함을 다소라도 보상하려는 뜻으로 함께 제주도를 찾을 기회를 갖게 되었다.

나는 떠날 때부터 만사 제쳐놓고 한란 한 뿌리 구해 오리라 하는 생각부터 다졌다. C형이 편집국장직에 있는 제주신문사를 찾아 사장실에 있는 한란분을 보고 정말 놀랐다. 무성하게 우거졌다고 할 정도로 화분 가득히 줄기가 퍼진 난은 검푸른 잎이 유난히 윤기가 나며 싱싱하게 자라고 있었다. 지난겨울에 처음 꽃이 피었는데 현관에 들어서는 사람마다 이게 무슨 향기냐고 물을 정도로 그 향기롭고 꽃다운 향기는 온 집안에 가득 찼다는 것이다.

나는 서귀포로 내려가는 대로 예전의 그 화원에 들렀다. 옛날의 그 주인은 보이지 않고 소복 입은 아낙네가 분(盆)에 어린 귤감나무를 옮겨 심고 있었다. 주인 양반은 어디 계신가고 물었더니 여인은 울먹한 목소리로 얼마 전에 세상을 떠났다는 짤막한 대답을 하며 얼굴을 돌렸다. 나는 제행무상과 함께 예전 가져갔던 한란의 고행담을 이야기할 상대를 잃은 허전함에서 한참동안 멍하니 서 있을 뿐이었다. 얼마 후 나는 잎이 까실까실한 야생의 한란분, 여러 개 옆에 놓여있는 몇 개 안되는 잎이 매끈한 진짜 한란분 속에서 그중 싱싱한 분(盆) 하나를 골라 여인이 분(盆)의 것을 쏟아 알맹이만을 꼼꼼히 싸주는 대로 받아들고 황혼이 깃든 수평선을 바라보며 화원을 나섰다.

서울로 오는 길에도 비행기 속에서 난이 마르지 않나 하는 걱정이 마음속을 떠나지 않았다.

집에 돌아온 나는 곧 포장을 풀어 난을 화분에 옮겼다. 뿌리가 제대로 붙었는지 알 길이 없이 온도와 습도를 조절하기 힘든 겨울을 넘기기란 온실 없이는 어려울 일이었다.

봄이 가고 여름이 지나는 사이에 난은 굵직한 순 두 개나 내솟구치며 힘차게 자라고 있다.

십년이라야 꽃이 핀다는 저 한란의 꽃을 정작 나는 몇해쯤이나 신고하면 내 서재에서 볼 수 있을는지…….

꽃 가꾸기의 마지막 길은 난이요, 난을 가꾸어 보면 다른 꽃은 눈에 차지도 않는다고 말씀하시던 가람 이병기(李秉岐) 스승의 옛 이야기를 회상하며 나는 가랑비 내리는 속에 불행하게도 수돗물만 마셔 오기 일쑤인

난이 자연수를 시원히 맞을 수 있도록 마루의 난분을 들어 뜰 아래에 내려놓았다.

비 한번마다 가을을 재촉하는 계절의 흐름 속에서 나는 난을 위한 겨울맞이의 어려움을 또 한번 곱씹어 보는 것이다.

법시, 1970. 12.

역사歷史의 무상無常 속에서
- 지식인이 꿈꾸는 것 -

인간은 생각하는 능력을 가지고 태어났다는 점에서, 태초부터 이미 행복과 불행의 양면적인 숙명을 배태(胚胎)하고 있었는지도 모를 일이다.

더욱이 인간이 인간 스스로의 역사를 의식하기 시작한 점고(漸高)되는 지적(知的) 활동은 인간의 삶을 더욱 짐스럽게 만들어, 어제까지의 누적된 형해(形骸) 위에서 오늘을 살고 다시 내일을 생각하게 된다는 것은 그만큼 삶의 부담을 더해주는 결과로만 된 것 같다. 특히 과학문명이 고도로 발달한 현실 속에서 허덕이는 현대인의 삶은 제 재간과 제 꾀에 제가 넘어가는 자승자박(自繩自縛)의 새로운 비극을 빚어내고야 말았다.

그러한 면에서, 무식이 오히려 편안한 처세술이라는 궤변적인 역리(逆理)의 추출도 가능하게 되는 것이다.

지난날의 지사나 선비가 굳이 현실을 도피하여 심산유곡의 대자연에서 은둔의 나날을 음풍영월(吟風詠月)로 소일한 것은, 어쩌면 자기 이외의 모든 것은 비하(卑下)하면서, 스스로의 우월을 지탱할 근거마저 잃어, 의식적인 자기의 지적(知的) 능력이나 사고에 대한 자학(自虐)의 표백(表白)이라고 해석할 수도 있는 것만 같다.

"인간은 생각하는 갈대이다.", "생각하기 때문에 존재한다."라든가, 또는 "아는 것이 힘이다."라는 소위 명귀로 후세에 이야기의 실마리를 묻어 준 말들은 인간을 보는 낙관적인 긍정론에서가 아니라, 몸부림치는 삶의 극한에서 궁여지책으로 짜낸 자아 변호의 어쩔 수 없는 비관적 부정론의 반의적(反意的)이요, 미화된 표현일지도 모를 일이다.

희랍의 아크로폴리스의 파르테논 신전(神殿) 폐허에나 라마(羅馬)의 콜로세움 유허(遺墟)에 서면, 위대하고 찬란했던 회고의 정과 더불어 인간의 무상함을 함께 느끼게 되는 것이다. 그리고 그 뒤를 곧 따르는 상념은 승자와 패자, 치자와 피치자에 얽힌 각축(角逐) 살육의 소용돌이 속의 피비린내 나는 그칠 줄 모르는 영상들에 엉킨 사연들이다.

토함산의 석굴암과 신라의 금관은 흘러간 영화(榮華)의 상징으로, 부여의 백제탑(百濟塔)과 낙화암, 그리고 진주의 촉석루(矗石樓)와 남한산성 유지(遺址)는 지나간 굴욕의 혈흔으로 지난날의 역사를 되새겨 주지만, 이 또한 결말에는 흥망성쇠에 대한 일말의 허망감을 금할 수 없게 하는 것이다.

어제까지의 찬란한 역사는 오늘의 자랑인 동시에 무거운 짐이 되고, 굴욕의 역사는 비굴감을 안겨다 주는 동시에 안간힘의 분발을 촉구하는 원동력이 되기도 한다.

찬란하건 굴욕적이건 어제의 역사는 부인하거나 무(無)로 돌릴 수는 없으되, 그것에 고식적(姑息的)으로 집착하는 옹졸함은 버려야 할 것만 같다.

5천년의 긴 역사를 지닌 이집트나 3천년 전의 서구신화(西歐神話)의 원천을 이룬 화려한 역사를 지닌 희랍은 지금 삶에 허덕이거나 재기에 역부족 몸부림치고 있고, 3백년의 짧은 역사를 지닌 미국은 지구상의 왕자일 뿐만 아니라 우주공간을 헤살짓고 있다.

역사의 어느 시점에 줄을 그어도 흥망의 굴곡은 있고, 긴 역사의 흐름 속에서는 기복이 없는 민족이나 국가는 없는 성싶다.

역사의 흐름은 면면히 연속되지만, 역사를 보는 사람의 안목은 그 기복 속의 정점이나 저하점에 머무르기 쉽다. 그러기에 속칭 역사란 인간의 흥망성쇠의 기록이라 일컫기도 하는가 보다.

그러고 보면 지금 우리는 어디쯤에 와 있는 것일까. 오늘 현재의 한민족은 흐르는 역사의 기복 속의 정점에 서 있는 것인가, 또는 저하점에 서 있는 것인가, 그렇지 않으면 정점을 향하여 치달아 가는 것인가, 또는 하강선상을 흘러 내려가고 있는 것일까.

역사를 보는 눈들은 분명, 물량이나 부(富)를 이야기하기 전에, 지적 발전의 성과인 문화를 먼저 쳐드는 것이다. 말하자면 역사란 정신문화에 바탕을 둔 물질문명의 병행의 궤적인 것만 같다. 바꾸어 말하면 인간이 머리를 쓰고 지혜의 바탕 위에서 살아온 기록이리라.

따라서 물질 위주란 참으로 바탕이 엷은 박빙(薄氷)의 기록이 되기 쉽다. 누가 그리고 어느 민족이 가장 지혜로운 문화를 이룩했느냐는 기록은 있어도 어느 누가 그리고 어느 민족이 가장 배불리 잘 먹었느냐 하는 기록은 별로 남아 있지 않으니 말이다.

그러나 역사의 기록이란 억지로 만들어지는 것은 아니다. 살아간 흔적이 그대로 남아 저절로 기록되기 마련인 것이다.

어쩌면 우리가 지금 새 역사의 한 페이지를 장식하기 위해 안간힘을 써도 몇 세기 후세의 사람들은 그저 흥망성쇠에 대한 인간의 무상(無常)으로 돌려 버릴지도 모를 일이다.

그러나 인간은 숙명의 생각하는 지적인 동물의 탈을 벗을 수 없는 한, 생각하며 창조하는 삶을, 어제의 바탕 위에서 오늘을 살고 또 내일을 바라보지 않을 수 없으리니, 이것이 역사의 시점에 선 인간이 인간으로서 걸어가는 길일 것이며, 그것은 그대로 현대를 사는 인간의 존엄성에 바탕을 둔 가치관의 기준 척도로도 될 것이리라.

문학사상, 1973. 10.

바지저고리

"녀석은 바지저고리야."

소설이나 희곡 속에 나오는 대화의 이 한 대목을 외국어로 번역할 경우라면, 그 어감(語感)이 제 맛을 낼 수 있을까 하는 생각이 가끔 떠오르는 때가 있다.

흔히 외국 작품을 우리말로 옮길 때의 어휘의 부족에 대한 고심담을 토로하는 안타까운 이야기들을 듣는다. 사실 그럴 것이다. 우리말은 현대어로 자유롭게 활용하기에는 너무나 미흡하고 세련되지 못한 부면을 많이 가지고 있다.

오랫동안 써 내려온 한자(漢字) 숙어에 인이 박혀, 좀 더 쉽고 부드러운 순 우리말로서의 어휘의 결핍이라든지, 피동(수동)형이라고는 별로 없는 어법상의 결함이라든지, 새 이름 풀이름을 비롯한 동식물의 명칭, 심지어는 각 분야에 걸친 술어(術語)에 이르면 그 불편 부족함은 이루 말할 나위도 없다.

그러나, 개개의 언어가 지니고 있는 고유한 특수성이 제가끔 다르고, 또한 이러한 특이성은 그대로 한 나라 말을 다른 나라 말로 옮길 때의 장벽이 되지 않을 수 없는 경우가 많으니만큼 우리말을 다른 나라 말로 옮기는 경우에도 이러한 고심은 언제나 상대적으로 따르지 않을 수 없는 일일 것이다.

'바지저고리.'

이것은 확실히 '꼬리치마'니 '깨끼적삼'이니 하는 것들과 더불어 한국 냄새를 풍기는 손때 묻은 한국말이다.

양복바지니 양복저고리니 하는 말들이 어색하나마 쓰여지지 못할 바는 아니겠지만, '바지저고리 입은 사람'하면, 그것은 그대로 한국 사람을 연상하게 되는 것이다.

"이건 누굴 바지저고린 줄 알아."

이때의 바지저고리는 수숫대나 나무작대기에 걸리어 논밭 가운데 우뚝 서 있는 '허수아비'가 아니면, '바보'나 '무골충(無骨蟲)'으로 통하는 말이 된다. 그야말로 무기력하고 무능력하고 반응이 없는 인간을 말하는 것이 된다.

무엇 때문에 양복을 입고 우쭐대는 의젓한 신사와 바지저고리를 걸친 무기력한 못난이가 대조되게 되었는지, 그 연원까지를 굳이 사설(辭說)로 늘어놓고는 싶지 않다.

아무튼 바지저고리는 바보가 아니면 분명 굴종(屈從)을 감수하는 숨 쉬면서도 죽어지내는 인간을 지칭함에는 틀림없다.

왜치(倭治) 사십년(四十年)에 이 땅의 겨레는 대다수가 숨죽은 바지저고리가 되었고, 또한 그렇게 되지 않을 수 없게 강요(强要)당했다.

제정 말엽의 보국대(報國隊)로 이끌려 다닌 창백한 얼굴들도 태반 바지저고리였고, 탄광으로 군수 공장으로 현해탄을 건너간 징용군(徵用軍)도 거의 다 바지저고리였다.

조국을 잃은 백의(白衣)의 바지저고리들은 지배자의 호령에 굴종하여 기를 펴지 못하고 사는 선량하고 슬픈 양(羊)이었다.

"엽전은 할 수 없어."

한국 사람이 한국 사람끼리 나무라는 주제넘은 욕지거리다. 왜놈이 "요보는 할 수 없어."하고, 항다반(恒茶飯)으로 뇌까리던 모멸에 착 욕설에 한몫 끼어 어깨를 으쓱대고 박차를 가하던 가짜 일인(日人)의 말이 아니면, 극도의 비굴감에서 체념하는 자학의 슬픈 넋두리였다.

"조선놈이라는 건 하는 수 없어."

김치 깍두기에 된장찌개를 사흘만 못 먹어도 입이 싱거워서 안달이나 하는 혀끝에서 버젓이 이런 말들이 새어나오니, 조국이나 겨레에 대한 배신이 아니면, 어쩔 수 없이 못난 자비(自卑)요, 자학(自虐)임에 틀림없는 일이다.

"이놈아 너 같은 놈이 있기 때문에 독립이 못 돼."

하던 입에서 침도 채 마르기 전에,

"엽전은 별 수 없다니까."

하는 애국적인 분노와 자멸(自蔑)의 체념이 양 극단으로 뒤범벅이 되는 겨레의 습성은 확실히 바지저고리보다 양복쟁이에 더 많았다.

가슴에 불끈 솟는 꼴사나운 불만을 꿀꺽 삼키면서 소같이 묵묵히 일하고, 보릿고개는 고사하고, 추수가 갓 지난 철부터 쪼들리는 살림에 신통히 먹지도 못하고 살아온 바지저고리였다.

풀을 베어오라면 풀을 베어가고, 곡식을 내라면 곡식을 내고, 돈을 바치라면 내일 양식도 생각하지 않고 모조리 팔아서 바치고, 저는 한번 타보지도 못한 자동차 길을 닦으라면 다소곳이 길을 닦고, 이러다가 배를 졸라매며 앓아누워도, 좋다는 신약(新藥) 한 알 구경 못하고 쑥찜질로 다스려온 가난한 양(羊) 바지저고리였다.

분명 바지저고리의 땅, 바지저고리의 나라, 바지저고리의 겨레임에는 틀림없건만……

싱가포르가 함락해도 바지저고리의 행렬이었다. 울었는지 웃었는지 묻지 않아도 좋을 일이다.

팔·일오!

그것은 진정 바지저고리의 눈동자에 감격과 눈물이 어린 함성의 대열이었다. 남북에 진주한 외군(外軍)에게 탄성을 높여 열광적인 박수를 보냈다.

바지저고리의 땅과 재물과 나라를 한꺼번에 찾은 환희였다.

새로운 '손님'들이 자기네들보다는 바지저고리를 더 아껴줄 줄만 알았다. 모든 일을 저들의 나라, 저들의 겨레보다는 바지저고리의 나라, 바지저고리의 겨레, 바지저고리의 살림을 위해서 해줄 줄만 믿었다.

UN 결의에 행렬을 이룬 것도 바지저고리였고, 호미를 팽개치고 일선 진지에서 붉은 피를 뿜은 무등병(無等兵)도 기실 바지저고리였다.

국제 아편 밀수범도, 고등계 형사도, 일체의 총신(寵臣)도, 어중이떠중이 애국자로 자처하여 간판을 고쳐 붙일 때에도 바지저고리는 땅만을 지켰다.

바지저고리가 한 지게만 베어 올래도 산림 간수가 호랑이보다도 더 무섭던 '나무'도 어느덧 도회지 목재상의 손으로 모조리 긁어져 G·M·C로 실어 내려갔다.

이제 비료마저 없는 땅은 메말라서 바닥이 날 지경이다.

가물이 세차게도 석달이나 계속된다. 논바닥은 터서 갈라지고 묘판(苗板)의 볏모만 까칠하게 불이라도 붙을 것만 같은 벌판에 서서, 오늘도 바지저고리는 원망스런 눈초리로 하늘만을 우러러본다.

"지렁이도 밟으면 꿈직거린다는데."

말 없는 바지저고리, 순종하는 바지저고리, 고역을 감수하는 바지저고리의 무저항(無抵抗)의 교훈, 그것은 양복장이 위정자의 계명(戒銘)이어야 할 것이다.

'바지저고리.'

이미 타성(惰性)으로 절어버린 자멸과 자학의 기성관념에서 벗어나, 눈을 부비고 좀 체신을 차려야 하겠다.

옛날이나 이제나 그리고 앞으로도 영원히 바지저고리의 땅, 바지저고리의 나라요, 겨레임에는 틀림없는 일이기에—

바지저고리의 기름진 땅, 바지저고리가 잘 살 수 있는 나라, 바지저고리가 골고루 현대 문화의 혜택을 입을 수 있는 정치가 되기를…….

국제 친선의 어린이 색동저고리나, 국제 영화제의 한두 사람의 여배우의 한복 맵시 같은 광고 선전용에서가 아니라, 있는 그대로의 바지저고리 모습이 양복쟁이 신사보다 더 우러러보이고, 그들의 피땀이 정말 값있고, 말 없는 그들의 심정이 거룩하고 고맙게 느껴지는 날 '바지저고리의 나라' 이 땅의 민주주의는 모두 다 잘 살 수 있는 새 나라로의 첫 궤도(軌道)로 올라서는 것이 아닐까?

현대문학, 1957. 9.

상賞

　상(賞)을 준다는 것은 훌륭한 성과를 기린다는 일이요, 상을 받는다는 것은 남몰래 가꾸어진 숨은 노력에 대하여 대외적인 어떤 인정을 받아 칭송의 값어치가 밝혀지는 일이다.

　분명 상이란 받는 것이 아니라 주어지는 것이요, 그러기에 보람있고 슬기로운 것임에 틀림없다.

　그러나 상이 가끔 불상사를 야기시키고 분쟁이나 파벌을 조장하는 분기점이 되는 경우가 없지 않다.

　그것은 거개가 상이 주어지는 것이 아니라 타겠다는 의욕이 선행하는 경우에서다.

　하기야 상을 타겠다는 쪽보다 주겠다는 편히 한걸음 앞질러 사적인 욕망을 채우려거나 어떤 불순한 동기로 상을 설정하는 경우가 없지도 않다.

　운동경기에서의 '스포츠맨십'의 상실을 통탄하는 기사 보도를 자주 보게 된다. 선수 자신들이 승리를 서두르거나 상에 눈이 팔려 불명예스러운 행패를 저지르는 일이 있는가 하면 여기에 응원단까지 호응하여 패싸움을 일으키고 심한 경우에는 가장 냉철한 지도자여야 할 '코치'나 인솔자까지도 이를 선동하고 합세하여 심판을 욕보이고 본부석에 폭행을 가하고 심지어는 상품을 두드려 부수는 일까지도 벌어진다.

주최측이나 심판의 잘잘못을 규탄해야 할 경우도 있겠지만 대부분의 경우에는 선수 자신이 자숙해야 할 일이다.

소위 국제 친선 '게임'이라고 하는 우방국과의 시합 도중에 선수들의 너무도 지나친 행동에 견디다 못하여 관중석에서 돌팔매가 일고 방석이 날아들었다고 한다.

시비의 근원은 어쨌든 간에 서로가 다시 한 번 냉정히 생각해 보아야 할 일이다.

국전(國展)이 열렸다고 한다. 지상에 발표되는 작품평(評)에 간혹 작품을 떠난 감정의 부연(敷衍)이 노골화되는 일이 있는가 하면 해마다 심사위원의 숫자 비례에 왈가왈부(曰可曰否) 논쟁이 분분하다.

심사위원의 숫자 비율을 서로 따진다는 것은 심사의 부정을 전제한다는 이론에 근거를 둠에 틀림없는 일이기 때문일 것이다.

그러고 보면 상 타기 위한 것은 물론 아니라 할지라도 자기의 있는 역량과 정성을 다하여 소중한 작품을 내놓는 출품자(出品者)에 대하여는 미안하고도 또한 억울하기 짝이 없는 노릇이다.

이런 경우에는 아마도 상 타는 이 보다도 상이 주어지기 위한 경로가 더 불순하다는 빈축을 면할 수 없을 것이다.

문단(文壇)에도 근래 몇 가지 상이 설정되었고 개중에는 공로상의 성격을 띤 것도 포함되었다.

신진의 노력을 고무 격려하고, 선배의 거룩한 수고에 보답하려는 갸륵한 심정의 발로임에는 틀림없다.

그러나 개중에서 어떤 상은 때마다 서로의 심사원 비중에 신경이 날카로워지고 심사의 결과가 그리 유쾌하지 못한 이야기를 퍼뜨리는 일이 없지 않다. 모처럼 뜻있는 상을 베푸는 이에게 미안할뿐더러 상을 받는 이에게 께름칙한 기분을 남겨주는 결과가 되어 적이 개운치 않은 일들이다.

만일 심사원의 명단을 보고 그림을 그려야 하는 경우, 심사원의 얼굴을 보면서 노래를 불러야 하는 경우 심사원의 구미에 맞는 시(詩)를 써야만 하는 경우라면 상상만 하여도 슬픈 일이다.

상(賞)이 지니고 있는 보람이나 거룩함에서보다 상 설치의 기본 이념부터가 그 길을 위한 순수한 장려의 뜻이 아니라 어떤 부수되는 목적, 이를테면 선전이나 광고용의 불순한 동기로 제정되는 경우가 적지 않다.

이런 경우일수록 수상자의 목록은 주최자를 도외시하고 번잡할 정도로 다채롭다.

왜 저런 데서 저런 일을 할까 싶은 신통치도 않은 단체의 행사 조(條)로 내걸은 상(賞)에 대통령상(大統領賞)을 위시하여 아무 장관상(長官賞), 무슨 총재상(總裁賞), 모모 장상(長賞)하여 소위 고위층이란 모조리 '레테르'처럼 나열되어 결국 가장 중추가 되어야 할 주최자의 상(賞)은 있으나 마나 하게 맨 꼬리에 겨우 붙어있는 경우가 없지 않다. 시상식(施賞式)만 보는 사람에게는 국가의 행사인지 정부 부처의 주관인지 어느 단체의 주최인지 그것조차 분간할 수 없는 마술사 같은 시상종목(施賞種目)으로 끝내버리는 행사가 점차 유행처럼 퍼져가고 있다.

결국 실속이 없는 겉치레들임에 틀림없다.

이러한 일은 상(賞)을 베푸는 행사의 대의명분(大義名分)이 뚜렷하지 못하거나 보잘것없는 주최측이 상을 베푸는 일 이외의 부수적인 목적이 더 클 때일수록 이 만화경(萬華鏡)적인 수상식은 알맹이 없는 상장(賞狀)만으로 외형만이 더 황홀하여지는 것이 일쑤이다.

도대체 무슨 대통령상(賞)이 그렇게 범람하는 것일까.

웅변대회에도 대통령배(盃), 배구시합에도 대통령기(旗), 쟁탈전 운운하니 정부의 어느 예산 항목으로 그 많은 대통령상, 장관상의 비용을 조달하는지 만일 이름만 빌리는 상이라면 떡줄 놈은 생각지도 않는데 김치국만 마신다는 격(格)으로 이 또한 한갓 수상자를 우롱하고 기만하는 졸열

한 처사에 불과할 것이다.

　우승자를 칭송하는 월계관, 창조자를 우러러 받드는 영예(榮譽)!
　이들의 이룩한 일을 기르고 앞날을 격려하고 고무하는 데 상처럼 값있
고 빛나는 것은 없다.
　그러나 상처럼 그 베푸려는 동기인 시상(施賞)의 목적과 수상자의 선정
인 심판이나 심사원의 사심(邪心)없는 정확성과 공정성이 절실히 요청되
는 것은 없을 것이다.
　상을 받는 자 아니 마땅히 상이 주어져야 할 자의 부단한 노력과 성실과
그리고 공개된 자리에서의 '페어플레이' 이것은 말할 나위도 없는 일이다.
　상이란 그대로 그 나라 그 사회가 지니는 역사와 전통과 질서의 한 반
영이기도 한 것이다.
　상이 진정 거룩하고 보람 있어, 주는 이와 주어지는 이 모두 진심으로
즐겨하고 모든 이의 관심이 이에 이끌리어 뒷소리 없는 박수갈채를 다
같이 진정으로 보낼 수 있을 때 비로소 상의 권위는 설 수 있으며 그 사
회 질서의 정상화는 복구 정착될 수 있는 시절이 될 것이다.

(1957.11.4)

자유문학, 1958. 1.

자연의 섭리와 진실

　나에게는 문자(文字)로 판에 박아 자리 옆에 놓고, 일상생활의 귀감으로 삼아온 그런 뚜렷한 좌우명은 없다.

　또한 나에게는 이렇다 할 종교도 없다. 어렸을 때는 한국 재래식 가정의 그것대로 어른들의 토속신앙 속에 자랐지만, 커가면서 나 스스로 자신의 종교를 가져본 일은 없다. 물론 종교에 대한 관심은 늘 가지고 있지만, 신앙의 대상으로 그에 연관을 가지거나 귀의한 일은 없다.

　그저 나라는 사람은 지극히 평범한 자세로 살아왔고 또한 그렇게 살아가고 있다. 그렇다고 나의 반생, 흘러간 세월 속에 더듬어온 역정이 그렇게 순탄한 것만은 아니다.

　나는 매사에 진실하려고 노력하여 왔고, 자기의 분수에 맞게 살아가려고 애써 왔다. 그러므로 내가 마음속에 다지는 진실이나 분수는 때로는 상대와의 상관관계에 있는 상대적인 것이었다. 그것은 사람은 사고(思考)의 세계에서는 독자적일 수 있지만, 일상생활에 있어서는 사회 속에 얽혀 살 수 밖에 없는 연대성의 필연적 소치이기 때문이다.

　진실이란 허위나 가식이 배제된, 있는 그대로의 참된 모습을 말할진대, 나는 진실되게 생각하고 또한 그렇게 살려고 노력해오는 과정에 있다는 뜻이지, 나 자신이 꼭 그렇게 살아왔고 또한 산다고 내세우려는 것은 아니다.

분수에 맞게 산다는 것도 마찬가지다. 늘 그렇게 살려고 노력한다는 뜻이지, 나 자신의 생활 자체가 그렇게 되어 있다는 뜻은 물론 아니다.

한편 나는 자연의 섭리라는 문제에 늘 깊은 관심을 가진다. 이것은 인간이 지니는 능력의 한계를 수긍하고, 인간 이외의 어떤 힘인가를 믿으려는 넓은 뜻의 종교적 사고에 접근되는 방향인지도 모를 일이다.

자연의 섭리 속에서 나를 가장 신비의 세계로 몰아넣는 것은 사계절(四季節)의 변화이다. 현대 과학문명이 제 아무리 판을 쳐도, 겨울이 가면 봄이 오고, 여름이 지나면 가을이 오기 마련인 천리(天理)를 막을 길은 없는 것이다. 그리고 다시 나를 경이에 차게 하는 것은 생물의 생성과 사멸 및 그에 따르는 종족 번식이다.

오랜 타성의 반복으로 아무렇지도 않고 예사롭게 습성화된 이러한 일들이, 가만히 곱씹어 생각하면 끝없는 우주의 신비 속으로 나를 몰입케 하는 것이다.

인간이 제 아무리 자연에 도전하여 그것을 극복하고 어떤 변화를 가져오려 하여도, 자연현상 자체에 대한 변화란 참으로 미소한 것에 지나지 않으며 인간은 다만 삶에 대한 편리하고도 안이한 방법을 얻어내는데 그치는 감이 없지 않다.

그러기에 나는 자연에 대하여 늘 외경(畏敬)의 념(念)을 지닌다. 그것은 자연이 지니는 어쩔 수 없는 위대한 힘의 진실이 바로 인간의 사고나 행동에 있어서의 진실과 통할 수 있다는 생각에서이다.

나는 혼인에 대해서도 운명론을 선행시킨다. 아무리 상대를 골라도 정해진 범위 내에서의 '제비뽑기'라고 생각하기 때문이다. 자녀의 숫자나 남녀 출생의 구분도 인간의 노력보다는 자연의 섭리에 돌리는 비중이 크다. 그것은 인간 자체의 생명에 대한 집착이 아무리 세어도 자연의 힘을 멀리 벗어날 수는 없다는 이치에서이다.

그러나 내가 생각하는 운명론은 자연의 위력에 그대로 굴복하라는 뜻이 아니라, 자연의 힘과 인간의 분에 맞는 노력과의 조화를 뜻하는 것이다.

그것은 인간의 가장 진실된 사고나 노력은 그대로 자연의 섭리에 일치하는 것이요, 인간의 자연에 대한 무모한 도전이나 섭리에 대한 거역은 인간 스스로의 좌절이나 불행을 자초할 수밖에 없다는 이치에서이다.

인간의 진실은 자연 섭리의 순로(順路)와 평행(平行)하는 것이다. 그것은 또한 진리 탐구의 길잡이이기도 한 것이다.

'진인사(盡人事) 대천명(待天命)', 스스로 할 일을 다 한 연후에 하늘의 뜻을 기다리라는 이 경구(警句)는 이십세기 후반 고도의 과학문명 속에서도 아직 그 빛을 잃지 않는 것 같다.

훈도訓導와 교사教師

　　서당 교육 시절의 스승은 훈장이었고, 일제치하의 소학교(小學校) 선생
은 훈도(訓導)였으나, 광복 후 조국에서의 국민학교(國民學校) 교원은 교
사(敎師)라는 직명(職名)으로 바뀌었다.

　　훈장은 유교적 윤리관의 고고한 지성을 갖춘 '선비'인 동시에, 선구적인
지사의 기풍마저 띠었고, 사회적인 지도자로 경모(敬慕)되기도 했었다.

　　훈도는 그 양성과정에서부터 각별한 정성과 품이 들어, 당시의 사범학
교(師範學校)는 전국의 소학교에서 가장 우수한 학생만이, 그것도 출신학
교장의 추천을 받아야 지원할 수 있었고, 그 속에서 다시 추려져서 입학
된 사람은 전액 관비(官費)로 5년간의 수학(修學)을 쌓아 일선 소학교로
배치되었다.

　　뿐만 아니라, 그 처우에 있어서도, 졸업 직후 20살 안팎의 초임(初任)에
서부터 요사이의 4급공무원에 해당되는 판임관(判任官)으로 임관(任官)되
어 보수도 같은 교육수준의 타직종과는 비교도 안 될 정도의 높은 수준
으로 대우를 받았었다.

　　그러나 그뿐인가. '선생님'이라면 학생들도 솟아오르는 진심에서 우러

러보며 따랐고 학부형을 비롯한 일반 사회에서도 스승으로서의 권위를 숭앙(崇仰)하였었다.

그러나 지금 우리의 형편은 어떠한가. 사범학교의 교육연한을 2년 연장하여 교육대학(敎育大學)으로 개편하기까지 하였지만 과연 이렇게 길러 낸 국민학교 교사의 질이 8·15 전의 사범학교 5년제 졸업생이었던 훈도의 선을 넘어서고 있는지 의심스러울 정도이다.

이제 또 교육대학의 연한을 2년 더 연장하여 4년제로 할 새로운 안을 구상 중에 있다고 하니, 시간의 연장만으로 질의 보완을 할 수 있을는지 그 또한 의구심을 던져줄 뿐이다.

물질을 다루는 사람보다 인간을 가르치는 사람이 더 우수해야 함은 고금(古今)을 통한 기본철칙이기에, 교육은 국가백년지대계(國家百年之大計)라고까지 일컬어오고 있는 것이다.

그 기초작업은 교육자가 되겠다는 사람의 마음가짐과 자질에서부터 시발(始發)되어야 한다.

그러기 위하여는 국민학교 시절부터 학생이 선생을 우러러 보고, 현실적 실리(實利)에 물든 동심(童心)이라 할지라도, 한번쯤은 커서 선생이 되어야 하겠다는 생각이 용솟음치는 마음의 충격을 받을 수 있게 교육 풍토의 변모가 이루어져야 한다.

가장 우수한 학생의 많은 부분이 교육자의 직업을 갈망하고 동경할 수 있도록 그 양성과정에 과감한 투자를 하여 우수한 교사를 길러내고, 그 권위를 존중하는 한편, 같은 교육 연한의 직종 중에서는 가장 좋은 처우를 할 때만이 경쟁을 바탕으로 하는 민주사회에 있어서의 참다운 교육자의 확보는 가능할 것이요, 이러한 교육자의 토대 위에서만이, 먼 앞날을 내다보는 넓은 시야에서의 굳건한 교육은 가능할 것이다.

별로 우수하지도 않고, 그리고 주변의 여건이 불비하여 어쩔 수 없이 교육대학을 지망하는 비중이 적지 않은 현실적 상황과 고식적이요, 비봉적인 교육시책으로는 원대한 교육입국(敎育立國)은 백년하청(百年河淸)을 기다리는 격(格)이라고나 할까…….

서울신문, 1978. 11. 27.

프로와 아마추어

프로는 어떤 분야에 있어서의 전공이나 직업적으로 된 전문가의 영역에 속하는 것인 반면, 아마추어는 학문 예술 운동 등 여러 면에 걸쳐 취미 기호 도락 등의 대상으로 되는 이를테면 직업 외의 비전문적인 애호가를 뜻하는 것이다.

따라서 전자가 삶의 목표나 생활수단의 필수적인 방패의 구실을 한다면 후자는 그를 위한 여가선용이나 취미의 폭을 지니는 부차적인 의의를 지니는 것이며, 전자가 주로 생산적인 수입원을 이룬다면 후자는 다분히 소비적인 성향을 띠는 것으로 해석되기도 하는 것이다.

근자, 직업이 세분화되고 생활 규모나 양상이 다양해지고 거기다 사회현상이나 복잡화함에 따라 취미 기호의 진폭도 넓어져 감을 느끼게 된다. 특히 문필(文筆)·서예(書藝)·증화(繪畵)·도예(陶藝) 등 예술분야에 각별히 취미를 가지는 많은 애호가가 속출함은 지극히 바람직한 일이요, 또한 뜻 있고도 값진 일이라고 하지 않을 수 없겠다.

예전에도 시인(詩人) 묵객(墨客)은 반드시 전문가의 영역에만 속하는 것은 아니어서 우리는 선인(先人)들 속에서 비전문적인 많은 명필(名筆) 명화가(名畵家)의 작품을 대할 수 있는 것이요, 심지어 규방(閨房) 부녀자 또는 기녀(妓女)에서까지도 이루어진 훌륭한 시편(詩篇) 명화(名畵)들을 접할 수 있는 것이다.

그러나 예나 지금이나 문학 내지 예술에 있어서 고고한 자아표현의 경역(境域)을 고수하는 작가의 자세에는 변함이 없음을 또한 실감하지 않을 수 없는 것이다. 예술이 이러한 기본자세를 흩뜨리고 매문(賣文) 매화(賣畵) 그리고 매명(賣名)으로까지 옆길로 빗나가게 될 때에는, 벌써 타락의 제일보에 가까워지고 있는 것이라고 해석될 수밖에 없는 일이다. 그런데 근래에 와서, 이러한 취미 기호의 테두리에 속하는 애호가의 글씨니 그림이니 도자기니 하는 전시회에 가보면, 작품발표의 고고하고도 겸양 어린 자세를 벗어나, 매물(賣物)을 위한 자리인양 '매약제(賣約濟)'의 빨간 딱지 붙이기에 여념이 없는 듯한 분위기를 직감하게 되는 것은, 참으로 유감스럽고도 비위에 거슬리는 일이라고 하지 않을 수 없겠다.

그것도 구안지사(具眼之士)는 고사하고 문외한이 보아도 초학자(初學者)의 습작의 경지를 벗어날까 말까, 또는 그에도 이르지 못하는 졸작들을 늘어놓고 그같이 보는 사람을 현혹케 하는 사례는 참으로 어처구니없는 일이라 하겠다.

아무리 물질위주, 금력 만능의 가치관이 전도된 현실이라 할지라도 학문이나 예술의 전당에까지 이러한 고질이 만연되는 것을 그대로 방관할 아량은, 이에 관심이 있는 인사(人士)라면 아무도 가지지 않을 것으로 본다.

특히 어디서 어떻게 나왔는지 모를 초입자(初入者)가 수필 몇 편을 활자화하고 버젓이 그리고 성급하게 문인(文人)행세를 하려고 문학단체의 가입을 서둘러 사람을 찾아 동분서주하는 것은 더욱 가관이라 하지 않을 수 없겠다.

아마추어리즘도 엄연히 예술 본래의 기본자세에 바탕을 두고 있음은 말 할 나위도 없는 일이기에…….

서울신문, 1978. 11. 14.

바다와 여인女人

　자연의 아름다움은 철따라 다르고 여인의 아름다움은 세월 따라 변모해간다.

　그러나 자연의 아름다움도 인간의 배색(配色) 없이는 참다운 아름다움의 실감을 안겨다 주지 못하는 것만 같다.

　인적이 없는 설원(雪原), 심산유곡(深山幽谷)의 외로운 폭포, 해수욕객이 다 떠나버린 바닷가, 이 얼마나 삭막한 느낌을 주는 것인가.

　그러나 국기를 든 등산가를 깃들인 히말라야 산정(山頂), 주황색 류색과 빨간 등산모에 수(繡)놓인 금강산의 만물상, 비치파라솔의 무늬를 이룬 해수욕장, 이러한 자연과 인간과의 조화의 미(美)는 그 천연의 아름다움 속에 인간의 살아가는 이야기가 아롱져 새겨지는 흐뭇한 정경으로 받아지는 것이다.

　이미 작고한 이상백(李相佰) 박사가 언젠가 미국의 나이아가라 폭포를 보고난 솔직한 감회를 이야기하던 일이 문득 생각난다.

　"좋습디까."하고 친구가 묻는 말에, 즉각 "좋으문 무얼해, 야 참 좋다하고 어깨를 툭 칠 사람도 없이 혼자 구경하는 구경이⋯⋯" 하던 말이.

이 이야기는 자연 대 인간의 관계에 있어서 하나의 진리를 암시하는 것만 같아 오래도록 나의 머리에서 사라지지 않는다. 뿐만 아니라, 나는 빼어난 자연의 아름다움에 접할 때마다 문득문득 이 한토막의 이야기를 떠올리곤 하는 것이다.

사실 똑같은 대상의 아름다움도 그것을 감상하는 인간 서로의 분위기에 따라 그 느낌은 갖가지로 달라지는 것이리라.

바닷가란 자연 그대로보다 사람이 있어 좋고 그것도 이성(異性)과 어울려 더욱 좋은 것이다.

섭씨 30여 도의 작열하는 8월의 태양 아래 짙푸른 바닷물의 배경 속에 부조(浮彫)되는 원색(原色) 수영복의 여인 군상(群像), 그것은 자연의 미에 도전하는 인간의 아름다움의 상징, 그렇잖으면 자연과 인간의 아름다움의 조화의 교향악일시 분명하다.

자연의 품은 넓고도 깊어, 그 속에 감싸이는 인간의 원시(原始)로의 동경이나 귀의(歸依)로의 정(情)은, 아무 구김살도, 더러움도, 비속(卑俗)함도 없이 융화되고 용해되어 버린다.

그래서 바다의 여인은 그 차림새에서나 그 마음에서나 가식 없이 적나라할수록 더욱 좋다.

사람의 눈이란 너무 간사한 것일까. 그렇잖으면 동화(同化)의 관성(慣性)이 너무 진한 것일까?

미니스커트가 등장하니 해괴망측하다고 얼굴을 돌리고 비키니 수영복이 나타나니 못 볼 것을 본 것처럼 상을 찡그리고, 핫팬츠가 선을 보이니 어디 될 말이냐고 벼락이라도 떨어지는 듯하더니 이젠 그대로 그럭저럭 시류(時流)의 물결 속에서 어름어름 또는 내심의 쾌재 속에 안주해가고 있는 듯한 것을 보니…….

더욱이 이런 경우, 나체가 어떠니 노출도(露出度)가 어떠니 하고 야단

법석을 치는 것은 당사자인 여성 자신들보다 방관자적 위치에 선 남성쪽이 늘 더 설치려드는 것을 보면 그는 과연 내심에서 우러나는 시속(時俗) 세태(世態)에 대한 진정어린 개탄에서인지, 혹은 윤리나 도덕이라는 인위적인 베일 속에서의 위장적인 일갈인지, 진정 알쏭달쏭한 일이기도 한 것이다.

그러나 인간이 하는 그 무엇이든 시간과 공간의 제약만은 완전히 초탈할 수는 없는 것 같다.

수영복 차림은 역시 바닷가나 '풀'에 한한 것이지 그 자세 그대로 거리의 한복판을 누빌 수는 없는 일이다. 그것은 마치 권투선수가 링을 떠나서 그 차림으로 백주대로를 활보할 수 없을 거고 저 좋은대로 한다고 웨딩드레스를 일상 출입복으로 하여 거리를 나다닐 수 없는 거나 매 한가지의 경우가 아닐지…….

역시 자연의 아름다움은 인간의 배합속에서 더 돋보이고 바닷가는 여인의 원색의 수영복 차림에서 더욱 흐뭇해지는 것이리라.

한국일보, 1972. 7. 2.

독서讀書와 언더라인

독서에 무슨 신출귀몰하는 기술이 있을 리 없다.

괴테도 그의 만년에 자신이 독서하는 방법을 배우기 위하여 80년이라는 세월을 바쳤는데도 아직까지 그것을 잘 배웠다고는 말할 수 없다고 술회하였다고 한다.

그러나 사람에 따라 그 경험의 여택(餘澤) 또는 신고(辛苦)의 결과 이런 방법이 가장 효과적이더라고 하여 각자 자아류(自我流)의 독특한 독서술을 의식 무의식간에 택하고는 있을법한 일이다.

그러기에 소독(素讀)이니 정독(精讀)이니 숙독(熟讀)이니 하는 방법론적인 말들이 있는가 하면 소위 독서의 삼도(三到)라고 하여 심도안도구도(心到眼到口到)라는 어휘들도 전(傳)하여지고 있음을 볼 수 있다.

그러나 이 방법론에 선행될 것은 독서의 대상이 될 양서의 선택에 있다고 본다. 많은 칼로리를 함유한 기름진 음식이 육신의 영양소가 될 수 있다면 훌륭한 책은 그대로 정신의 영양소가 됨은 말할 나위도 없는 일이다. 따라서 읽어서 좋은 책이 있는가 하면 읽으나마나한 책이 있고 한편 읽어서는 백해무익인 와륵의 서(書)도 있는 것이다.

이런 점은 교양서적에서 더욱 초점이 되는 이야기겠지만 전공부문의 전문서적 또한 옥석혼효의 폐를 면치 못하는 때가 적지 않다. 또한 독서는 참조를 위한 목적의식에서 읽는 때와 취미나 심심풀이 대상으로 읽는 때와는 그 이해도나 효용율이 전연 판이함은 너무나 자명한 일이다. 나의 독서 대상은 전공분야에 관계되는 문학이론이나 문학작품이 그 태반을 점하게 됨은 어쩌는 수 없는 일이다.

나는 소독(素讀)보다는 정독(精讀)편에 치우치고 있다. 그것도 연필이나 '펜'을 들지 않으면 착수(着手)하지 못한다. 월간잡지에까지도 유념할 곳에 '언더라인'을 치지 않고는 견디지 못하는 것이 습성화되고 말았다. 경우에 따라서는 난외(欄外)에 요점을 초기(抄記)하고 그리고 끝에는 반드시 독파(讀破)한 날짜를 기록하는 버릇까지 고질화되었다. 그런데 근래는 건망증이 어떻게 심한지 아직 읽지 않은 것으로 생각하여 책을 폈다가 '언더라인'을 발견하고 그제서야 끝머리의 기독(旣讀) 일자(日字)를 확인하고는 부질없는 실소를 흘리기도 하는 것이다.

따라서 나는 타인의 장서(藏書)는 물론 도서관 서책도 특별한 경우 이외는 빌어보는 일이 없다. 자기 마음대로 남의 책에 줄을 그을 수 없기 때문이다. 그러므로 부득이 이런 경우는 중요한 것을 노트에 초(抄)하고 다시 빌어볼 필요가 없게끔 끝장을 내고야 만다.

이러한 결과는 내 장서(藏書)도 좀처럼 남에게 빌려주지 않는 습벽(習癖)으로도 되어간다. 그것은 자신이 줄을 치거나 소감을 적어놓은 것을 남에게 보이고 싶지 않기 때문이기도 하다.

경향신문, 1963. 7. 17.

베스트셀러 · 인기人氣 · 작품作品

　베스트셀러가 반드시 명작이나 걸작인 것은 아니라는 말은 거의 상식화한 이야기다.

　그러나 극단으로 첨예화하고 가속도적인 매스컴의 선풍과 폭력 앞에서 의식 무의식간에 베스트셀러는 인기를 집중시키고 화제를 야기하고 결국에는 독자의 구미를 유혹하고야 말게 되는 것은 거의 막을 수 없는 현실적인 현상이라고 하지 않을 수 없다.

　옛날에도 베스트셀러라는 것이 있었던 것 같다. 낙양의 지가를 올린다는 말이 있었으니…… 그러나 이것은 매스컴의 개재가 없는 순전한 독자의 반응의 총화(總和)에서 온 결과였으리라. 며칠 전 신문(新聞)에 발표된 6월의 베스트셀러를 보면 소설부(小說部) 10개 작품 속에서 제1위를 비롯하여 무려 네 개가 일본소설이 차지하고 있고 그 속에서도 세 작품이 한 작가의 작품임을 발견하게 되었다. 이것은 조금도 놀랄 일도 아니고 기이한 일도 아니다.

　나는 대체로 몇 개 산매(散賣) 서점의 판매 집계에 의하여 산출한다는 이 베스트셀러의 통계 계수를 믿지도 않지만 관심도 별로 가지고 있지 않다. 왜냐하면 한 출판사에서 나온 같은 전집(全集) 시리즈 속에 발간되는 판수(版數)가 명확한 숫자를 제시하고 있는 책임에도 불구하고 개중에는 판수(版數)가 더 나간 것이 한번도 베스트셀러 속에 들어가 본 일이 없는 반면에 그만 못한 것이 베스트셀러 속에 자주 끼이는 일이 있으니 말이다.

또한 창고에 상당한 부수가 묶어있는 책이 버젓이 베스트셀러의 괜찮은 순위를 차지하고 있음을 보아왔기 때문이기도 하다. 한편 이 신문 발표의 베스트셀러의 순위나 계수(系數)가 육상경기의 10초2니 10초3이니 하는 정확한 기록 같은 것이라 할지라도 나는 그렇게 대단하게 여기지 않는다. 6월의 베스트셀러 속의 제1번 제3번 제5번의 우수한 기록을 독차지하고 있는 이 일본작가는 그러면 오늘날의 일본문학에 있어서 그 가치 비중에 가장 대표적인 작가일까. 그러나 즉석에서 '예스'하고 대답할 수만은 없는 현실적인 반증이 있기도 하다. 요는 특수한 예외의 경우를 제외하고는 대체로 일본작품의 번역 출판은 몇 사람의 유행 작가에 국한되어 이 땅에 소개되고 또한 그것이 이른바 베스트셀러의 '붐'을 일으키고 있는 것만 같다. 그렇다면 이 땅의 출판계나 독자층에는 왜 이러한 기현상(奇現象)이 일어나고 있는 것일까. 여기 대하여는 몇 가지로 나누어 생각해볼 수 있을 것 같다. 첫째로 이들 작품은 '재미' 또는 '흥미'가 있기에 읽힌다는 것이다. 물론 '재미'란 예술의 향수(享受) 또는 환기작용의 과정에서 감동을 일으키고 공명공감(共鳴共感)을 주는 데 필요한 하나의 동기가 되는 것이기는 하겠지만 그것이 예술작품이 지니는 필수 요소의 전부는 아닌 것이다.

둘째로 출판업자의 공리적인 사행심을 들 수 있겠다. 남의 번역을 적당히 뜯어 고쳐 유령의 번역명(飜譯名)으로 하룻밤 사이에 해적판(海賊版)을 만들어내어 노점에다 '덤핑'하는 사이비 출판사는 말할 것도 없거니와 버젓이 관록이 붙어 있는 출판사에서 "원작자인세(原作者印稅)를 포기하고 쾌락했다."는 식의 고등구걸(高等求乞)로 국가나 민족의 위신에 대한 아무 예의 염치도 없이 원작자(原作者) 필적의 '사인'에 사진을 곁들여 선량한 독자를 현혹시키는 일들이다.

셋째로 매스컴이 부덕(不德)의 출판업자에 응원이라도 하듯이 광고는 말할 것도 없고 경우에 따라서는 그 비싼 지면(紙面)을 할애까지 하여 베스트셀러에 본의 아닌 박차(拍車)를 가해주고 잠자는 독자를 선동하는 일들이다. 아무렴 민주주의 사회에서는 수요 공급의 비중은 자유경제의 원칙이라고…… 옳은 이야기다. 사는 사람이 있기에 팔았다는 정당한 답변은 언제나 불의(不義)를 엄폐할 수 있는 길을 마련하여 줄 것이다.

그러나 같은 경제법칙에 악화(惡貨)는 양화(良貨)를 구축한다는 이론이 있으니 어찌하랴…… 미미(美味)의 음식이 반드시 영양가가 높으란 법은 없다. 차라리 양약(良藥)은 입에 쓰다고도 하지 않은가……

비행기를 타고 미국 유학을 떠나는 학생이 흥미 중심의 오락 잡지 한 권을 손에 들고 '트랩'을 올라가는 것을 목격한 일이 있다. 슬프기보다 그가 가서 처신할 모습과 돌아올 때에 들고 올 것이 무엇일까 하고 한심스러워졌다. 제발 하나의 작가를 인기배우나 미스코리아로 혼동하지 말고 그 창작물을 오락 흥미의 대상물로만은 생각하여 주지 말았으면 좋겠다. 이미 흥미만에 타성(惰性)이 박힌 저속한 독자의 구미를 하루아침에 고칠 수 없음은 국법(國法)으로도 '바나나'의 밀수입(密輸入)을 방지할 수 없음과 거의 같은 기현상일지도 모른다.

베스트셀러, 인기(人氣) 이런 것에 너무 신경을 쓸 필요는 없을 것 같다. 일본 작품 출판의 범람도 마찬가지다. 시간을 기다리는 수밖에 없다.

거기에는 이 땅 작가들의 영양이 있고 입맛이 좋은 작품창작을 위한 피나는 노력이 지속되어야 할 것이고 월평(月評), 연평(年評)마다 침체하다고만 기분강개(起憤慷慨) 하는 이 땅 평론가들의 작자와 독자 사이에 선 선량한 조정자로서의 역할이 갈구되며 그 다음이라야 장사치인 저급(低級) 출판업자의 마이동풍격(馬耳東風格)인 반성이라도 기다릴 수밖에 없다.

제 나라 평론가와 제 땅의 출판업자가 나무라고 뒷구석으로 밀어놓고 거기에 뜯고 할퀴기만 하는 이 땅의 작품을 대체 어느 관대하고 선량한 독자가 감히 읽고 생심(生心)이라도 낼 것인가…… 내 집에서 밉다고 쫓아 내보낸 자식을 어느 박애의 고아원이 있어 그를 용납해줄 아량을 베풀 것인가. 그러나 아직 해는 저물지 않았다 가가(呵呵)…….

대한일보, 1963. 7. 19.

칼과 붓

간과(干戈), 모순(矛盾) 등 전쟁 용어에서 파생된 숙어는 오늘날까지도 그 어의(語義)를 더욱 넓혀서 평범한 일상용어로 널리 쓰이고 있지만 과학 무기가 극도로 발전한 현대전에서는 벌써 칼이나 창은 석기시대의 유물인양 전연 그 기능을 상실하여 박물관 한구석에서나 진열될 정도의 격세지감이 없지 않게 전쟁의 양상도 급속도로 변모하여 가고 있다.

제2차대전 말기에서 실용된 원자탄조차 벌써 동화 속의 옛 이야기처럼 느껴지고 그 후의 수소탄 거기에 미사일, 인공위성, 결국 종국적인 전쟁은 '단추' 하나로 승부가 날 절박한 현실을 눈앞에 두고 전 인류는 예각적(銳角的)인 각축을 겨누는 양대 사조(思潮)와 대국(大國)의 정치 외교의 거래를 전전긍긍히 주시하는 무대 뒤에서 전고 미증유의 불안에 휩싸여 그래도 먹고 살아야만 하겠노라고 치열한 생존경쟁의 첨단에서 허덕이고 있다.

전쟁!

그것은 모든 인간이 증오하고 염오하는 대상임에 틀림없는 상 싶다.

그러나 인간의 사적(私的)인 생활에서 개인적인 갈등이나 생존경쟁의 각축이 소멸되지 않는 한 그 개체의 집단 사회인 민족이나 국가 간의 전쟁 또한 영원한 평화의 이상을 간직하면서 전적으로 모면하거나 회피하기는 어려우리라.

현실의 가열함이 이런 바에야 막연한 염전론(厭戰論)이나 독존적인 부전론을 우겨 보았대봤자 그것은 플라톤의 '이상국가'나 톨스토이의 인도주의에서나 찾아낼는지 기실 현실적인 실현은 용이하지 않은 것 같기에 휴전 속에서도 전쟁은 진행되고 있고 냉전 속에서도 전쟁의 씨앗은 더 농도를 짙게 하여 배태되어 가는 것만 같다.

그러면 전쟁도 삶을 위한 불가피한 한 생존수단인가!

이렇게 생각이 세분되면 자신을 수습할 길 없이 허황하고 암담해진다.

결국 내가 살기 위해서 너를 죽이고 우리가 살기 위하여 너희들을 죽이고……

그러나 이것은 과정이지 결론이 될 수만은 없는 것 같다.

다 살자고 그리고 굳세게 살자고 한다. '아이고 죽겠다' 이것은 '아이고'의 관용어와 더불어 우리 언어에는 너무나 범상하게 많이 쓰여지는 용어다.

"아이고 좋아죽겠다……"

좋은데 왜 하필 죽어야 하며 또 그것이 죽을 정도로 좋은 감정 표현의 극치라면 왜 하필 복장(服長)의 필수인 '아이고'가 꼭 붙어야 하는 건가?

언어 특히 관용어란 생활의 단면을 솔직 담백하게 표현하는 가식 없는 일면의 구실이 없지 않다.

그러고 보면 이 겨레는 전쟁을 비롯한 모든 삶의 주변에서 죽음이란 것을 거의 떼어놓고 살거나 생각해본 일은 없을 정도로 형극(荊棘)의 역정(歷程)이었던가 하는 억측이 없지 않게 하는 말들인 상 싶다.

사실 다른 면으로 보면 오늘날의 각박한 인간의 삶이란 어떻게 보면 산다는 그 자체가 생존경쟁의 현실적인 전투인지도 모른다.

버스나 합승 차장도 손님에게 악을 쓰고 손님은 손님대로 그 16시간의 과로한 어진 노동자에게 나가는 대로 욕설을 퍼붓고 시장 복판의 장사치는 깡통 확성기로 하루 종일 불격품 내복과 양말을 손에 든 채 많은 사설 속에 가격을 섞어 고함을 치고 증권 시장에서는 어제의 부자가 오늘 무

일푼이 되는가 하면 초가집을 팔아 투기를 한 젊은이가 벽돌집을 사게 되고 이것은 그야말로 탄환(彈丸) 없는 삶의 전투임에 틀림없다.

살기 위한 그리고 정당하게 살기 위한 생존 경쟁에서 전투는 필연적으로 생기고 피차 대전하는 쪽은 그 전투의 정당성과 대의명분에 부심한다.

전쟁 없는 삶 그것은 인간의 영원한 염원임에 틀림없다. 그러나 그 소망은 불행하게도 잠꼬대이기 일쑤이다. 지금 살고 있다는 것이 이미 일대일이 아니면 복수대 복수의 피 흐르지 않는 전투를 하고 있기 때문인가……

몽고와 청국은 중원(中原) 본토를 정복했어도 한문화(漢文化)는 정복하지 못하였고 한민족(漢民族)이 한국이나 일본에 영향을 준 한문화의 뿌리는 한자를 비롯하여 문물제도에 있어 이천년이 되어도 아직 완전히 가셔지지 않는다.

그뿐인가 일본이 이 땅에서 반세기 가까이 침범한 식민지 정책은 그 정치나 경제적 면의 복구도 쉬운 것은 아니지만 일본말을 비롯한 문화면에 남긴 영향은 그 어떤 부분만은 영원히 가셔질 수 없을는지도 모를 일이다.

아마도 칼자리는 아물기 쉽지만 붓자리는 아물기 힘들다는 말이 이를 두고 한 것인지도 모른다.

문(文)과 무(武) 그것은 삶의 양면이요 차라리 전투의 양익(兩翼)이라면 너무나 과장된 표현일까?

무력전과 사상전 어쩌면 이러한 현대전의 치열한 모습은 이것을 다변하는 현실적인 실증이 아닐지……

칼과 붓!

그것은 삶의 무기요, 아울러 죽음의 무기이기도 할 것이다.

육사, 1962. 11.

약혼約婚과 신장身長

C양에게서 갑자기 전화가 걸려 왔다.

"선생님, 바쁘세요?"

"아니."

"꼭 만나서 상의할 말씀이 있는데요!"

침착하고도 명랑한 성격이지만, 이날의 말소리에는 유난히 심각한 인상이 서려 있었다.

"대체, 어떤 이야기기에……"

"만나서 말씀 드리겠어요."

"전화로선 안 되는가."

"네!"

지정된 장소로 나가면서 나는 곰곰 생각하였다. 대체 나를 만나서 꼭 의논해야 하겠다는 일이란 무엇일까, 혹 결혼에 연관되는 사연이라도 아닐까하고 혼자 추측하여 보는 것이었다.

C양은 예전 그가 고등학교 시절에는 잠시 사제 간의 관계에 있었고 대학에서도 역시 그러한 연분으로 내가 친밀감을 느끼는 사람 중의 한 사람이었지만, 일신상의 중대 문제에 대하여는 별로 상의의 대상이 되어 본

적이 없었다.

다만 내가 학교에서 접하여 온 많은 학생들 중에서 이런 사람은 쓸모가 있다고 점을 찍어 놓은 속에 드는 한 사람이기는 하였다.

그는 두뇌가 명석하고 거기에 흔히 수재들이 빠지기 쉬운 인간으로서의 경망한 점이란 조금도 없이, 재질과 인품이 겸비한 재원(才媛)이었다.

체격도 후리후리 크고 용모도 아름답고 집안도 좋아 아무것도 손색이 없는 훌륭한 신붓감이라고 생각하기도 하였다.

C양은 나 먼저 벌써 와 있었다. 그는 생긋 웃으면서도 역시 수줍음 속에 머뭇거리면서 말을 꺼냈다.

그 화제의 내용인즉 내가 몇 가지로 예측한 것 중의 하나인 혼담(婚談)이었다.

그의 이야기를 대충 듣고 난 다음 나는 굳이 농조로 반문했다.

"그래, 은숙이는 그렇게 갖은 조건을 가지면서 여태 사랑하는 사람이 없었어?"

"참말, 없었어요!"

그는 진정 어린 표정을 지으며 대꾸하는 것이었다.

"그럼 사랑을 해 온 사람도 없었단 말인가……"

"네……"

"사실 그렇다면 목석이게……"

"아이, 선생님두……"

그와 나는 소리를 내어 한바탕 웃어 대었다.

"이 경우도 사랑이라면 사랑이랄 수도 있겠지만, 저도 그이가 인상에 좋았다고 그이도 저를 무척 좋아했어요……"

이쯤 되면 사태의 윤곽은 대략 드러난 셈이다.

상대는 의학(醫學)을 전공하여 석사(碩士)코스를 끝마치고 현재 미국 유학중으로 가을에는 돌아온다는 것이다.

"다른 조건은 다 좋은데 한 가지가 걱정돼요!"

"무엇이?"

"키가 작아요……"

나는 그렇게도 진실하던 은숙의 속에서 이런 이야기가 나올까 하고, 의아스러워 실소를 금치 못하면서도 새로운 세대의 관점은 또 다른 점이 있겠거니 하고 돌려 생각하는 것이었다.

"그래, 어느만큼 작은가?"

"저보단 작아요……"

"그럼, 하이힐을 신지 않으면 되지 않아……"

"하지만……"

하기야 남자의 몸집이란 사내답게 웅장하면 우선 세상살이에 한몫 보고 드는 것이다.

그러나 재사형(才士型)이란 또 자그마하고 야무진 속에서 발견되는 예가 우리나라의 경우에 너무도 많으니 어쩌랴.

"그래, 은숙인 집안 살림은 안하고, 밤낮 남편과 아베크만 하고 밖으로 쏘다니며 살 작정인가……"

"그렇지만……"

은숙이는 나를 따라 웃으면서도 역시 가슴 속이 석연하지는 못한 모양이었다.

"애, 결혼이란 조건이 다 맞는 경우란 거의 없고 대충 좋으면 하는 건데…… 키가 작다는 정도는 그 결함 중의 가장 사소한 점밖에 안된다……"

"그럴까요……"

그 말에는 얼마간 의아가 찬 어감이 깃들어 있었다.

"아무튼 그런 관점은 은숙이 답지 않은 생각이야……"

그후 C양은 직장에서 파견되어 일년간 예정으로 미국 유학을 떠났고, 그와 엇바껴 신랑 후보자는 미국에서 돌아와 연구실에 파묻혀 있다고 한다.

일년만에 돌아와야 할 C양이 2년이 가까워도 아직 돌아오지 않고, 그 후보자는 아직도 C양을 기다리고 있는지는 몰라도 여태 약혼은 하지 않고 있다는 것이다.

C양과 나와의 이야기에선 그 혼담을 성립시키려면 C양은 미국으로 가는 것을 그 후보자가 귀국할 때까지 보류하기로 되어 있었는데……

나는 거리에 쌍쌍으로 손을 꼭 서로 부여잡고 가로수 밑으로 스치는 젊은 남녀를 볼 때마다 키란 그렇게 결혼의 필수 대상조건이 될까하고 뇌까리면서 그들의 키를 견주어 보는 것이다.

여상, 1963. 7.

재미있다

'재미있다!'

또는

'재미없다'의 '재미'라는 말은 우리 생활 주변에서 누구나가 의식 무의식으로 너무도 많이 쓰는 말 중의 하나다.

재미라는 말이 순 우리말의 어원(語源)에서 나왔다 라는 사람이 있는가 하면 한자어(漢字語) 자미(滋味)에서 온 것이라고 주장하는 사람들도 많은 것 같다.

아무튼 예전 보통학교 교과서에서는 '자미있다'로 쓰던 것이 지금의 국민학교 교재에서는 '재미있다'로 쓰고, 그와 곁들여 자미(滋味)라는 한자(漢字)는 거의 쓰지 않게끔 되어졌다.

우리말 『큰사전』에서는 자미(滋味)를 풀이하여 첫째로 '자양분(滋養分)이 많고 맛이 좋은 음식'이라 하였고, 둘째의 뜻으로는 '재미'라고 하였다.

그리고 '재미'의 풀이로는 '아기자기하게 즐거운 맛'이라고 적어 놓았다.

이 '재미'라는 말이 가지는 어감(語感)의 뉘앙스처럼 정말 재미있고도 다양한 것은 없으리라.

재미있다, 그것은 영화나 쇼 같은 오락물은 말할 것도 없고, 농구나 축구 등의 운동 경기, 문학이나 미술 등의 예술부문, 심지어는 싸움 같은 구경거리까지도 그거 참 재미있다가 붙기 일쑤다.

할머니의 옛이야기, 어린 아기의 소꿉장난에도 '재미있다'는 예사로 붙는 감정 표현의 하나다. 이때의 재미란 틀림없이 『큰사전』대로의 그야말로 아기자기한 즐거움에 틀림없는 성싶다.

그러나 '재미없다'에 이르면 그렇게 단순하지 않다.

'재미있다'의 정반대인 아기자기한 즐거움이 없다는 감정이 그 첫째 뜻일 것은 말할 나위도 없는 일이지만 "너 정 그러면 재미없다."에 이르면 이때의 재미는 약간의 선뜻한 바람을 건드리지 않을 수 없게 된다.

"그렇게 하면 재미적어."와 함께 아기자기한 즐거움이 적다는 감정의 척도 문제가 아니라 정말 협박이나 공갈의 암시를 느끼지 않을 수 없는 예감을 가지게 됨은 누구나가 흔히 당하는 경우의 일이다.

오래간만에 만난 친구더러,

"요새 재미 어때."

"재미 좋으시다는데."

하게 되면, 이건 참말 본뜻의 재미가 아니라, 되어가는 결과나 과정의 상태를 묻는 재미 아닌 재미의 뜻을 지니게 되어 묻는 쪽이나 받는 쪽이 다 같이 어색하지 않게 화제의 본론에 들어서게 하는 길잡이가 된다.

한편 재미라는 말이 가지는 델리케이트한 의미가 악의 없이 상대자의 심정을 슬그머니 건드리는 경우가 없지 않다.

극히 전문 분야에 속하는 학술논문집을 받은 친구가, 그후에 그것을 보내준 친구를 만나 고맙다는 인사로 하는 말이

"그거 재미있게 읽었습니다."

하는 대화를 듣는 때의 일이다.

그것을 전공하는 전문가 간에도 학술 논문이란 수긍이 가지는 것도 있고 반대거나 또는 무슨 뜻인지 전연 모를 부분도 있는 법인데, 이건 전연

문외한인 친구가 그 책을 받은 호의에 대한 인사치례에서 손쉬운 말로 재미있다고 간단히 건네는 한 마디는 아무래도 입에 발린 허례(虛禮)로밖에 들리지 않아 책 주고도 서운한 감이 없지 않다.

내가 당한 경우는 이것보다 조금 더 복잡한 실례(實例)의 체험 한토막이 있다.

소설집(小說集)이 나왔기에 친구한테 한 권 - 그것도 주고 싶은 많은 사람들 속에서 골라 보내느라고 이쪽에서는 진심으로 선택하여 보내드린 대상인데 이 친구 그 후에 만나 "책 보내주어 감사하다."는 말끝에 대뜸 한다는 말이,

"나는 틈이 없어 읽어 보지 못했지만 마누라가 읽어보고 재미있다고 그럽디다."를 예사로 덧붙이는 것이다.

마누라의 대리권 행사도 이쯤 되면 상당한 것일지도 모른다.

아무튼 나는 문학 작품에서 재미만을 찾는 것을 그리 달게 생각하지 않지만 기껏 찾아 인사로 갚는다는 것이 자기 아내가 재미있다고 하더라는 것은, 수시로 농을 걸 수 있는 친구가 아닌 한, 이만저만한 실례가 아니라고 생각하여 슬그머니 치미는 경멸어린 불쾌를 금할 길 없었다. '재미' 그것은 우리 현실에서 가장 값싼 말 중의 하나로 전락했는지도 모를 일이다.

참말 살 '재미'라고는 한푼 어치도 없는 세상 꼴을 가장 단적으로 표현한 말이 '재미'가 지니는 어두운 일면이 아닐지, '재미나게' 살 수 있는 날을 억지로라도 기다려 보기로 하자.

여상, 1963. 8.

긍정肯定과 부정否定

긍정(肯定)과 부정(否定), 즉 '네', '아니오'. 이 두 개의 어휘는 가장 밀접한 관계에 있으면서, 실은 정 반대의 결과를 가져오게 되는 것이 대부분의 경우에 있어 오고 또한 있을 수 있는 현실적인 용어다.

또한 이 두개의 낱말처럼 우리 생활에서 적어도 인간이 나서 죽을 때까지 가장 절실하고 긴박하게 우리 생활과 관련을 가지는 말도 없으리라.

긍정과 부정, 그것은 양심의 바탕을 바깥으로 나타내는 예민한 척도가 되는 동시에, 판단의 방향을 제 삼자에게 알려주는 기준이 되기도 하는 것이다.

"너 점심 먹었니……"

이런 물음에 대하여 '네' 할 수도 있고 '아니오' 할 수도 있다. 실지 먹고 '네'했으면 아무 거리낌 없이 떳떳하지만, 안 먹고도 불쑥 '네' 하고 대답했다면, 그것이 설령 체면상, 또는 그때의 형편으로 부득이 그랬다손 치더라도 극히 순간적이나마 양심의 가책을 받지 않을 수 없음은 누구나 할 것 없이 평소에 너무도 많이 겪어 오는 일들이다.

"너 이 사람을 죽였지……"

이때의 대답으로 '네'와 '아니오'의 사이에는, 살인범을 시인하는가 아닌가의 중대한 판가름이 되기도 하지만, 대답 하나로 자기 생명의 존망이 좌우되기도 한다.

우리는 가끔 신문지상을 통하여 진범(眞犯)임에도 불구하고, 끝까지 부정하기에 객관적인 증거만으로 겨우 사건이 처리되고, 실지의 범인이 아닌 데도 불구하고 억지로 긍정하여 몇해 동안 복역하다가 다시 재심(再審)을 호소하여 판정의 오류를 시정해 줄 것을 요청하는 보도에 접하게 된다.

비단 이 뿐이랴.

실지의 범인이면서 증거의 박약을 방패로 끝까지 부정하여 형(刑)의 적용을 면하는 경우는 전연 없을까보냐.

이러한 겨우, 양심의 가책을 별개로 한다면 긍정이나 부정의 탓으로 나타나는 현실적 조건은 너무도 판이한 결과를 가져오게 되는 것이다.

학설(學說)이나 주의 주장의 긍정이나 부정의 결과는 대체 어떻게 되는 것인가. 희랍의 유명한 철학자 소크라테스는 자기의 학설이 당시의 위정자에게 사교(邪敎)로 취급되어, 법정에서 사형선고를 받고, 거기에 개심(改心)을 촉구하는 삼십일 간의 유예를 주었음에도 불구하고 끝까지 '영혼 불멸'의 자기 학설을 부정하지 않고 고요히 약사발을 받아 넘기고 순사(殉死)하지 않았던가.

이탈리아의 천문학자요, 물리학자인 갈릴레오 또한 코페르니쿠스의 지동설을 과학적인 실증에 의하여 긍정하고 천동설을 부정하여, 끝내 법왕(法王)의 박해로 감금되면서도, 자기의 뜻은 굽히지 않고 "그래도 지구는 도는 걸……" 하였다는 것은 삼백여 년이 지난 오늘날까지도 너무나 유명한 일화로 남아있다.

우리의 평상 생활에 있어서, 자기 의사의 판단 결과는 이루어져 대외적으로 표명되는 긍정과 부정처럼 어려운 것은 없다.

아니 인간이 살아가는 태도나 방식이란 늘 이 긍정과 부정 어느 하나의 결과에 의하여 한 단계씩 전진하고 또는 후퇴하는 것인지도 모를 일이다.

자기의 본의 아니게 또는 억지로 '네'나 '아니오'를 대답해 놓고 마음에 걸려서 오래도록 후회하는 일은 얼마나 많으며, 그 당장에서는 좀 난처했지만 자기의 의사나 주장대로 긍정, 또는 부정을 명확히 내놓고 통쾌하고도 맑은 심정으로 돌아오는 때는 또한 얼마나 많았던 것인가……

저 우리 역사상에도 볼 수 있는, 고려 말엽의 송도(松都) 두문동(杜門洞)에서 이성계(李成桂)의 부름을 거절하고 불에 타죽은 칠십이 명의 선비, 역시 태조(太祖)의 타협을 거부하고 선죽교(善竹橋)에서 피를 흘린 정몽주(鄭夢周), 이조 초기의 사육신(死六臣) 이들은 보는 눈에 따라서는 극도의 보수파로도 해석되겠지만, 아무튼 '예스', '노'의 긍정과 부정의 태도가 명확한 역사적 인물들이라 하겠다.

집권자가 무어라고 하면 덮어 놓고 '옳소'를 부르는 속칭 '옳소 의원(議員)'이나 오늘은 이 정당, 내일은 이 정파로 매춘부 같이 유동하는 요새의 정객(政客)에게서는 이 긍정과 부정의 정확한 계선을 발견 못함이 자못 서운하고도 쓸쓸하다.

도대체 그들에게 나라의 존망이나 민족의 생명을 맡기겠다니……

'네', '아니오'……, 긍정과 부정은 연령과 더불어 흐려져 가는 것일까……

역시 곱게 늙기란 어려운 일인가보다……

'아니오' 하고, 한번 강경히 부정해 본다.

여상, 1963. 9.

사진寫眞

처음에는 신기한 마술이라고 세인을 놀라게 했던 사진술(寫眞術)이 발생된 것은 1839년 프랑스의 '다게르(Daguerre)'에 의해서이니, 벌써 1세기 이상 예전의 일에 속한다.

그러한 과학적 산물이 개화의 물결에 실려 우리나라에 들어온 것은 내우외환(內憂外患)의 복잡다단하던 19세기 말엽. 그러니 이 땅에서도 어느덧 70여 년의 세월이 흘러간 셈이다.

좀처럼 솜씨 있게 그려진 초상화가 아니고는 자기 모습을 재현할 아무 방도도 가지지 못했던 그때 사람들에게 요술 같은 사진의 출현은 참말 경이의 대상이 되지 않을 수 없었을 것이다.

요새 사람은 '스냅' 사진 한 장쯤은 연필 한 자루나 노트 한 권보다도 대수롭지 않게 여길만큼 사진의 값어치는 전락하여 일상생활의 예사로운 물건의 하나로 정착되고만 감이 없지 않은 것 같다.

사실 이즈음은 농산어촌이나 산간벽지에 이르기까지 직업 사진사가 없는 곳이 거의 없고, 해수욕장이나 유원지에 나가면 카메라를 메지 않은 사람이 거의 없을 정도로 '아마추어' 사진사가 득실거리고 있음을 볼 수 있다.

특히 졸업식이나 운동경기같은 행사 때에는 신문 보도반보다 아마추어 카메라맨이 밀려들어 행사 자체를 무질서하게 만들 정도로 카메라의 사태는 시간과 장소를 가리지 않고 범람하고 있는 성싶다.

처음의 은판(銀板) 사진에서 지제(紙製) 음판(陰板)을 거쳐 습판(濕板), 다시 건판(乾板)에서 감광성(感光性) 필름에 이르기까지 사진술의 발달에 따라, 이제는 토끼와 계수나무의 신비로운 전설마저 동심(童心)에서 앗아가는 달세계의 사진까지 찍어오게 되니 과학의 예리한 촉수 앞에서 자연의 신비는 무색하기 짝 없게 된 것만 같다.

그 사이 단정한 몸맵시에 긴장을 띤 의도적인 사진에서, 저도 모르게 자연적으로 찍어지는 사진으로, 인화지(印畵紙)에 나타나는 사람의 모습도, 사진 촬영에 임하는 그 자세에서 갖가지로 변모해 왔음을 느끼게 된다.

어쩌면 순진한 시절일수록 사진 찍기를 좋아하고 연륜(年輪)이 쌓아질수록 사진과는 거리가 멀어져 가는 것인지도 모른다. 사진기 앞에서의 '제스처' 그것이 직업적이든 아니든 간에, 그것은 그만큼 세상의 물결에 씻기고 삶의 때가 묻어진 증좌라고 해석될 수 있는 일면의 의의(意義)도 그 속에 담겨 있는 것 같다. 그러기에 사진은 혼담(婚談)이나 취직(就職)에 많은 중개 역할을 하는 것이다.

그러나 한편 사진처럼 부정확한 것은 없을 때도 간혹 있는 것 같다. 실물의 인상은 좋은데, 사진은 잘되지 않아 손해를 보는 사람이 있는가 하면 신통치 않은 인물이 사진에는 잘 나타나 덕보는 때가 또한 없지 않으니 말이다. 미국(美國)에 가 있는 유학생이 고국(故國)에 있는 상대와 사진으로 선을 보고 피차 합의되어 성혼(成婚)을 하고 보니 신부가 살짝 곰보더라는 이야기는 웃어만은 넘길 수 없는 사진의 마술에 걸린 결과이리라.

사실 요즘 소녀들은 사진을 찍으면 자기 얼굴과 똑같게 나온 사진엔 불만이고 진짜와는 좀 거리가 멀더라도, 그보다 잘생기고 멋지게 된 사진이라야 잘되었다고 기뻐하는 것이 대부분의 경우이기도 한 것 같아, 여학교 졸업앨범 같은 것을 보면 빠진 얼굴이 별로 없이 모두들 천하일색에 호인상이니 인상(人像) 사진의 수정술이란 또한 경탄할 만도 한 일이다.

이렇게 사진 찍기를 좋아하는 사람이 있는가 하면, 그 반면에 사진을 찍지 않는 사람들의 이야기가 있다.

어린 시절에 들은 이야기지만, 그때 일제 식민지하에서 독립운동을 하는 지사(志士)들은 절대로 사진을 찍지 않는다는 것이다. 왜 그러느냐고 어린 마음에 호기심에 차 물었더니, 수단 방법을 가리지 않는 간악한 일본 경찰의 수사망을 피하려면, 사진이나 일기 같은 필적(筆跡), 말하자면 수사에 단서가 되거나 도움이 되는 흔적은 하나도 남기지 않는다는 것이었다. 그 후에 그런 분들이 어쩌다가 끼인 사진을 발견한 때가 있었으나, 그 경우 대개 그런 지사(志士)들은 얼굴을 돌리거나 숙여서 정면의 인상이 뚜렷이 나타나지 않음을 본 기억이 있어, 지금도 모임 같은 것이 있어 여럿이 기념 촬영을 할 경우에는 그 일이 문득 생각나는 때가 없지 않다.

꼭 허무적인 관점에서만 아니라, 사람들은 흔히 "인생(人生)은 공수래 공수거(空手來空手去)"라고들 하는가 하면, 한편 속된 비유로 "호랑이는 죽어서 가죽을 남기고 사람은 죽어서 이름을 남긴다."고도 한다.

한평생 나서 죽는 사이에 쓸모 있는 업적으로 이름이 후세에 남을 수 있다면, 그에 대조적으로 육신의 흔적으로 남는 것은 어쩌면 사진일지도 모를 일이다.

사진은 가끔 나에게 착각을 안겨다 준다. 20대에 요절한 대학 동창의 사진을 보고 있으면 나만 늙어가고 그는 젊은 그대로 아직도 어디엔가 살아 있겠거니 하고 그 시절의 그와의 일을 회상하다가는 그도 살았으면 인제 50을 눈앞에 둔 나이, 하고 제정신으로 돌아오곤 한다. 이와 비슷한 이야기는 어느 책에선가도 본 기억이 있다.

사랑하는 20대의 젊은 애인끼리 알프스를 등반했는데 여인이 얼음판 위에서 실족하여 빙하의 균열 속에 떨어져 구할 길이 없었다. 그 후 수십

년 세월이 흐른 뒤 백발이 성성한 노인이 그립고 안타까운 옛 추억을 더듬어 다시「알프스」에 올랐을 때 그 유동하는 빙하는 사람이 통할 수 있을 정도로 균열이 벌어져 노인은 애인의 시체에 접근할 수 있었다. 몇십 년 언대로 녹지 않은 빙하 속의 시체는 20대의 여인 그대로인데, 자신은 죽음이 멀지 않은 인생의 황혼에 접하게 변한 데 대해 미련과 회한과 허무에 사로잡혔다는 이야기다.

이것은 물론 하나의 우화에 지나지 않는 이야기겠지만, 지난날 사라진 친구의 사진을 볼 때마다 느껴지는 심정이기도 하다.

하기야 누구든 삼일운동에 순국한 유관순(柳寬順) 양을 태극기를 든 사진 그대로 17세의 소녀로 생각하지, 예순 몇이 되는 노파로 굳이 그 나이까지 환산하여 그 모습을 더듬으려고는 하지 않겠으니까……

어쩌다가 문득 지난날의 사진을 뒤져본다는 것은 심심치 않은 일에 속한다. 그런 경우, 그 지난날의 거리는 멀면 멀수록 호기심이나 흥미를 더해 주는 것이다.

38선으로 고향길이 막힌 나는 8·15 이전의 사진이란 한 장도 가지고 있는 것이 없어 사진에 의한 아주 예전의 추억으로 돌아갈 길이 없다.

그러나 해방 후도 벌써 23년. 중학교 시절엔 그렇게 사진 찍기를 좋아했지만, 자기가 카메라를 가진 뒤로부터는 자기 자신을 찍는 것은 흥에 없어 남의 모습을 찍는 데만 기울어지지만, 그 열도 이제는 식어만 간다.

그 사이 등산과 여행을 즐기는 탓에 쌓인 사진도 적지 않으나 20여 년간 이제껏 앨범에 사진을 붙여 본 일이 없다. 그 사진들은 그대로 봉투 속에 처박혀져 있다. 사진을 앨범에 붙일 한가한 시간이나 그것을 남을 시켜 붙이게 할 마음의 여유도 가지지 못한 쫓기듯이 사는 삶의 탓도 있지만, 언제 난리가 나도 무거운 앨범보다 사진 봉투를 들고 달아날 수 있다는 시답잖은 잠재의식이 작용했는지도 모를 일이다. 간혹 출판사의 요구로 지나간 사진을 찾느라고 그 봉투를 뒤지면 그 사이 변모해온 자신의 모습에 더불어 6·25 사변에 행방불명이 된 동창 및 이미 세상을 떠난 친구의 사진에 접하면 착잡한 회상 속에서 새삼 세월의 흐름을 느끼게 되는 것이다.

결혼사진 한 장만이라도 가지고 왔으면 하고 아내는 가끔 아쉬운 심정을 토로하기도 한다.

"다 내버리고 왔는데, 그까짓 것은 뭐……"

하고 나는 대수롭지 않게 대꾸하지만, 내년이면 은혼식(銀婚式) 그 때 한 장 찍지 하고 속으로 중얼거린다.

그러나 그보다는 내가 난 고향을 다시 찾아 그 옛집에서 그리던 사람 모두 모여 얼싸안고 눈물 젖어 환성을 올리며 사진을 찍을 그런 날은 언제 올는지…….

월간중앙, 1968. 10.

맥주麥酒

　술 마시는 일 따위를 가지고 굳이 '명필(名筆)은 불택필(不擇筆)'이란 선비의 고사(故事)에 비길 바는 아니로되, 흔히들 주객(酒客)은 술을 가리지 않는다고 한다. 그러나 나의 경우, 호주가(豪酒家)나 애주가(愛酒家)로서 감히 이름 지어 주객(酒客)의 서열에 끼일만한 주력(酒歷)을 지닌 것도 아니건만, 세월의 탓인지, 이 근자 차츰 술의 호불호(好不好)를 짐짓 따지려 드는 습벽(習僻)이 굳어져가는 것만 같은 감을 느끼게 된다.

　두주불사(斗酒不辭)랄 수는 없지만, 그래도 예전에는 탁주(濁酒)로선 좀처럼 취하지 않았고, 정종(正宗)으로선 한 되 이상, 소주(燒酒)로도 반되가량 먹어야 술 먹은 기분이 좀 나는 듯한 시절도 있기는 했었다.

　환도(還都) 직후 명천옥(明泉屋)을 무대로 한 문인(文人)들의 주회(酒會) 시절만 해도 막걸리 몇 되쯤엔 꺼덕 없었고, 월례(月例)로 있는 「주막(酒幕)」동인(同人) 합평회(合評會)에서도 정종이면 일인당 한 되, 양주면 반병 차례의 술 마련은 해야 모임이 모임다워졌었다.

　그러나 이제는 유독성(有毒性)이니 가짜니 하여 술 자체도 믿을 수 없어 마음놓고 마실 수 없게 되었지만 주량도 형편없이 퇴화되고 만 것 같다.

　거기다 술의 분위기도 점차 고약해져서 잘 아는 친구끼리 만나면 몰라도, 어쩌다 낯선 얼굴이나 끼게 되면 신경이 쓰이기도 하지만, 취중진담이 아니라 언쟁(言爭)이 나기 일쑤고, 주석(酒席)이라 젊은 친구 동격(同格)으로 상대해놓으면 자칫 동배(同輩) 기분으로 괄시받기 예사이니, 술먹는 일도 이것저것 따지려들면 점점 어려워진 것만 같다.

술을 취(醉)하기 위해 마시는 것이 아니라 기분으로 마신다는 사람도 있지만 역시 술은 밥이나 떡국이 아니고 술인 이상, 취기가 돌아야만 먹는 값어치가 생기고 흥취가 나는 법이다. 하루저녁내 퍼먹어도 더욱 정신이 말똥말똥 해오는 맹숭맹숭한 물탄 막걸리는 차라리 안 먹기만 못한 때가 적지 않다.

그러기에 술의 취기에 대한 정의(定義)는 다음 한마디로 요약될 만도한 일이다.

"술이 취하는 정도는 술의 질량에 정비례하고, 안주와 시간과 분위기에 반비례한다고."

이러한 이야기는 어쩌면 맛좋은 술을, 그것도 제대로 차린 술상 앞에 마음 맞는 친구와 더불어 앉아, 탄력있는 미인(美人)의 무릎을 쳐가며 주거니 받거니 밤새도록 잔을 기울이면, 술맛도 제 맛이 나려니와 분위기도 제대로 어울릴 것이 아닌가 하는 주석(註釋)이 따를만한 이야기인지도 모를 일이다.

또한 아무리 취하기 위한 술이라 할지라도, 역시 안주는 술맛을 살리게 곁들어야만 하는 것 같다. 막걸리에는 빈대떡이나 해장국, 소주에는 돼지고기 두부찌개에 편육, 배갈에는 기름진 중국요리, 정종에는 산뜻한 생선회나 튀김, 맥주에는 어포나 육포 등 마른안주, 그리고 양주에는 치즈나 오뜨볼이 제격이라던가……. 하지만, 우리네 살림살이 언제 격을 따지고 구색을 맞추고 할 겨를이 있을까보냐 싶어, 즐거운 술자리보다 자학(自虐)에 가까운 폭음(暴飮)이 예사인 판국이니, 기뻐서 술, 슬퍼서 술, 기분 좋아 술, 기분 나빠 술, 할 일 없어 술, 과로에 지쳐 술, 심심해서 술, 바빠서 술, 결국 의미 있이 술, 의미 없이 술 하고 술타령이 되는대로 되풀이될 수밖에 없는 성싶다.

이름 모를 상표의 낯선 술은 말할 것도 없거니와, 금배(金盃)니 은배(銀盃)니 대왕표(大王票)니 수복표(壽福票)니 하는 귀에 익고 입에 절은 술에도 이제는 순곡주(純穀酒)가 없다고들 하고, 그래도 이 땅에서 아직 믿을 만한 술은 맥주밖에 없다기에, 이 근자 맥주당(麥酒黨)은 부쩍 늘어 가는 것만 같다.

등산이나 운동으로 땀을 흠뻑 흘리고 거기다 목욕까지 하고난 뒤에 마시는 맥주의 첫잔 맛은, 정말 날아갈 듯한 시원함을 안겨다준다. 그러나 그것보다도, 오래 붙잡고 승강이를 하던 작품을 탈고하고 난 뒤에 마시는 맥주맛은, 참말 그 무엇에도 비길 수 없는 유아독존(唯我獨尊)무아경(無我境)의 쾌감을 선물해주는 것이다. 하지만 마음에 내키지도 않고 그렇다고 신통치도 않은 잡문 몇 장을 청탁에 못 이겨 써놓고, 그 고역의 뒷맛을 씻으려고 맥주홀을 찾노라면, 어쭙잖은 고료(稿料)에 배보다 배꼽이 더 커지기 일쑤여서 이러한 풍토에선 본전도 안되는 쥐꼬리만한 원고료 대상으로는 아예 글을 쓰지 않기로 마음먹은 적도 한두 번이 아니건만, 그것도 김빠진 맥주처럼 뒷맛이 씁쓸 미지근한 대로 그 타성은 그대로 흘러만 가고 있으니 그도 진정 답답고야.

맥주에 엇갈린 주석(酒席)에서의 흘러간 사연도 갖가지이지만, 아직도 아스라하게 망막에 번져오는 짜릿한 추억은 삼십여 년 전 압록강 뗏목 위에서의 여름날 저물녘 일이다. 길혜록(吉惠綠)의 원시림(原始林) 지대를 누비고 가는 차창(車窓)에 기대어, 맥주 향료로 빠져서는 안된다는 '호프'가 수십척의 장대에 넝쿨져 올라, 노랑꽃 벌판을 끝없이 펼치는 농장을, 맥주가 풍겨주는 미각(味覺)의 향수(鄕愁) 속에 지나, 종점 혜산진(惠山鎭)에 닿은 다음, 다시 자동차로 강변도로를 따라, 건너편 만주벌판의 고원

(高原)지대를 바라보며 꼬불꼬불 천심단애(千尋斷崖)의 계곡을 훑어 내려가면 신갈파(新乫坡)에 닿는다.

거기서 여장(旅裝)을 풀고, 백두(白頭)의 심산유곡(深山幽谷)에서 흘러내린 압록강의 맑고 푸른 물에 홍진(紅塵)을 씻고, 신의주(新義州)로 흘러내려갈 뗏목 위에서 강물에 발을 담근 채 목젖이 저리게 찬 맥주잔을 기울이던 맛은, 술집에 처음 나와 아직 수줍음을 이기지 못하던 압강(鴨江) 소녀의 인상과 더불어 오래도록 잊혀지지 않는다.

술만큼 이타적인 것은 없다고들 한다. 그래서 술인심(人心)이 좋다는 것인가 보다. 남은 담배 한 대는 자기가 피고 싶어도, 마지막 술 한 잔은 기어코 남에게 권하고 싶어하니 그도 그럴만한 일이다.

담배는 이기적이고, 술은 이타적이라고나 할까. 아니 술 이외의 모든 것은 이기적이고, 술만이 이타적일지도 모를 일이다. 그래서 술이 인간 대 인간의 사교의 매개체 구실을 하는지도 모른다.

그러나 그 술도 이젠 엄청나게 주량이 줄어졌다. 술 먹던 사람이 술을 못 먹게 됐거나 주량이 줄어졌다는 것은 확실히 슬픈 일에 속하리라. 그 것은 분명 금력(金力), 체력, 시간, 그 어느 것 중의 하나가 부실해져가는 징조임에 틀림없으니까……

살롱이니 홀이니 빌라니 센터니 하여 맥주집도 갖가지 이름으로 시청각(視聽覺)을 현혹케만 해가고, 차차 술값보다 '팁'이란 명목이 더 비싸게 치이는 이상한 풍조가 감돌게 됨에 따라, 선불리 맥주집에 앉기도 어려워진 것만 같다. 거기다 독점생산기업이면서, 맥주마저 가짜가 나온다니…….

그러나 오늘도 또 시덥지 않은 글 '맥주타령'을 끄적거려 놓았으니, 그 알찬 고료(稿料)를 미끼로 하여 어디 나가 얼음에 잘 채워져 숭늉 같지 않고, 그리고 가짜가 안 들어간 진짜 맥주 한 잔 시원스레 들이켜나 볼거나!

현대문학, 1969. 12.

책 읽는 바보

　문명(文明)한 나라의 현대인으로서 일생에 단 한권의 책도 접해보지 못했다는 사람은 아마도 거의 없을 것이다.

　우리의 경우도 국민학교 과정이 의무교육으로 되어있는 만큼, 해방 후 연대로는 비록 교과서일망정 책 한 페이지도 뒤적여 본 일이 없다는 사람은 드물 것이다.

　말을 표기하는 문자가 만들어지기 이전까지는 인간의 문화 유산은 말에서 말로, 그리고 그 지혜의 소산인 물질로써 전승되어 왔으리라.

　그러나 문자가 창제(創製)된 이후에는 수천년에 걸쳐 인간이 생각하며 살아온 역사의 과정이 기록으로 누적되어, 선인(先人)들의 슬기로운 삶이 후인(後人)들에게 많은 것을 가르쳐 줌을 우리는 나날의 생활에서 절감(切感)하고 있는 것이다.

　그러고 보면 오늘날의 우리들에게 남겨진 가장 값진 문화유산은 어떠한 물질보다도 책을 능가하는 것은 없으리라는 해석도 가능하게 되는 것이다.

　20세기 후반기에 접어들어, 인간이 월세계(月世界)를 활보하게까지 된 과학의 원리도 책을 통하여 사람과 사람 사이에 교류되고, 의식주를 비롯하여 고도로 발전된 인간의 생활양식도 대체로 책을 매개로 전달되고, 인간의 삶의 바탕을 이루는 윤리나 도덕의 규범, 종교의 경전(經典), 그밖에 정치, 경제, 사회, 문화의 모든 이론과 학술적 업적은 책속에 담겨졌고 특히 예술의 한 분야인 문학작품은 책 이외의 다른 전달 방법을 거의 찾을 수 없을 만큼 문학과 책의 관계는 불가분의 상관관계에 놓여있는 것이다. 따라서 책 없이는 지난날의 인간의 예지(叡智)도 오늘날 현재의 먼 거리에 떨어져 있는 인간의 삶도 알 길이 없다는 귀결로 돌아가게 되는 것이다.

그러나 한편 한우충동(汗牛充棟)하는 오거서(五車書)가 있단들 그것을 읽지 않고 쌓아만 둔다면 무슨 소용이 있으랴. 책을 읽어 그 속에 담겨있는 진리를 깨닫고 알아야 한다. 누만(累萬)의 장서(藏書)도 좋지만, 그것을 읽어야 하는 독서의 불가결한 소이연(所以然)이 바로 여기에 있는 것이다.

공자(孔子)같은 성인도 위편삼절(韋編三絶)이라는 말을 남겼다. 삼경(三經)의 하나인 주역(周易)을 수백독(數百讀) 수천독(數千讀)하는 사이에, 책을 묶은 가죽끈이 세 번이나 끊어졌다는 이야기다. 하물며 범인(凡人)의 경우에 있어서랴. 어찌 책 한권도 읽지 않고 인간의 삶에 대한 참되고 착하고 아름다운 값어치를 터득할 수 있을까보냐.

하기야 식자우환(識字憂患)이라는 말도 없지 않다. 이것은 쥐꼬리만한 섣부른 지식은 오히려 걱정거리가 된다는 뜻일 것이다. 알려면 철저히 알아야지, 수박 겉핥기의 얄팍한 지식은 오히려 모르기만 못하다는 좀 과장된 역설이기도 한 것이다. 그것은 선무당이 사람을 잡는다는 속담과도 통할 수 있는 경고의 의의를 지니고 있는 것이다.

우리주변은 책에 대하여 너무도 무관심한 것 같다. 그 1차적인 책임은 황금만능 물질위주의 사회풍조에 있을지 모른다. 부정(不正)을 저질러도 돈만 벌면 되고, 또 돈만 있으면 안되는 일이 없어, 수단방법을 가리지 않고 돈을 쥐어야하겠다는, 그리고 그것은 분에 없는 호사한 소비생활로 직결되는 착각된 가치관의 전도(顚倒)에 기인되는 것이다.

그러한 결과는 지식이 멸시되고 지혜가 천대받기 일쑤이고, 지성이 적대시되는 비정통성(非正統性)으로 경화(硬化)되어 가고 있는 것이다. 심지어는 안다는 것이, 배웠다는 것이 죄악시되어 자학과 위축된 삶 속에서 가냘픈 자존(自尊)과 꺼져가려는 양심의 반딧불에 기대어 쪼들리는 생활에 질타(叱咤)되고 있는 것이다.

이러한 풍토에선 양서(良書)는 팔리지도 않거니와 읽히지도 않는 것이다.

그러기에 쓸모 있는 책을 희생적으로 내는 몇몇 출판사를 제외하고는 장정(裝幀)으로 외양만 호화롭게 꾸미는 전집류(全集類)가 아니면, 해적판으로 인세(印稅)하나 물지 않고 일확천금하려는 비양심적인 출판이 범람 횡행하고 있는 것이다.

한편 독자층도 품들여 읽는 책은 아예 손댈 엄두도 못 내고 값싼 오락잡지로 독서의 허세를 부리는 측이 적지 않게 늘어나고 있는 것이다.

극단의 경우를 보면 책을 가장 많이 읽어야할 대학생이 참고서적은 말할 것도 없고 교과서 하나 사지 않고 한 학기를 다 보내는 뻔뻔스러운 사이비학생도 없지 않으니 한심스럽기 짝이 없는 일이다.

시내 어느 대학을 막론하고 대학가에 책방이 줄을 지어 있는 것을 발견한 곳이 있는가. 기껏 구내서점 하나 뿐이요, 그것도 교재내지 그에 준하는 책으로 서가(書架)를 메울 정도이다. 거기에 비하면 남자대학 앞에는 막걸리집이나 음식점, 여자대학 앞에는 으레 양장점이나 케이크집이 문전성시(門前成市)를 이루고 있으니 이것만으로도 이들과 책과의 연분은 가히 짐작하고도 남을 일들이다.

참말 고지식한 '바보'만이 책을 읽어야 할 것인가, 그리고 읽어서 안다는 것이 죄책(罪責)이 되어, 비정상적인 치부(致富)로 활개 치는 자가용족(自家用族)에게 멸시를 받으며 옹졸하게 허덕여야만 옳은 것인가. "그래도 지구는 도는 걸."하고 갈릴레오 갈릴레이가 중얼거렸듯이 그래도 아는 것이 자랑이 될 때에야 이 나라 이 겨레의 앞에도 진정한 근대화가 이루어지고 미래의 서광이 비칠지니, 말도 살찐다는 독서의 계절에 책의 첫 페이지라도 넘겨봄직한 일이다.

한국일보, 1973. 9. 16.

대독代讀

우리는 우리 주변의 일상생활에서 어떤 사람이 해야만 할 일을 다른 사람이 대신해서 해 주는 경우를 적지 않게 접하게 된다.

이 경우 객관적으로 보아 그렇게 대신해 주는 것이 좋은 일이라고 해석되고, 또한 그 동기나 과정이나 결과로 미루어 아무 사심 없는 선의의 발로에서 이루어진 일이라고 한다면, 가히 미덕(美德)으로 일컬어 칭송의 대상이 됨직도 한 것이다.

자질구레한 일상사에 남의 품이나 일손을 비는 것은 우리네 살림살이에 항다반(恒茶飯) 있는 일이지만 어머니가 자식의 위기를 모면하기 위해 대신 죽음을 감수한다거나, 어버이를 대신해서 자식이 볼모를 자진하여 사지(死地)로 들어간다든가 하는 결단은 숭고하고도 비장한 일에 속한다고 하겠다.

그러나 어떤 계교(計巧)에서 자행하는 경우는 말할 것도 없거니와, 아무리 선의에서 취해진 일이라 할지라도, 불법 부도덕 내지 불륜에 연관되는 대리 행위는 일반에게 용납되지 못할 뿐더러 사회의 지탄을 면치 못하게 되는 것이다. 대리 시험, 대리 징용(徵用), 대리 복역(服役), 대리 입대(入隊), 하수인의 대리 살해 등은 아무리 그 정당성을 입론(立論)해도 받아들여질 수는 없는 것이다.

그런데 근자에는 또 이상한 현상이 나타나, 그것이 전염성을 띤 것같이 삽시간에 퍼져감을 느끼게 하는 일이 있다. 그것은 졸업식이나 시상식 그 밖의 의식에서 졸업장이나 상장 그리고 임명장의 수여 절차에 일대 변혁이 일어나고 있는 일이다.

졸업식장에서 총장이나 학교장이 졸업증서나 상장을 졸업생에게 수여할 때, 스스로 그 문면을 읽지 않고, 사회자에게 대리 낭독을 시키는 것을 적지 않게 보게 된다.

졸업증서를 수여하는 당사자가 그 자리에 있으면서, 꿀 먹은 벙어리처럼 아무 말도 하지 않고, 허수아비처럼 서 있는 모양은 보기에도 거북하지만, 졸업장을 받는 학생의 허전하고도 미흡한 심정은 또 무엇으로 채워줄 것인가……

시상식의 경우도 마찬가지이다. 상을 주는 사람은 목석처럼 상장을 들고만 있고, 어디에서 나는 소리인지 모를 상 주는 사람의 모습과는 어울리지도 않는 낭랑한 목청만 들려오니 어색하기 짝이 없게 느껴질 뿐이다.

말할 것도 없이 졸업장이나 상장을 받는 사람, 그리고 임명장을 받는 사람은, 그 주는 사람의 문면을 읽는 직접적인 육성에서 실감을 느끼고, 감동과 감사하는 마음이 우러나게 되는 것이다.

졸업장이나 상장 수여의 대독 형식이 언제 어디서 들어와 어떻게 유행된 것인지는 몰라도, 타기할 만한 폐풍의 하나라고 하지 않을 수 없으며, 특히 삼십대의 새파란 수상자(授賞者)가 머리가 희끗희끗한 연장자에게 상을 주며 거기에다 자기보다 나이 많은 사회자에게 대독시키고 있는 장면을 목도(目睹)하고 있노라면 등골이 오싹해지고, 얼굴이 화끈해지는 메스꺼움을 금할 수 없는 것이다.

차라리 노구(老軀)를 이끌고 겨우 나온 수여(授與) 당사자가 스스로 몸을 가누지 못해, 부득이 대독시킬 수밖에 없는 경우라면 몰라도……

왜들 이렇게 모두들 너무 쉽게만 살아가려고 약삭빨라지는지, 허세의 권위를 부리는 건지, 참말 알 수 없는 일이다.

수필문학, 1976. 8.

멋과 아름다움

아름다움이란 '미(美)의 세계(世界)'요, 그것이 조화 균제를 이룬 극치의 경지를 우리는 멋이라고 한다. 그리하여 우리말에는 멋이 있다, 멋지다, 멋드러지다 등 갖가지 감각적인 표현이 있는 것이다.

아름다움은 크게 자연과 인공의 둘로 나눠질 수 있다. 산수(山水) 화조(花鳥) 등 조물주의 섭리로 이루어진 생물 및 무생물은 전자에 속하는 것이요, 창작된 예술품이나 조경, 장식 등 인간의 창의로 이루어진 것은 후자에 속하는 것이다.

자연의 아름다움이란 소위 절승(絶勝)이나 절경(絶景)으로 불리우는, 태고연(太古然)한 우거진 숲, 천인단애(千仞斷崖)의 폭포, 기암괴석(奇岩怪石)의 해변, 만년설(萬年雪)의 준령(峻嶺), 열대상하(熱帶常夏)의 푸르름, 전인미답(全人未踏)의 지하동굴(地下洞窟), 거기에 만개(滿開)의 꽃동산, 단풍(丹楓)의 계곡(溪谷) 등 이루 헤아릴 수 없을 정도이다.

그러나 신(神)의 조화로 이룩된 사물 중에서 인간의 관계처럼 기묘한 것은 없을 것이며 그것이 남성보다 여성의 육체미에 있어서는 더욱 그러하여 팔등신의 여인상은 미의 정수로 일컬어지기도 한다. 그러기에 미술의 기초 데생 훈련이 여체(女體)의 소묘에서부터 시작되는 연유의 하나도 여기에 있는 것이다. 어쩌면 신(神)은 만물을 창조한 솜씨의 최후 결정으로 인간을 만들고 그 기교의 절정으로 여인상을 택했는지도 모를 일이다. 조수(鳥獸) 중에도 아름다운 모습을 지닌 것이 적지 않으나 그들의 대부분은 숫놈이고 보니, 오직 인간에 한해서만 여성에게 이 우주 만상(萬像) 최고의 자랑을 주었음은 그 조화의 신비, 풀길이 없는 영원의 수수께끼인 것만 같다.

여인의 아름다움은 그 젊음에서 시발된다. 그러기에 처녀 열아홉살이면 곰보도 예쁘다고들 한다. 사실 십대 후반의 사춘기를 막 지난 소녀의 모습은 어떠한 예술품에도 비길 수 없는 빼어난 아름다움을 지니고 있는 것이다. 그리하여 이슬 머금은 꽃봉오리가 아침나절의 엷은 햇살을 맞아 서서히 벌어지듯이 스무살 전후에서 활짝 피어 이십대에 들어서면 한겹 한겹 더욱 무르익어 현란(絢爛)의 절정을 이루게 되는 것이다. 이 타고난 그대로의 순박하고도 청초한 아름다움 그것은 손때 묻지 않고 시달리지 않은 자연미 그대로의 진수인 것이다.

그러나 야생(野生)한 꽃의 소박미가 그 나름의 독특한 아름다움을 지니고 있는 반면 화분에 옮겨 심은 화초나 정원 안에 가꾸어 놓은 꽃밭에서 풍겨지는 아름다움이 또한 그대로의 특색 있는 조화미를 보여 주는 것이라면, 인간의 아름다움 또한 그 테두리에서 벗어날 수는 없는 것이다. 그러기에 예부터 오랜 세월을 두고 여인에 한한 '화장(化粧)의 비법'이 갖가지로 변하며 전해 내려오는 것이리라.

화장의 비법은 타고난 아름다움을 살리고, 그것을 오래 간직하게 하고 그리고 그것을 돋보이게 하는데 있다고 한다. 그러기에 이 한계를 벗어나거나 도를 지나치게 되면 선천적인 바탕을 다치게 하여 신(神)의 섭리에 역행하는 결과가 되므로 아름다움을 보태기는커녕 오히려 추(醜)하거나 천(賤)한 모습으로 변모해가기 마련인 것이다.

그뿐이랴, 이 여인의 아름다움에는 육체 자체의 알맞은 가꿈에 겹쳐,

마음의 가다듬이 갖추어져야 비로소 완벽하고도 품위 있는 고상한 아름다움의 경지를 이루게 되는 것이다.

차라리 얼굴이나 몸매에서는 취할 바 없어도, 그 기품 있는 인간미에서 한 여인의 참다운 아름다움을 발견하는 때가 적지 않은 것이다.

고상한 인품, 예절과 겸양을 갖춘 몸가짐, 교양있는 언행, 그리고 여성다운 부드러움과 섬세함, 그리하여 교양미와 지성미를 겸비한 아름다운 몸매, 그것은 바로 멋있는 여인상(女人像)의 전형(典型)일시 분명하다.

태평양사보(太平洋社報) 43호, 1977. 7. 15.

오늘과 내일

　인간은 어제의 터전 위에서 오늘을 살고 다시 오늘의 바탕 위에서 내일의 삶을 이룩해 나간다. 이리하여 과거와 현재와 미래는 끊을 수 없는 연속선 위에서 줄기차게 이어지고 끝없이 뻗어나간다.

　따라서 오늘 현재란 과거에서 미래로 연결되는 경과 시점상의 한순간 한순간에 불과한 것이다. 그러기에 지나간 과거는 돌이킬 수 없고 지금 막 겪는 현재는 다시 되풀이 되지 않고 돌아오는 미래는 막을 길이 없는 것이다.

　여기에 자연의 섭리에 대한 인간 능력의 한계가 있고 우주의 신비에 대한 영원히 풀 수 없는 수수께끼가 깃들어 있는 것이다.

　인간이란 보람찬 삶을 위하여 내일에 대한 원대한 꿈을 안고 이상과 희망에 불타 이 신비의 문을 두드리며 끈질긴 노력을 기울이고 있는 만물의 영장이다. 어쩌면 인간의 삶이란 숙명에 대한 끊임없는 도전의 궤적일지도 모를 일이다.

　그러나 현대인은 물질문명이 정신문화를 짓밟고 나날이 각박해가는 현실 속에서 과거를 굳이 모른 체 외면하고 미래에 대한 꿈을 저버리고 현재에만 집착하여 허겁지겁 경황이 없는 하루살이의 삶에 허덕이고 있는

면이 적지 않다.

특히 우리의 주변을 살펴볼 때 꿈을 지니고 비약의 발돋움을 해야 할 젊은 세대가 오히려 아무 꿈도 지니지 못한 채 목전의 실리에만 급급하여 안이한 길을 택하려는 경향이 짙을 뿐더러 금력만능의 세태에 편승하려는 풍조마저 보이고 있음은 안타깝기 짝이 없는 일이다.

피 끓는 정열과 불타는 이상, 그리고 냉철한 지성과 준엄한 비판 정신, 거기에 불굴의 투지와 야망은 젊은이의 특권이요 자랑이다.

내일의 꿈이 없는 개인이나 가정이나 국가나 민족은 치열한 생존경쟁에서 낙후될 뿐만 아니라 인류 문화에 기여할 서광조차도 찾아볼 수 없는 것이다. 어제를 거울삼아 오늘을 살고 오늘의 피땀 어린 충만감 속에서 내일을 바라고 맞이할 때 비로소 인간은 생존이 아니라 생활의 희열과 환희를 만끽할 수 있는 것이다.

인간의 삶에 있어서 절망이나 포기나 체념은 생의 묘혈(墓穴)을 파는 금물(禁物)이다. 절망에서 일어서고 포기에서 참여로, 체념에서 적극적인 관심으로 회기하여 칠전팔기의 고투(苦鬪)를 거듭할 때 그곳에서 참다운 삶의 의의가 발견되고 생명의 고귀한 가치를 체득(體得)하게 되는 것이다. 젊음은 인간이 지니고 있는 밑천 중에서 가장 값진 것이다. 그것은 정열과 희망과 이상, 그리고 투지와 실천력의 가장 풍성한 샘물이기 때문이다.

그러나 이 샘물은 영원히 마르지 않는 것은 아니다. 봄과 여름이 젊음의 상징이라면 그 뒤에 가을과 겨울이 오듯이 젊음의 샘물도 세월과 더불어 고갈되어 가는 것이다. 그러므로 이 샘물이 낙엽과 더불어 고갈되어 가기 전에 어떻게 그 물을 소중하고 값있게 쓰는가에 따라 젊음의 값어치는 그 한계점에 도달하게 되는 것이다.

"노세 젊어서 놀아! 늙어지면 못 노나니……"를 운운하는 잡가(雜歌)의 가락은 낡은 시대의 퇴락(頹落)한 넋두리에 불과한 것이다. 오늘날의 젊은이는 젊을수록 그 젊음을 가장 뜻있고 효율성 높게 선용(善用)하여야만 한다. 근면 속에 휴식, 그것만이 진정한 현대적 의미의 건강한 레크리에이션이 되는 것이다.

한편 젊음의 특권은 지나친 자과(自誇)나 독선(獨善)으로 오용(誤用)되어서는 절대로 안된다. 누구나 인생 일대에 자랑스러운 젊음의 한때를 누리게 마련이다. 그것을 마치 자기 세대만이 지니는 독점물로 착각하고 당대의 젊은이 이외에는 아무것도 없는 것으로 오판(誤判)하여서는 안된다. 어느 때의 어느 젊은이도 어차피 늙어갈 수밖에 없는 것이다.

젊음의 특권이란 그 세대가 아닌 다른 세대가 인정하고 평가하여줄 상대적인 가치의 대상이지 결코 젊은 세대 자체가 뻔뻔스럽게 자랑으로 내세울 성질의 것은 못되는 것이다. 따라서 젊은이는 주어진 젊음을 그리고 두번 다시 오지 못할 젊음을 감성과 이성의 조화 속에서 가장 값지고 효과 있고 멋지게 연소(燃燒)시키는 그것만이 자연스럽고도 당연한 귀결로 되는 것이다.

문득 언제인가의 일이 떠오른다. 5·16혁명 직후라고 생각되는데 세대교체론이 급격히 사회의 물의를 일으킨 일이 있다. 말하자면 혁명 주체세력과 그에 연관된 젊은이들이 기성세대를 불신하고 그들을 현직에서 물러나게 강요한 행정조치이다. 그 거센 바람으로 대학교수도 65세 정년에서 61세로 인하되었다가 몇 해 후에 다시 환원된 희비극 한토막이 있었다.

그러한 바람이 분지 근 20년. 그 시기의 주창자였던 30대, 40대는 이제 50대, 60대로 세월의 고비를 넘겨왔다. 실로 불로장생(不老長生)이란 있을 수 없는가보다.

근자에 와서는 여러 직종에서 정년퇴직 연한을 인상하려는 움직임이 거세게 일어나 그 일부는 실천단계로 들어가는 것 같다. 우리 속담에 "누워서 침뱉기" 또는 "침 뱉고 간 우물도 다시 퍼 먹을 때가 있다"는 의미를 새삼 곱씹게 하는 경우라고나 할까……. 그러나 내일을 향한 꿈의 설계

와 실천의 무거운 짐은 젊은이의 양어깨에 가장 무겁게 지워져 있음은
아무도 부인 못할 진실이다.

어제의 삶을 다시 한번 되돌아보고 오늘의 삶을 더욱 굳건히 다지면서
새로운 광명이 비쳐오는 내일에의 소망에 최선을 다할 것을 가늠하면서
서로가 겸양하고 자중하고 서로를 아끼는 속에서 새 아침을 새로운 '비전'
으로 맞아야 할 마음가짐의 엄숙한 이 시간이다.

일요신문, 1979. 5. 20.

변절론變節論

이해(利害)는 항용 변절(變節)을 요구하는 것이다. 절(節)만 변하면
해(害)를 면한다. 절(節)만 잠깐 변하면 수가 난다 하는 것은-더구나
지도자급(指導者級)의 인물(人物)의 일생(一生)에 매양 오는 유혹이다.
그래서 만일 자칫하여 그 유혹에 넘어가면 그의 공인적(公人的) 생명
은 영영 전멸하고 마는 것이다. 민중(民衆)이란 이런 점으로는 대단히
엄정한 재판관(裁判官)이다. 그리고 이 재판은 대역죄(大逆罪)의 재판
과 같이 일심(一審)이 곧 종심(終審)이다. 그 판결(判決)은 영영 번복
될 기회가 없는 것이다.

궁곤(窮困)이나 생명(生命)의 위험은 결코 변절(變節)을 정당화하는
이유는 못되는 것이다. 왜? 누구는 순경(順境)에서 변절하는 자 있던
가. 진퇴유곡(進退維谷)한 역경(逆境)에 선지라 절(節)을 말하는 것이
다. 그러기에 조수(操守)란 어려운 것이요, 값있는 것이다.

이것은 춘원(春園) 이광수(李光洙)가 1932년 《신동아(新東亞)》에 발표한 「청
년(靑年)에게 아뢰노라」라는 글 속에 담긴 한 대목이다.
인간과 인간의 상호관계에 대한 삶의 근본자세에 있어서, 신의와 절개

는 예나 이제나 가장 소중한 덕목의 하나로 되어오고 있다. 그러나 생명의 위기를 비롯하여, 권세 명예 지위 재력 등의 이해득실에 따르는 유혹은 때때로 본의 아니게 또는 의도적으로 배신이나 훼절을 수반하게 한다.

춘원(春園)은 이점에 초점을 두어 변절은 역경(逆境)에서였다는 이유로 정당화될 수 없으며, 더욱이 지도자급 인물의 변절은 번복할 기회조차 가질 수 없는 민중에 의한 종심 판결이라고까지 논단하였다.

그러나 그 춘원(春園)마저도 일제말기에 끝내 훼절하고 말았으며, 그는 1948년 출간된 「나의 고백(告白)」에서 그 착잡한 심경을 다음과 같이 언급하였다.

그러므로 나는 내 이익을 위해서 친일(親日) 행동을 한 일은 없다. 벼슬이나 이권이나 내 몸의 안전을 위해서 한 일은 없다. 어리석은 나는 그것도 한민족을 위하는 일로 알고 한 것이었다.

가장 깨끗하자면 해방의 기별을 듣는 순간에 내가 죽어버리는 것이지마는, 그것을 못한 나의 갈 길은 입을 다물고 가만히 있는 것이라고 나는 생각하였다.

확실히 신의와 절개는 값지고 소중한 것이며, 난국(難局)일수록 그 수절(守節)은 어려운 것이기는 하나, 신의의 토대 없는 민주주의를 생각할 수 없고, 국민의 자각된 수절이 따르지 않는 국가의 존립을 생각할 수 없다면, '변절론'은 새로운 현대적 가치관의 덕목으로도 정치적 지도자는 물론 각자가 다시 한번 다져봐야 할 대상이 아닌가 싶다.

한국일보, 1981. 7. 28.

족보론族譜論

유교 윤리관의 오랜 영향 하에 놓인 한국의 가계(家系)는 군신(君臣) 부자(父子) 관계를 중심으로 하는 종적체계로 이루어진 데 반하여, 근대 이후의 서구 제도는 부부(夫婦)를 기조로 하는 횡적체계 속에 인권과 자유 평등을 존중하는 개인 위주의 흐름을 지녀오고 있다.

이 종적체계의 집착성은 족보(族譜)에 대한 관심도에서 가장 두드러지게 나타난다고 할 수도 있는 것 같다.

그러기에 아직도 사사건건 가문을 따지고 조상의 자랑을 늘어놓기 일쑤이고, 동성동본(同姓同本)의 혼인을 거부하는 혈연적 윤리관은 거의 고질적인 것일 뿐더러, 사회 변천에 따른 법적 허용도의 마련마저 저해하고 있는 실정이다.

하기야 단일민족이니, 단군성조(聖祖)의 후예니 하는 일체감은 긴 역사의 흐름 속에서, 국가가 난국에 처할 때마다 민족의 단결에 대한 호소력의 구심점으로 국난 극복의 원천적 구실을 하여왔음은 부인할 수 없다.

그러나 세월은 많이 달라졌다. 이제는 개인의 생사 이해득실 그리고 인권이나 자유를 초월하여 '겨레', 즉 혈연적인 단일민족만을 내세워 애국의 당위를 부르짖기에는 그 실효성이 너무도 엷어진 것만 같다.

서구 문물의 도입은 이 땅에 많은 변화를 가져왔다. 8·15 이후 외군 (外軍)의 주둔을 비롯한 사회적 여건은 그 변화에 더욱 박차를 가해왔다. 남의 것, 낯선 것을 받아들이는 데는 그 취사선택이 선행조건이건만, 올바른 것보다는 그릇되고 옳지 못한 것의 접촉이 더 예민하게 작용하게 마련이다.

부박한 유행성에 민감한 사치 풍조, 극도의 이기주의, 경조(敬祖)관념의 퇴색, 선배나 윗사람에 대한 존경심의 상실, 무조건의 평등 주장, 의무나 책임보다 권리만을 앞세우는 자아위주의 풍조, 그리고 부모형제마저도 도외시하려는 극단의 핵가족으로의 분열 등 독소적인 폐풍의 만연이 바로 그것이다.

노후에 생활능력도 없는 자기 부모마저도 돌보려하지 않는 세대 속에서, 아직도 동성동본의 수백년 내지 천여 년 전의 혈용을 따져 그 교합을 금기로 하는 집념이 오히려 현실과 거리가 먼 부질없는 아집인 것만 같게 느껴진다.

사백년 전 임진왜란 때 일본으로 끌려간 도공(陶工)의, 이제 일본인이 다 된 후예, 미국시민권을 가진 한국 국민 아닌 미국 국민에, 관념적요 감상적인 동포애를 가지는 것이 오히려 우스꽝스러운 일면적 현상이기도 하다.

이제 참말 이 땅에 뿌리박고 살면서 이 나라 이 겨레를 위해 끝까지 연대의식 속에서 생사를 같이 할 사람끼리의 자체 방위나 미래를 향한 새로운 윤리관의 방향 모색이 절실한 단계에 이른 감이 없지 않다.

한국일보, 1981. 9. 17.

애국자愛國者

애국자(愛國者)란 글자 그대로 나라를 사랑하는 사람을 일컫는다. 한 나라의 백성으로서, 그리고 한 민족의 일원으로서 그 나라나 그 겨레를 사랑하지 않는 사람이 어디 있으리오.

그러나 일반 국민이 예사롭게 나라를 사랑하는 것보다는 좀 다른, 이를테면 숭고한 희생정신과 우국(憂國)의 열의로 조국이 위난에 처했을 때 생명을 바쳐 구국에 앞장선 의사(義士)나 열사(烈士), 지사(志士), 독립투사 등을 가리켜 우리는 유독 '애국자'라고 숭경(崇敬)하여 오고 있다.

우리나라는 오랜 역사를 겪어 오는 사이에 국난(國亂)이 잦아 청사(靑史)에 빛나는 수많은 애국자를 우리 가슴속 깊이 새기고 있다.

더욱이 근 반세기에 걸친 일제 침략기에는 빼앗긴 나라를 되찾으려는 일념에서 생명을 초개같이 내던지며 적과 대결하여 이역에 뼈를 묻고, 적탄에 쓰러지고, 영어(囹圄)의 몸으로 옥사(獄死) 또는 형장의 이슬로 사라진 애국지사의 수가 이루 헤아릴 수 없다.

그때는 독립 쟁취, 즉 조국의 광복이 민족의 한결 같은 염원이요, 절대적인 가치관의 상징이었다. 독립지사 그것은 바로 겨레의 최고·최상의 영예요, 숭앙의 대상이었다.

그러나 8 · 15 해방 후는 그것이 달라졌다.

과거의 독립지사는 자신의 신념과 애국충정에서 행동을 했고, 그것을 스스로 남에게 나타내려고 하지 않았다. 그러나 해방 후의 자칭 애국자는 목적을 위한 수단으로 '애국'을 내세우기 일쑤였고, 그러한 모임이나 움직임을 세상에 알리려는 데 더 초점을 둔 감이 없지 않았다. 따라서, 일반 국민도 너무나 헤프게 쓰이는 '애국'이라는 언어 감각에 만성이 되었을 뿐더러, '애국자' 자체에까지도 실감이 덜 가게끔 되었다.

사실, 왕권정치의 군주국가에 있어서는 군신(君臣)관계가 중심이 되므로 신하의 임금에 대한 충성이 그대로 애국으로 통하였지만, 근대 이후의 민주주의 국가 체제에 있어서는 국민으로서 각자가 나라에 충성하는 것이 곧 애국인 것이다.

그러나 민주주의 국가에 있어서도 외적의 침입에 의한 국난이 없으란 법이 없으므로, 그러한 위기에 처할 때 특출한 애국지사의 출현을 열망함은 고금이 다를 바가 없는 것이다.

다만, 예전에는 명장(名將) 한 사람의 힘으로도 난국을 타개할 수 있는 예가 없지 않았지만, 현대는 국력 전체의 대결인 만큼, 국민 하나하나의 힘이 모인 총력전의 대비를 하지 않으면 안 된다는 것이 다를 뿐이다.

그러나 반드시 위기만을 생각할 것은 없다. 평상시라 하더라도 국민 각자의 노력의 총화가 그대로 전체 국력으로 반영되는 것이다.

따라서, 현대 국가에 있어서는 국민 한 사람 한 사람이 자기에게 주어진 의무와 책임을 어떻게 완수할 수 있느냐 하는 것이 그대로 나라의 부강에 직결되고, 민도와 윤리 · 도덕관의 척도까지도 된다고 볼 수 있는 것이다.

그러나 근자에 우리는 우리 주변에서 자기의 책무(責務)는 다하지 않고 권리만을 주장하는 경우를 적지 않게 접하게 된다. 한 사람이 국가나 사회에 대한 의무를 다하지 않을 때는 그 몫만큼의 부담이 다른 사람에게로 돌아가게 마련인 것이다.

흔히들 현대국가에 있어서의 국민의 3대 의무를 납세·병역·교육의 세 가지로 들고 있다.

어느 한사람이 부과된 세금을 납부하지 않거나 고의적인 탈세를 한다면, 나라 살림에 필요한 금액을 채우기 위해서는 그만한 액수가 다른 사람에게 부과될 수밖에 없는 것이다.

또 어느 한 사람이 병역을 기피하거나 그 부모가 징집대상의 아들을 교묘하게 외국 유학의 길로 빼돌린다면, 그 충원을 위해서는 다른 사람이 그 부담을 져야 하는 것이다.

비단 이뿐이겠는가. 모든 궂은일은 남이 해주고, 권세 부리고 명예로운 일만 자신이 했으면 하는 것도 사회 병폐의 근원이 되는 것이다. 모든 사람이 각자의 직장에서 맡은 바 소임을 충실하게 완수하는 일, 그 자체가 건실한 자기 생활이요, 건전한 사회 풍토의 밑거름이요, 또한 그것은 그대로 애국으로 통하는 것이다.

하루 백리길을 뛰는 시골 우체부, 엄동설한에 바다로 나가는 어부, 도시의 오물과 쓰레기를 치는 청소부, 고층빌딩의 유리를 닦는 사람, 포르말린 냄새가 코를 찌르는 합판공장의 직공, 먼지 자욱한 방직공장의 여공, 용광로 앞에 선 기능공, 소를 잡는 백정－이들은 일반 사람들이 하기 싫어하거나 꺼리는 일들을 대신해서 해주는 고마운 사람들이다. 이들이야말로 진정한 애국자임에 틀림없다.

이제는 참말 애국자라는 말을 함부로 쓰지 말았으면 좋겠다. 자기 맡은 일에 충실하고 나라 일에 고분고분 정성을 다하는 사람은 모두 현대적인 애국자이기 때문이다.

사이비 '애국'이나 애국단체를 섣불리 내세우는 것은, 어쩌면 평범한, 그리고 진정한 일반 애국자의 애국심을 오히려 짓밟는 결과가 될지도 모를 일이다.

모든 겨레가 참마음에서 나라를 생각하고 자기 생업에 충실할 때, 그리고 특정한 애국자나 애국단체가 없이 국민 모두가 지극히 평범하면서도 의무적인 애국자의 자리에 서 있을 때, 그 나라는 가장 건전하게 발판을 디디고 선 애국자의 나라가 될 것이다.

'애국'이나 '애국자'라는 간판을 내세우지 않는, 과장이나 선전기가 없는, 자기 충실의 결정(結晶)으로 이루어지는 참다운 애국이 지금처럼 재음미되어야 하는 때는 없는 것 같다.

럭키그룹, 41호, 1981. 11.

미소微笑의 의미

"웃는 낯에 침을 못 뱉는다."든가 "소문만복래(笑門萬福來)"라든가 하는 전래적인 격언은 우리에게 값진 교훈을 되새겨 주고 일상의 대인관계에 늘 반성의 자극제 구실을 한다.

그런데 우리 겨레는 옛날로 거슬러 올라가면 낙천적인 종족이었다고 하지만, 오랜 세월에 걸쳐 거듭된 외적의 침입과 전제 왕권을 배경으로 한 지배층의 학정에 시달리고, 거기에다 쪼들린 생활에 짓눌려, 기쁨보다 슬픔, 즐거움보다 시름에 잠기는 때가 더 많아, 웃음보다 한숨이나 울음이, 그리고 밝은 모습보다 어두운 표정이 더 짙어졌다고들 한다.

이에 겹쳐 유교의 경직된 윤리관은 생기발랄한 자유로운 감정의 표출보다 '점잖은' 허세를 내세우게 하는 쪽으로 기울어, 부드러운 웃음보다 의젓한 어른스러움으로 꾸며져가게 하였고, 더욱이 여인네의 웃음소리는 울타리 밖을 넘을 수 없어야 했다.

우리가 지금도 대체로 배꼽이 빠지게 웃는 '희극'보다 눈물을 실컷 짜는 '비극'쪽을 더 좋아하고, 거기에 더 감동을 느끼게 되는 것도 이러한 삶의 흐름에 연유한 것인지도 모를 일이다.

이즘에도 도심의 네거리를 건너는 사람들의 얼굴을 유심히 살피면, 명랑한 표정보다 걱정이나 수심이 어린 듯한 인상을 더 많이 접하게 된다.

웃음을 잃은 삶, 찌푸린 표정, 이는 인생을 삭막하고 깡마르게 할 뿐이다.

이제는 모두 금방 싸우고 나온 듯한 굳은 표정, 찡그린 모습을 깡그리 지워버리고, 활짝 핀 밝고 맑은 얼굴로 서로를 대해야만 하겠다.

'빙그레', 이는 조용히 읊조리기만 해도 입술에 웃음이 슴새어 나오는 듯한 정감을 느끼게 한다.

새봄과 더불어 집안에서, 학교에서, 직장에서, 그리고 거리에서 정답고 건강하고 활기에 찬 '미소의 의미'를 서로 서로의 눈동자에 담아 보기로 하자.

태평양사보(太平洋社報), 1982년 4월호.

남의 소리와 제소리

사람들은 인생살이에 있어서 흔히 오복(五福)이라는 말을 입에 오르내린다. 이를테면 오래 장수하는 수(壽), 가멸게 사는 부(富), 몸과 마음이 편안한 강녕(康寧), 덕행을 쌓는 유호덕(攸好德), 죽음이 제대로 되어야 하는 효종명(孝終命)의 다섯 가지가 바로 그것이다.

이러한 조건이 비교적 갖추어져, 자녀들에 대한 불행한 사례도 없이, 인간 일생을 순탄하게 마치게 되면, 사람들은 그 죽음을 일컬어 호상(好喪)이라고들 한다.

어떠한 단어든지 그것이 합당하고 들어맞게 쓰여져야, 그 뜻이 명백해지고 말의 흐름에 어울리고, 또한 말하는 사람의 품위나, 상대에 대한 예절에 어긋나지 않는 것이다.

그런데 이 '호상(好喪)'이라는 말에 대하여 근자에 들은 이야기가 하나 있다.

고등교육을 받은 지식인이요, 사회적으로도 경의(敬意)의 대상이 되는 직업에 몸을 담고 있는 친교(親交)가 있는 분이 갑자기 모친상(母親喪)을 당했다. 그는 철들기 전에 아버지를 여의고, 편모 슬하에서 자랐다. 어머니는 이 아들 하나를 위하여, 갖은 간난(艱難)을 겪고 수절(守節)하며, 남부럽지 않게 키우려고 애써 왔고, 또한 그러한 어머니의 노고는 아들의 성공으로 그 보람을 찾을 수 있었다. 그러한 어머니가 오랜 병고의 시달림도 없이 갑자기 세상을 떠난 것이다. 뜻하지 않게 상주(喪主)가 된 아들은 황망 중에 조객(弔客)을 맞을 수밖에 없었다.

평소 이 상주와 흉허물 없이 지내는 절친한 친구가 문상을 갔을 때의 일이다.

친구는 빈소에 배례(拜禮)를 한 후 초췌한 모습으로 수척해 보이기까지 하는 상주의 손을 붙잡고 위로와 애도의 인사를 하였다.

그런데 이때 느닷없이 상주(喪主)의 입에서 튀어 나온 소리가 "그래도 호상입니다. 칠순이 넘으셨으니까……"였다. 친구는 순간 피가 거꾸로 흐르는 것 같은 당황함을 느끼면서, 황급히 상주의 말을 되받았다.

"이 사람아, 그거야 남이 하는 소리지. 제 입으로야……"

북청소식 31호, 1982. 7. 15.

여름밤

　호별세 등수가 시장급(市長級)하고 같다니! 따지다가 돌아선 어처구니가 없이 영광스러운 날 밤거리이다.

　미적지근하게 무더웁다. 소낙비라도 한바탕 부을라나부다. 아예 이놈의 땅덩어리가 밑창이 빠지게 진탕 퍼 부었으면 좋겠다. 얄궂은 심술이 아니라 그래야만 가슴 속이 시원하게 탁 트일 것만 같다. 갈증이 난다.

　친구 P를 만나 개천가 판잣집으로 들어섰다. 이런 때면 누구라도 좋았을 터인데 만나고 싶었던 그다.

　'금일개업(今日開業)'

　꼬리표 같은 딱지가 호기심을 이끌었다. '특주'라는 것이 목구멍을 넘어가기 전의 자극이 까칠하게 짜리다.

　아직 간이 다 들지 않은 오이김치의 맛보다 향기가 더 향긋하게 고소하다.

　"오늘 개업이오? 그렇다면 초대하는 일이터인데……"

　한잔 걸치면 말을 건너고 싶은 게다.

　"아니 한 이주일 됐어요. 왜요?"

　여인은 가느다란 주름살에 휩싸인 눈동자 속에 어색한 웃음을 머금고

입 언저리에 손을 가져간다.

"저것 때문에……"

벽에 또 한 장 붙어 있는 '금일개업'에 옮겨진 여인의 시선은 좌석 쪽을 외면하여 부글부글 끓고 있는 찌개 냄비께로 건너갔다.

"아마도 저 종이는 섣달 그믐날까지 붙어있을 걸……"

P도 한잔을 쭉 들이키고 나서 웃음조로 한마디 건넜다.

여인은 이제 손님들의 대화에는 별로 관심을 두지 않는 양으로 도마질에 바쁘다.

상고머리 어린이가 뛰어 들어오면서 종이를 내어민다.

"어머니 일제고사 시험지 내주었어, 이거!"

행주치마에 손을 닦으며 시험지를 들여다보고 있는 여인의 입 가장자리에는 보람을 느끼는 듯한 미소가 스쳐간다.

"나 이번에 최고점이야, 선생님이 그러시는데 내일 어머니를 학교에 오시래."

어린이를 붙잡고 어쩔 줄 모르는 여인의 머리에는 흰 베의 상장(喪章)이 붙어있다.

거리는 훨씬 어두워졌다. 취기가 어지간히 사지에 돌아온다.

"양주 한잔만 더 하고 가지."

P에 이끌리어 골목길에 들어섰다.

'신장개업(新裝開業)'

문 앞에 세워놓은 큼직한 판때기가 눈에 뜨인다.

"세금 때문에 문 닫았던 집이야, 시끄러운 고비가 넘어갔으니까 또 ……"

P의 맘속을 알아차리면서 홀 안에 들어섰다.

이집 장사조로는 아직 너무 이른 시간인지 휘황한 불빛 아래 복스는 거의 비어 있고 우글거리는 여인군(女人群) 속에 음악 소리만 제 혼자 활개를 치고 있다. 술잔이 놓이자 미끼를 발견한 고기떼처럼 여인들은 한자리로 모여든다.

손님이 잔을 비우기도 전에 소위 '당번'이라는 여인은 제 친구들에게도 한잔씩 청하는 선심을 쓴다.

"아이구, 맹숭맹숭 해서……"

당번의 미안해하는 듯 대답을 기다리는 듯한 말투에 P는 코웃음으로 대꾸할 따름이다.

위스키가 한잔이 아니라 몇 잔이고 거듭됐다.

새로운 손님이 들어서는 대로 문 쪽에 눈을 도사리고 있던 고기떼들은 헤어져간다.

"차압까지 당했다더니 해결됐어요."

P가 옆에 와 앉는 '마담'에게 묻는 말이었다.

"요새 어디 안 되는 일이 있어요? 되는 일도 없지만."

"그것은 인제 상식예요."

마담의 말이 떨어지기 바쁘게 당번 여인이 혀 꼬부라지는 말로 받아채었다.

골목을 벗어나니 빗방울이 떨어지기 시작한다. 취기에 확 단 얼굴에 시원한 감촉이 느껴진다.

가로수 잎에 떨어지는 빗소리가 여니 때보다 유달리 상쾌하다.

그칠 사이 없이 자동차가 질주하는 보도 위에서 명멸하는 네온사인이 흐리멍덩한 눈길을 거세게 자극한다.

"서울도 점차 재건되는군."

이러한 말이 비꼬인 내 입에서 슬새는 순간 다음 대답이 귀를 쿡 찌른다.

"흥! 공장 기계가 모조리 섰기 때문이야. 네온이 밝아지는 건…… 낸들 아나, 환하니 어둡기보담 좋구만."

P의 취한 목소리다.

P는 아마도 나보다 더 마신 모양이다. 이제 몸을 제대로 가누질 못한다. 그의 팔을 끼었다.

비는 제법 퍼붓기 시작한다. 차라도 잡아야 하겠다. 손을 아무리 들어도 멈추질 않고 그대로 달아나 버린다. 지나가는 차에는 모두 사람이 타고 있다.

시간이 어지간히 깊어진가 보아 자동차들의 속도가 점점 빨라져 간다. 차가 지날 때 마다 빗물이 마음대로 옷에 퉁긴다.

차를 빗기다가 그만 둘 다 공사 중인 하수도 웅덩이에 빠져 버렸다.

일년 내내 하수도는 뜯어 고치기만 한다는 것이 아스팔트 위에는 늪처럼 물이 고이고 있다.

기어 올라온 입에서는 욕설이 쏟아져 나왔다.

이왕 젖은 옷에 자동차도 서지 않는 바에야 밤새 걷기로 했다. 머리에서 흐르는 물이 목덜미를 거쳐서 등골로 흘러 들어가는 것이 선뜻하게 징그럽다. 그러나 그것을 한참이다. 속까지 디리 젖은 후에는 그 감각도 없어지는 것 같다.

내리치는 빗방울에 엉클어졌던 머릿속이 씻어지는 것만 같게 시원하다.

이대로 밤새도록 퍼 부었으면 좋겠다. 둘은 팔을 낀 채로 자꾸만 걸었다. 빗줄기는 더욱 거세어 가지만 술기운은 차츰 가시는 밤이다.

사상계, 1957. 8.

'빅타' 향연饗宴

초복(初伏)이 지나고 중복(中伏)이 다가 왔다. 이 복(伏)머리에 접어들면 생각나는 몇 가지가 있다.

그중의 하나가 소위 '빅타' 향연(饗宴)이다. 호주가(好酒家)도 애주가(愛酒家)도 아닌 나다. 그러나 술의 분위기만은 무척 좋아하고 아끼는 심정이 어느덧 버릇처럼 되었다.

술의 흥은 좋은 술이나 맛좋은 안주에도 전연 무관한 바는 아니로되 사람끼리 어울리는 분위기가 더 소중하다고 생각된다.

그러나 술과 안주에 어떤 대조를 굳이 구한다면 막걸리에는 김치 깍두기요, 소주에는 고추장찌개요, 따끈한 청주에는 생선회, 배갈에는 기름진 중국요리, 양주에는 산뜻한 양요리, 비어에는 어포나 콩이 그 격에 맞는 것만 같다.

그렇지만 이런 것은 다 혼자의 객쩍은 푸념이요, 언제 누가 이런 대조나 격(格)을 따지고 마실 사람은 없을 상 싶다.

하기야 육십도가 넘는 양주 안주가 맹물이 일수요, 사십도의 소주가 푸성기 요리로 채워지기도 하니 말이다.

이런 넋두리가 만약 적용될 양이면 애견가(愛犬家)에게는 미안쩍은 일이지만, 복(伏)날 개는 향연의 대상이 되기 일쑤다.

그것이 나라에서는 먹지 말라 금하고 백성들은 먹기 좋아하는 축들이 적지 않으니 탈이다. 그래서 더욱이 복(伏)무렵은 '구(具)' 씨성 가진 이의 죄 없는 농담의 수난일이기도 하다.

어떤 족속이나 어느 지방인의 식성이라는 것은 저들만의 관습처럼 동떨어져 몸에 배어지는 일이 흔히 있는 상 싶다. 일본 사람은 말고기를 좋아한다 하지만 우리는 이야기만 들어도 메스껍고 중국 사람들은 개고기나 제비둥지가 고급요리의 으뜸이라고 하지만 징글맞기 짝이없는 일이다. 장난 좋아하는 친구가 예전에 개고기라면 질색을 하는 일인(日人)에게 노루고기라고 속여서 강권을 했다. 맛있게 먹고 난 뒤에 그것은 사실 개고기였다고 하니 그러기에 끝맛이 이상하더라고 하면서 그제야 어거지 구역질을 시작하더라는 이야기가 있다.

애견가(愛犬家)의 분위기에서는 개장 먹으러 간다는 말조차 떳떳이 하지 못하겠기에 친구끼리 어느 사이에 '빅타'를 하러 간다는 은어(隱語)를 써 왔다.

한때 빈대떡이라는 것이 너무 값싼 음식 같아서 빈대떡집으로 가자는 것을 레코드 바로 가자고 했다.

그 식으로 '빅타' 레코드의 상표에 개가 취입(吹込)하는 그림이 있으므로 개장을 '빅타'라고 일견(一見) 고상한 기분으로 승격(昇格) 호칭하였던 것이다.

무엇이든 다 습관붙이기 나름이다.

며칠 전에는 모장관(某長官)과 국회의원이 개장집에서 합석한 이야기가 대문짝만한 사진과 함께 신문 제 일면을 장식하였다. 그러고 보면 개장을 먹지 않는 것은 개인의 기호 여하에 달렸지 특별히 기피하는 계층은 없는 상 싶다.

개고기 먹는 일은 외국사람에게는 부끄러운 일이라 할지 몰라도 신문

면에 버젓이 대서특필하는 오늘, 장님이 아닌 그들도 모르는 바 아닐 것이다.

씨레기국보다 개장이 영양(榮養)이 낫다면 굳이 명령으로 금지하여 관내(管內)순경을 들볶게 하고 닭개장 간판에 양두구육격(羊頭狗肉格)으로 뒷구멍장사를 시킬 필요는 없을 상 싶다.

그래 개장국은 고사하고 콩나물국이나 된장찌개도 제대로 먹지 못하여 깡통을 들고 길을 헤매는 겨레가 범람하는데 백주 대로상에서의 그런 일은 나라를 위해 부끄럽지 않고 버젓이 신사복을 차리고 간판붙인 음식점에서 입맛을 다시며 치투어지는 화기애애한 '빅타' 향연이 부끄럽다는 것은 모를 일이다.

이러고 보니 내 자신이 무슨 대단한 구탕(狗湯) 옹호자나 된 것 같은 감이 없지 않으나 많은 사람이 좋아하는 것을 억지로 말리려는 일은 그것이 도의(道義)를 떨어뜨리고 나라를 좀먹는 반란행위가 아닌 이상 턱없는 신경을 쓸 필요가 없지 않은가.

예전에는 겨울에 좀처럼 안 먹던 냉면이나 맥주도 이즈음에는 제법 삼동(三冬)에 냉면 간판이 난무하고 스탠드 바는 혹한에도 이 시린 비어를 내놓는가 하면 겨울에 외투 없이 하복을 입고 다니는 신사가 있는 반면에 여름에 취미가 아니라 부득이 동복(冬服)을 벗지 못하고 버티는 시민이 없지 않다.

개장도 어지간히 보편화된가 보다.

승진한 것인지 격하된 것인지 몰라도 '보신탕', '용탕(龍湯)'의 아호(雅號)를 가지게끔 되었다. 아닌 게 아니라 이름만 들어도 무슨 영양분이 담뿍히 담겨 있는 것만 같은 별명들이다.

시골에서는 복중(伏中)의 논밭 가꾸기에 맥 풀린 일꾼들이 복(伏)날 개다리 하나만 엎으면 그 근력이 한여름 날을 끌고 간다고 한다.

사실 잘한 개고기 요리는 도수(度數) 높은 밀주(密酒)에 안주하여 얼근히 처리하고 나면 얼굴에 기름기가 돌지 않는 바도 아니다.

난리를 치루고 난 뒤에 사람은 갈수록 독하여졌고 인심들은 척박하여 졌다. 이젠 귀신도 두렵지 않아 묘지 납골당 속에도 태연히 사람이 살고 있다. 말리고 보면 오히려 반발하고 싶은 심정들이다.

일부러 먹을 것을 권장할 필요는 없지만 군이 엄금할 필요는 없을 상 싶다.

그렇게 국민의 보건에 웃어른들이 주야로 머리를 동여매고 부심하고 있다면 변소시설 하나마저 신통치 않은 음식점이나 기껏 변소가 주방과 맞붙은 접객업(接客業)들을 먼저 모조리 폐업처분 시켜야 할 더 시급한 일들이 아닐까. 그러면 차라리 보건상으로도 좋아지고 대외적 체면도 서질 것이다.

허실(虛實)의 여부는 명확히 알 길이 없으나 인삼이 몸에 하도 좋다기에 분석을 하여 보았더니 그 속에 사람의 몸에 그렇게 좋다는 성분은 발견하지 못하였다는 어느 의사의 이야기를 들은 기억이 있다. 정말 그렇게 겨레를 생각하는 마음들이 간절하다면 누가 나서서 그 명패 그럴듯한 보신탕 속에 포함된 영양소를 분석하여 그 호불호(好不好)를 기호가(嗜好家) 앞에 밝혀줄 아량은 없는지? 그러하면 아마도 이러한 노고는 학위논문의 대상이 되어 일석이조의 효과를 얻을지도 모를 일이 아닌가 하고 고소(苦笑)를 금치 못한다.

'빅타' 레코드가 재즈를 울리는 흥겨운 분위기 속에서 골목길의 보신탕 집은 발 들여 놓을 자리도 없이 분비고 있다. 나오는 신사들의 이마에는 모두 개기름이 번지르르 하다. 무슨 엄벌을 내려 저 좋아하는 기호(嗜好)나 식성을 막을 수 있을 것인지? 문득 생각이 든다.

그것은 '포인터'나 '셰퍼드'를 가진 애견가가 서러워할지 몰라도 전국 방방곡곡에서 밤을 지키고 있는 견군(犬君)을 모조리 박멸하지 않는 한 양(洋)담배의 출처를 막지 못하고 좋아 피우는 애연가(愛煙家)를 벌하려는 우졸(愚拙)한 격이나 되지 않을는지 성왕(聖王)은 백성의 참으로 즐기는 취향을 알기에 힘을 썼고 그것을 도와 강구연월(康衢煙月)에 격양가(擊壤歌)를 기다렸다 한다. 민주주의의 오늘날도 인간의 마음의 바탕은 그리 변하지 않았을 것이리라 싶다. 수많은 사람이 가는 길을 혼자 나서서 윽박질러 막기란 어려운 일이 아닐지!

비단 어찌 '개장'의 경우뿐이랴!

12인치 '빅타' 음반을 다시 한번 들여다보며 부채를 놓고 자리를 일어선다. 오늘 중복(中伏)날은 아무래도 '함흥집'으로 가야겠다. 혹시 '나으리'께서 친절하게 대문간을 지키고 서 있지나 않을는지!

사상계, 1958. 10.

이름과 얼굴

중학시절의 일이다. R선생은 참으로 기억력이 좋으신 분이었다. 그것이, 학생들의 이름을 기억하는 솜씨는 더욱 그러했다.

신입생이 입학하면, 처음 며칠 출석부를 보고, 하나하나 얼굴을 확인해 가며 호명하는 것이다. 그 속도는 날이 갈수록 빨라진다. 그러다가 1주일쯤 지나면, 그 다음부터는 조례 때 출석부도 보지 않고, 그대로 단숨에 불러내려 가는 것이다.

중학교에 새로 입학한 풋내기 소년들은, 이 경이적인 첫일에 우선 눈을 휘둥거리고, 그에 대한 한가닥의 호기심에 젖게 된다.

그것만이 아니다. 언제 어디서 누가 무슨 일을 저지르다가 R선생에게 들키기만 하면, 그는 시간과 장소와, 당사자와 사건을 졸업할 때까지 영 잊어버리는 일이 없다. 선생에게는 대단히 편리한 일이었는지는 몰라도 변을 당하는 학생 측으로 보면, 지극히 불운한 경우가 되고 마는 것이다.

학과 시간에 질문할 때에도 그는 학생을 손가락으로 지명하는 일이 없이, 반드시 이름을 불러 대답을 시킨다. 그러므로 그 선생의 시간에는 학생의 어느 누구도 긴장되어 선생의 시선을 지키고 있어야만 한다.

사람의 이름을 잘 기억하는 것도, 처세나 출세술의 중요한 무기라는 말도 있다. 교직에 오래 있으면서, 나는 가끔 선생의 모습을 떠올리곤 한다. 그것은 내가 보통 대하는 사람은 물론이거니와, 늘 접하는 학생들의 이름도 잘 기억하지 못하는 탓인지도 모른다.

길을 지나갈 때 얼굴이 아주 익은 옛 졸업생을 만나도, 반갑게 손은 잡으면서 혀끝에서 뱅뱅도는 그 이름이 떠오르지 않아, 당황하고 미안한 적이 적지 않다.

그 눈치를 알아차린 상대가 나의 무딘 기억력을 되살리기 위해, 자기 반의 반장이라든가, 또는 특기가 있어서 교내의 누구도 저절로 기억 됐어야 할 학생의 이름을 부르며, 아무개하고 같은 클래스였습니다 하고 자연스럽게 말을 이끌어 간다. 그렇잖으면 내 쪽에서 지레 선수를 써서, 가만 있자 그때 누구누구랑 같이 다녔던가 하고, 나의 기억을 소생시킬 어쭙잖은 방편을 쓰기도 한다.

그렇게까지 해도 맞닿은 학생의 이름이 떠오르지 않을 때는 나는 자기의 무성실에 제풀에 무안해지고, 상대는 상대대로 서운한 표정을 지으며 서먹한 기분으로 갈라지게 된다. 그러고 나면, 얼마동안 그 꺼림칙한 심정은 자신을 열없게 괴롭히는 것이다.

다행히도 맞닿은 학생의 이름이 첫대목에 떠올라, 아무개 하고 그의 이름을 소리쳐 부르면, 상대도 감격해서, 학창시절의 추억 속으로 잠시 되돌아가는 눈길을 보여줄 때는, 상호간의 대화도 정답고, 기분도 여간 즐겁고 홀가분해지는 것이 아니다.

어쩌다 그 기억력이 한층 더 예민도를 나타내어, 너는 바로 그때 부산 피난시의 판자집 교실 뒤쪽에 앉아 있지 않았니 하고 어깨를 툭 치면, 상대의 감격은 더욱 고조에 달하여, 거기까지 자기에게 관심을 가져준 스승의 애정에 진심으로 감격하는 눈시울을 발견할 수 있는 것이다. 그럴 때의 내 마음 또한 여간 통쾌한 것이 아니다.

사실 나 자신도 여러 번 인사를 드린 일이 있는 선배와 만났을 때 상대가 잘 기억이 나지 않아, 즉석에서 알은체하는 반응을 보여주지 않을 때는 마음속으로 여간 서운한 것이 아니다.

소설을 써가노라면, 의례히 작품마다 등장인물의 이름을 작가의 마음대로 짓게 마련이다.

이 경우, 늘 그 인물의 몸집이나 인상이나 성격에 어울리게 이름을 붙이려고 애를 쓰지만, 지어 놓고 보면 그렇게 마음에 들지 않아, 작품 진행 과정에서 그 이름을 고치는 일이 적지 않다.

다행히도 마음에 꼭 맞게 등장인물의 이름이 지어지고, 그 작품도 쓸 만한 것이 되었을 때는, 그 인물의 이름도 오래도록 머리에 남지만, 애를 쓰지 않고 그때그때 적당히 붙여 놓은 이름들은 쉬이 기억 속에서 사라지기가 일쑤이다.

그것만이 아니라, 작품 속에 나오는 인물이 내가 교실에서나 사회에서 접한 사람과 유사한 인물일 때는, 그 작품속의 인물은 현실의 그 인간과 연결되어 오래오래 내 머리에서 떠나지 않는다.

밖에는 눈이 내리고 있다. 쌓여지는 눈은 전원(田園)의 모든 것을 하나하나씩 덮어간다.

나는 오랜 시간의 흐름 속에 무수히 덮여간 나와의 깊은 인간관계를 맺었던 사람들의 잊혀져가는 이름 속에서, 그 얼굴과 이름이 함께 떠오르는 잊을 수 없는 사람들의 모습과, 애틋한 정을 되새겨 보는 것이다.

새농민, 1968. 3.

제4부

영주낙수瀛州落穗

하늘과 바다

끝없이 트인 맑은 하늘이다. 그러나 바람은 거세다. 내려 보이느니 온통 구릉이요 산마루의 불연속선이다. 그것이 거의 발가벗은 수척 한 기복(起伏)이 포개져가는 깡마른 강산이다. 해방 십년에 이렇게까지 바닥이 나게 나무를 긁어 먹었는가 하는 생각이 새삼 머리에 불쾌하다.

이따금 지렁이같이 누벼가는 강줄기와 점(點)마냥 군색하게 푸른 저수지가 메마르게 까칠한 목줄기에 아쉬운 해갈을 던져주는 정도로 거저 삭막 그대로의 산천이다.

서울 여의도에서 대구 동촌비행장까지, 동촌(東村)에서 다시 뭍(陸地)의 한끝까지 사뭇 그러한 살풍경의 지속이다.

갑자기 막혔던 목이 탁 트인다. 눈꼽같이 꺼림칙하게 눈가장자리를 흐릿하게 굴던 것이 가신 것만 같은 산뜻한 기분으로 바꾸어진다.

다도해(多島海)다.

끝일 줄 모르게 앞이 시원히 트인다. 마치 동굴에서 바깥 세계로 나온 충격과도 같다.

바다가 있어서 산은 윤기를 띠고, 물이 있어서 바다는 더욱 푸르고 시원스럽다.

짙푸른 끝없는 보료 위에 토실한 감자와 여물어 익은 호박 자루를 수없이 쏟아 팽개친 것 같이 섬의 씨가 뿌려졌다. 늦배에 달린 좀달 감자만 한 것도 있고 아름드리 떡호박 같은 것도 있다.

기체(機體)가 고도를 낮추자 초가집만해지고 빌딩만해지다가 제법 거리나 마을이 큼직하게 안계에 가득히 아물거린다.

다도해를 벗어나면 망망(茫茫) 창해(滄海) 그것이다. 기후가 갑자기 변하고 난데없는 먹장 구름떼가 하계(下界)와의 계선(界線)을 삽시간에 차단해 버린다. 기체(機體)가 제멋대로 요동을 친다. 창백해져 가는 얼굴들이 서로 마주 쳐다보며 말이 없다. 껌 씹는 입놀림과 담배 연기가 자욱이 숨을 막히게 할 따름이다. 정복(正服)의 공군장교가 커다란 봉투 속에 얼굴을 파묻고 들먹이는 어깨 앞에 몇 번이고 턱을 벌름거리다가는 입술을 다시면서 눈물이 배시시 새어나오는 데는 더할 수 없는 항공(航空)의 악천후(惡天候)인가 보다.

두 시간 내외의 항로가 지루하기까지 하다.

제주비행장 활주로에 닿으면서야 차(車)길 뱃길 며칠씩 소비하던 지난번보다 그래도 손쉽게 왔다는 안도감이 더욱 고마움을 선물해 준다.

제주십경(濟州十景)

삼경(三景)이니 팔경(八景)이니 십경(十景)이니 하는 것은 다 제 고장을 정(情)에 겨워 제멋대로 자기도취 속에 불러 놓은 숫자(數字)들이 아닌가 하고 생각하는 때가 있다.

의례히 '무슨 일출(日出)' 하면 대구격(對句格)으로 '어디 낙조(落照)' 하는 법이다.

삼경(三景)이라 하면 숫자에서 오는 직감이 좀 허세가 덜한 것 같고 팔경(八景)이라 부르면 흔해 빠져 범속(凡俗)한 것 같고 십경(十景)이라 치면 속도 없는 본전(本錢)에 과욕을 부리는 것만 같다.

남해(南海)의 자랑이라 하는 제주(濟州)의 십경(十景)은 들은 그대로 하면,

성산일출(城日山出)

사봉낙조(沙峯落照)

정방폭포(正房瀑布)

산방굴사(山房窟寺)

녹담만설(鹿潭晚雪)

귤림추색(橘林秋色)

영실기암(靈室奇岩)

고원목마(故苑牧馬)

영구춘화(永丘春花)

산포조어(山浦釣漁)

그것이다.

정방폭포(正房瀑布)나 산방굴사(山房窟寺) 이외의 것은 다 계절이나 시간을 맞추어 가야 그 절경을 탄상(嘆賞)할 수 있지, 아무 때나 접어들어서는 그 기회를 포착할 수가 없다. 정방폭포만 해도 가물이 계속 되면 물줄기가 거의 도랑물처럼 된다.

이것은 탐승객(探勝客)으로서 궤변스러운 생트집일게 분명하지만 그러고 보면 봉래(蓬萊) 풍악(楓岳) 개골(皆骨) 등의 가지가지 이름으로 계절과 시간에 구애됨이 없이 사철 만이천봉 굽이굽이에 기승(奇勝) 절경(絶景)을 간직한 금강산은 예나 이제나 할 것 없이 과연 천하의 절경임에는 틀림없을 상 싶다.

그러나 제주의 본령은 한라산에 있고 한라의 승경(勝景)은 절정(絶頂) 백록담에 있다. 여름의 상량(爽凉)한 아치(雅致)는 천구백 미터에 달하는 등고선에 따라 천태만상으로 전개되는 자연경(自然境)의 변화에 있고 겨울의 등반(登攀)은 혹한(酷寒) 속에 감투(敢鬪)되는 '스릴' 속에 그 쾌미(快味)가 있다.

제주도는 한라산이요, 한라는 예나 이제나 그대로 제주다.

사굴(蛇窟)과 처녀(處女)

제주도 서북방 금녕(金寧) 관내(管內) 해안선에서 삼 키로쯤 떨어진 곳에 애끓는 전설을 지닌 사굴(蛇窟)이 있다.

기념비 한 토막에 새겼으되 "거금사백이십삼년전(距今四百二十三年前) 을해(乙亥)……(중략(中略))……유일대(有一大)망거차굴중(居此窟中) 작요흥흉사인세공(作妖興凶士人歲供) 일처녀대생이제지(一處女代牲而祭之) 부즉(否則) 유풍양지재(有風兩之災)……" 운운(云云)하였다.

이 굴속에는 큰 뱀이 있어 흥흉(興凶)의 요술을 부렸으므로 해마다 처녀 하나를 제물(祭物)로 바침으로써 그 액을 면하였다고 한다. 그런데 지금으로부터 사백여년 전에 당시의 제주 통판(通判) 서씨(徐氏)가 이 일을 한탄하여 제물인 처녀를 먹으러 나타난 뱀을 찔러 죽이고 그것을 불에 살러버렸으므로 천추(千秋)의 폐(弊)를 면하게 하였다는 전설에 연유하여 그 공적을 기념하는 뜻으로 후세에(1937년) 기념비가 건립(建立)되었다.

길이가 삼백 미터 이상에 달하는 종유동(鐘乳洞)으로 들어간 첫머리는 넓이나 높이가 다 십여 미터가 되며 속으로 들어갈수록 좌우상하(左右上下)로 굴곡지고 이 미터 평방(平方) 정도로 아주 좁아진다.

헝겊뭉치에 석유를 묻혀 횃불을 만들어 들고 굴속에 들어섰다. 냉기가 서리며 천정에서 물방울이 퉁겨 떨어진다. 종유석(鐘乳石)과 석순(石筍)의 뾰족 뾰족한 것이 수 없이 보이나 좀 큼직한 것은 끝이 떨어져 몽톡하게 되었다. 안내하는 R씨의 설명에 의하면 이 지방에서는 이것을 배앓이 약에 쓴다는 전래의 약방문이 있어 다 뜯어갔다는 것이다.

갑자기 단층(斷層)을 이룬 것은 절벽진 바위를 기어서 위의 구멍으로 다시 들어가야 한다. 몇 백 년 내 찾아드는 사람들의 횃불연기에 천정이 꺼멓게 끄슬렀다.

막다른 한끝의 석벽(石壁) 밑에는 뾰죽한 석순을 의지하여 다녀간 사람들의 명함 쪽이 습기를 띠고 놓여져 있다.

아마도 그들의 찾아 왔던 이야기도 단장(斷腸)의 애곡(哀曲)을 남기고 제물(祭物)이 된 수처녀의 옛 전설과 더불어 끝없는 세월 속에 흘러갈 것이리라.

옹기점(甕器店) 사람들

훈련소가 없어진 모슬포(摹瑟浦), 군대가 거의 가버린 모슬포는 대사 치룬 뒤의 뒤울안처럼 어수선하고 쓸쓸하고 '양장점'이니 '크리닝'이니 '다방'이니 하는 퇴색된 낡은 간판만이 호화로웠던 옛이야기를 추억(追憶)처럼 간직하고 있을 따름이다.

밤거리는 주정꾼 하나 찾아볼 수 없이 속 죽은 속에 깊어만 간다. 한때 수만(數萬)의 군민(軍民)이 한데 얼려 욱신거렸다는 지난날의 번화는 간 곳이 없고, 다시 옛 모습의 한촌(寒村) 포구(浦口)로 환원된 폐허 같은 마을 뒷산에 '레이더'의 수신탑(受信塔)이 스물네 시간 그대로 회전하고 있을 뿐이다.

이 모슬포에서 동북방으로 한라산 녹계경사지(麓綠傾斜地)를 8킬로미터 쯤 거슬러 올라가면 토기(土器)로 유명한 구억리(九億里)가 나선다.

한라산과 해안선과의 사이에 있는 이 중간부락은 해안지대보다 대체로 살림들이 옹색하다. 거기에다 식수난까지 심하다. 동난 중의 희생도 이 중간지대가 가장 커서, 작전상 전 부락은 모조리 소각되었고 지금 겨우 오막살이들이 다시 세워져 가고 있다.

척박한 농토에 토기만을 만들고 사는 그들의 생활은 말할 수 없는 참상이다. 이 마을의 오십 호 속에서 일 년 생계가 되는 것은 겨우 한 세대뿐이고 그밖에는 모다 봄의 한철은 초근목피(草根木皮)로 연명해야 한다.

이십여 명이 모인 젊은이들 속에서 깁지 않은 옷을 입은 사람은 한 사람도 찾아내지 못하였다. 마침 그날은 호별세(戶別稅) 등급(等級)을 사정(査定)하는 날이기에 면소(面所)와 지서(支署)에서도 나왔었다. 절량농가(絶糧農家)에 구호양곡(救護糧穀)의 대책(對策)이 서지는 것이 아니라, 세금을 받아갈 등수(等數)가 문제였다. 마을 사람들은 핏대를 세워가며 자기가 남보다 더 못산다는 것을 각각 역설하고 있었다.

갈퀴가 된 손으로 돌각담 속의 밭을 가꾸고 일 년 내내 토기를 만들어도 잘 살아지지 않는 그들, 그래도 그들은 숙명처럼 마을을 떠나지 않고 살고 있다.

　　산지지중은 곤룡산이오
　　수지지중은 황하수라
　　청토황토 상제비되라
　　상일에도 혼사가시라
　　(상제비…흙이 잘 조합되는 것)
　　(상일…쌍스러운 일)
　　(혼사가시라…호사(好事)가 있으라)

옹기를 만들면서 부르는 민요 이 「흙 치는 노래」의 곡조가 정말 흥겨웁게 풀려나올 때는 언제나 될런지 사정회(査定會)가 끝난 후 그들은 묵묵히, 또다시 옹기 가마 속으로 들어가는 것이었다.

남해의 고도 제주는 해녀의 인상 같은 낭만이 아니라 여름도 겨울도 살려고 몸부림치는 현실의 아우성이다.

자유문학, 1958. 5.

서해西海의 휴전선상休戰線上을 가다

―백령白翎·대청大靑·연평도延坪島 학술조사學術調査를 마치고―

바다의 휴전선

오래간만에 타는 새벽열차의 맛은 그리고 찢어지는 듯한 기적 소리에 뒤따르는 차체의 진동은 벌써 서울의 먼지구덩이에서 벗어나는 최초의 신호처럼 가뜬하고 시원스러움을 느끼게 한다.

이제 며칠 동안은 도시의 소음과 주변의 치다꺼리와 끝없는 번거로움에서 얼마동안 해탈의 자유를 마음껏 누릴 수 있게 할 것이다.

잠자던 서해 바다의 섬들, 아니 사변 후에는 차라리 부대끼기만 하였던 섬들을 처음으로 찾으려는 학술조사단 칠십여 명의 대원들은 미지의 경이를 발견하러 가는 탐험객처럼 반 흥분에 젖어 제각기의 새로운 꿈을 머릿속에 그린 채 이야기의 실마리가 웃음 속에 끊이지를 않는다.

아직 가보지 못한 낯선 지역의 색다른 풍물에 접한 호기심도 크려니와 조기떼를 눈앞에 두고 벌어질 파시(波市)의 진경은 더욱 기대의 가장 큰 대상이었다.

인천에서 차를 내리자 얼마 아니 되어 배에 올랐다.

흑산도(黑山島), 안면도(安眠島), 울릉도(鬱陵島), 제주도(濟州道) 할 것 없이 이름난 섬이라고는 거의 다 찾아가 본 나로서는 이날의 뱃길이 유다른 흥분을 자아내는 것은 아니지만 그래도 또 새로운 하나의 즐거움이 첫여름의 푸른 바다와 더불어 가슴 속 깊이 훈훈한 감흥을 안어다 주는 것이었다.

팔미도(八尾島) 등대를 벗어나고 이름 익은 덕적도(德積島)를 스칠 무렵부터는 겹겹이 끼고 돌던 섬들의 수효도 점점 줄어드는 것 같고 왼편으로 서해의 아득한 수평선이 솜구름 밑에 실금을 그은 것이 아련히 시야를 가물거렸다.

맑게 개인 하늘 짙푸른 바다, 가는 주름살 하나 없는 해면! 무슨 복을 타고난 오늘의 항해인가 싶다.

륙색 속에 처박아 두었던 코발트색 베레모를 끄집어내어 쓰고 큰 배의 난간에 기대어 마도로스 파이프에 불을 당기어 첫 모금의 향긋함을 길게 들이키니 가슴 속은 더욱 유장(悠長)한 감회 속에 환히 트이는 시원함이 스르르 눈썹이 감겨짐을 느끼게 한다.

선실의 라디오에서 아시아 올림픽 대회의 전적이 방송되는 뉴스를 듣고 와서 떠들석 하는 소음에 고취되었던 무아의 경지에서 되돌아서곤 한다.

배는 하나의 커브도 없이 거울 위를 미끄러지듯 곧게 북으로 북으로 흘러가고만 있다.

이런 때 갈매기 떼쯤이야 약국의 감초처럼 속된 것이지만 그런대로 스쳐가는 배들과 더불어 지루하지 않은 풍경화를 수놓고 지나간다.

이따금씩 큰 상어 떼가 배 언저리를 거슬러서는 검푸른 등허리를 편득이고는 작은 언덕의 굴곡처럼 물속으로 들어갔다가는 다시 솟구치곤 한다.

차라리 거센 물결이라도 일어나서 '롤링'이라도 있었으면 하는 심술궂은 생각이 고요한 바다의 무료함에 부질없는 반기를 들기도 한다.

바다 위에 범선(帆船)이 부쩍 늘었다.

오른편 저 쪽에 보이는 것이 연평도라고 한다. 처음 가는 나그네에게는 그 섬이 그 섬이어서 분간할 수 없을 정도이다.

해는 서쪽에 기울기 시작하였다. 배는 휴전선을 넘었다고 한다. 아무런 표지도 없는 바다 위의 휴전선이다.

아득히 보이는 높은 산봉우리는 섬 아닌 옹진반도의 적지라고 한다. 경계선 없는 바다 위에서 배는 이미 휴전선을 넘어 이북 바다에 들어선 것이다. 북쪽에 배 한 척도 보이지 않아 걱정거리는 되지 않으나 마음이 그리 개운한 것은 아니다.

쌍안경으로 보면 북쪽에서의 사람의 움직임이 그대로 보인다고 한다.

피아의 거리를 지호지간(指呼之間)에 두고 배는 북으로 거슬러 올라가기만 한다.

한국 영토의 가장 북쪽인 그것도 휴전선을 넘어 기동 상륙으로 점령하였다는 백령도의 포구 용기포(龍機浦)에 다은 것은 어둑어둑해 오는 저녁 여덟 시였다.

어둠이 짙어갈수록 최전선 전투지대의 밤은 삼엄한 경비망 속에 숨죽은 듯이 깊어만 갔다.

면세소왕국(免稅小王國)

백령도는 원주민 6천 명 피난민 3천명 도합 9천명의 인구를 가진 섬이다. 농사도 짓지만 그것은 일 년의 삼분지 일의 식량도 못 되고 멸치 비슷한 까나리를 비롯한 해산물로 나머지 양식을 보충하여 가나 그것도 완전한 계량(繼糧)은 되지 못하여 모두들 극도의 곤궁한 생활 속에 허덕이고 있다.

그래도 면사무소 소재지인 진촌리(鎭村里)에는 중학교가 하나 있고 그 밖에 이 섬에는 두 개의 국민학교가 있어 그들은 궁핍한 생활 속에서도 자녀의 교육에는 전력을 다하고 있다.

피난민의 대부분은 해주를 비롯한 황해도에서 넘어온 사람들로서 그들은 뒷산에만 올라가면 건너다보이는 고향산천을 멀러 바라보면서 조국이 통일되어 옛 터전으로 돌아갈 날만을 손꼽아 기다리다가 이제는 지쳐서 체념 속에 묵묵히 허덕이고만 있다.

이 섬은 면 하나를 유지하면서도 세금이 없는 야속한 별유천지이다. 곤궁한 면민들의 연명을 위하여 구호양곡을 타다가 배급하는 것이 면장이 하는 일 중의 가장 중요한 직책의 하나라고 한다.

황해도 옹진군이 잠정적이나마 경기도 옹진군으로 명명된 것도 조국이 겪어 오는 슬픈 비극의 한 단면이지만 이 백령면은 납세의 의무도 떳떳하게 치루지 못하는, 말하자면 배급의 하소연을 울 속의 닭이 먹이를 기다리듯이 면장의 동분서주에만 의지하고 살아가는 가엾고 슬픈 기형의 자치왕국(自治王國)이다.

그래도 장터에는 전방도 있고 술집도 있고 심지어 다방마저 둘씩이나 문을 열고 있는 기현상은 지나가는 손의 발걸음을 멈추게 하는 휴식소로 되어 있다.

가난한 겨레에게 신의 구원은 더 가까운가 보아 교회는 가는 곳마다 십자가의 표지를 언덕 위에 번득이고 있다.

이 섬 서남쪽에 있는 중화리(中和里)에는 벌써 육십여 년 전에 기독교가 들어와서 이 마을의 늙은 집사는 교회의 환갑 행사준비에 분주하고 있다.

영양실조로 결핵환자는 날로 늘어 간다는데 현대식 진료소라곤 섬 안에 단 하나밖에 없다니. 지형 좋은 언덕마다 높이 솟은 첨탑 위의 십자가는 이 가난하고 수척한 섬사람들에게 무슨 수 나는 신의 계시나 복지를 가져올 것인지 이날도 저물어가는 마을에 교회 종소리는 뒷산 허리에 은은하게 메아리를 울리고 있다.

섬의 서북방 연화동(蓮花洞)에서 선대암(仙臺岩)으로 이르는 해안은 해금강(海金剛)에 못지않은 기암(奇岩) 괴석(怪石)과 동굴의 절승을 자랑하고 있으나 인적도 괴괴한 이 지역에 금강산도 식후의 경이라는데 향토의 그 뛰어난 경치가 무슨 보탬이 될는지 바다는 울부짖어도 이끼 앉은 바위는 묵묵히 서 있는 채 한마디의 대꾸도 없다.

다만 해변에 끝없이 펼쳐져 있는 아름다운 곱돌 바닥에는 까나리를 말리는 멍석이 여기저기 널려져 있고, 허리를 꾸부리고 겨우 기어 드나들 수 있는 오막살이 옆 굴뚝에서 까나리를 삶는 연기가 바다 위의 반짝이는 저녁 햇빛 위로 기어오를 따름이다.

멀리 이 섬의 주봉(主峰)인 북포리(北浦里) 뒷산 제일 높은 봉우리 위에는 비행선 모양의 레이더가 밤낮으로 쉬지 않고 돌고 있으며 그 밑에 높이 올린 성조기와 더불어 마치 폭풍의 전야와 같은 불길한 예감을 자아내고 있다.

이삼일 간의 서울 소식이 벌써 궁금하기에 신문을 찾았다. 그것도 서울서 이미 보고 떠난 이후의 날자는 아직 발견할 수 없고 한꺼번에 여러 날치가 뭉쳐져 온다는 것이었으며 「세계일보」과 「연합신문」 외의 신문들은 거의 찾아볼 길 없다는 섬사람의 이야기도 그대로 흘려만 버리기에는 너무도 거짓말 같은 이야기들이다.

고도(孤島)의 사막(沙漠)

섬은 작으나 백령도보다는 대청도(大靑島)가 더 인심이 후하고 살기 좋은 곳만 같다.

백령도를 떠난 함선이 두 시간도 못 걸려서 대청도에 닿았다. 해무(海霧)가 너무 짙어서 배 댈 곳을 몰라 얼마 동안 망설인 모양이다. 바로 십미터 앞이 내다보이지 않게 온통 연회색 장막으로 겹겹이 둘러싸였다. 꼭 바다에서 사고가 일어나기 좋은 날씨라고 한다. 큰 배의 고동은 신음같이 구슬프다. 그것이 허공을 대고 연거푸 고함을 지르다 죽어가는 육중한 짐승의 마지막 비명같이 애절하다.

간신히 상륙하였다.

그러나 삽시간에 광풍이 휘몰아 가듯 해무는 걷히기 시작한다. 대청도의 뒷산 봉우리가 윤곽을 드러내고 덮였던 햇빛이 갑자기 눈이 부시게 내려 비친다.

수소탄이구 인공위성이구 하여도 인간의 과학적 발악은 자연의 위력 앞에 어찌할 바를 모르는 상 싶다.

한꺼번에 닥치는 낯선 사람들 덕분에 포구의 비좁은 점방은 눈치 빠른 상인의 손에서 담배니 생선포니 할 것 없이 순식간에 물건 값이 올라간다.

여사(旅舍)를 정한 다음 저녁까지는 아직 서너 시간의 여유가 있기에 조사차로 가파른 뒷산을 넘었다. 아직도 해무는 이따금씩 산등성이에 엄습하여 온다.

북쪽 멀리 떠나온 백령도가 흘러가는 해무의 틈을 타서 희미하게 반득인다.

단 하나의 국민학교 소재지인 대청리(大靑里)에 닿았다. 민요니 전설이니 주민들의 실정이니 하여 제각기 흩어져서 마을사람들을 상대하여 조사가 진행된다.

인구 천명 내외의 이 조그만 섬 속에 이런 옥토의 벌판이 있는가 싶은 논벌이 눈앞에 전개된다.

모내기를 위한 논갈이의 일꾼들 한 떼를 찾았다. 십여 명 속에 남자는 삼십 넘은 장정과 어린 소년 외엔 모두 여자들이다. 습기진 곳은 논두렁도 발목까지 빠지고 논바닥은 진흙이 무릎을 감추게 한다.

예전에 늪이었던 자리다. 깊지는 않았으나 물 나가는 배수구가 밀려드는 모래에 덮여서 물이 빠지지 못하여 왜정 때에는 좀 심어먹던 것을 해방 후 쭉 팽개쳤다고 한다. 작년에 마을의 뜻 맞는 사람 사십여 호가 공동으로 도랑을 치고 사구(砂丘)를 밀어 옮기고 물을 빼어 옥답(玉畓) 2만 5천평을 공동분배를 하였다고 한다.

국가가 마땅히 시설해 주거나 보조하여 주어야 할 어려운 일을 가난한 농민의 단결된 힘으로 이루어 놓았다. 장한 일이다. 박수를 쳐서 고무하고 싶은 심정이다.

그러나 앞길은 아직 낙관을 허락하지 않는다. 2미터의 높이 3미터 이상의 폭으로 시멘트까지 써가며 파헤친 이 배수로가 지금 이 순간도 바람이 부는 대로 모래에 덮여지고 있다.

배수로 옆 언덕에 올라서니 끝없는 큰 산 전체가 사막으로 화하여 가고 있다.

북서풍은 여전히 거세다. 바람은 사진(砂塵)을 일으키며 앞이 보이지 않게 공중에서 맴을 돌고 있다. 불과 십 년 내외에 얼마 안 되던 모래벌이 이렇게 온 산을 뒤덮었다는 것이다. 지금 우리가 걷고 있는 이 순간에도 눈에 보이게 사막은 커져 가고 있다.

오죽했어야 국민학교 전부가 집이건 운동장이건 모두 모래에 덮여 작년에 부득이 딴 곳으로 이전하였다고 한다.

경사진 사막의 모래무늬는 그래도 석양에 빗겨 한결 곱다. 미개의 처녀지 같은 모래 위에 발을 옮기는 대로 자욱이 움푹 패어 낙타를 타고 사하라를 건너는 대상(隊商)의 떼를 스크린 속에 연상시킨다.

모래 속을 등마루까지 올라가는데 무진 애를 썼다. 등성이 너머도 역시 사막의 계속이다.

이러다가 먼 세월 안가서 온 섬이 사막으로 화할 것만 같다. 가도 가도 끝이 없다. 흥미는 고사하고 이제는 지쳤다.

아직은 이 고도(孤島)의 새로운 사막 속에 나무 한 포기 심는 방풍림의 대책도 없이 급속도로 서해 고도의 사막은 섬사람들의 생활무대를 좀먹어 가고 있다.

바람은 거세게 모래를 날려 치고 해무는 아직도 습기를 띤 회색 장막을 간헐적으로 몰아치고 있다.

이 사막의 섬에서 뜻하지 않은 골동품 이 점이 발견되었다. 하나는 금동불상(佛像)이요, 다른 하나는 자기(磁器)다. R교수의 감정으로 대체로 고려시대 이전의 것이라는 윤곽이 나타났다.

그러고 보면 이 사막의 위협에 떨고 있는 대청도는 여조(麗朝) 이전 오랜 세월을 두고 외롭게 사람들은 살아왔던 모양이다.

조기의 계절(季節)

목포(木浦)에서 흑산도에 이르는 서남쪽 칠산 바다에서 시작되는 첫물의 조기잡이는 북으로 옮겨오는 조기 떼를 따라 조깃배도 북으로 북으로 이동하여 오다가 오(五)월에서 육(六)월에 접어들면 그것이 연평 앞바다에까지 이른다. 이 연평 조기는 산란기(産卵期)요 가장 풍어기여서 조기잡이하면 의례히 연평도를 연상하게 되는 정도로 유명하다.

이번 학술답사대가 하필 이 시기를 노린 것도 조기 떼를 싸고도는 파시(波市)를 직접 목격하자는 것이 그 의도의 하나이기도 하였다.

그러나 금년은 조기의 풍어가 아니었고 그것도 성어기(盛漁期)의 절정은 한고비 지났었다.

그래도 한낮의 바다 위에는 돛을 내리고 던져둔 그물의 거둘 시간을 기다리는 배 떼가 마치 대숲처럼 돛대를 비비대고 있다.

이 조깃배를 보호하기 위하여 해군의 함정까지 출동되어 있다. 어지간히 잡히기는 하나 그러나 연평도가 이미 일선지구에 들어가고 있는 오늘 만선(滿船)된 배는 예전처럼 연평으로 들어갈 생각은 없고 바다 위에서 운반선끼리 흥정이 오고 가고하다가 그것이 직접 마포(麻浦) 아닌 인천으로 들어가기 때문에 지난날의 파시의 흔적은 찾을 길 없다.

바다도 한적할 뿐더러 흥청대던 연평도의 거리도 대목장이 지나고 난 장마당처럼 쓸쓸하다.

이 서해 도서(島嶼)의 명물이라면 백련도의 까나리, 대청도의 계소(규소(珪素)), 소청도의 대리석, 연평도의 조기를 들지만 휴전선 상에서 오락가락하는 오늘날의 이 섬들에서는 그 어느 하나도 활발한 것이 없다.

조기의 근거지 연평도는 온 섬 안에 마을이 단 하나뿐이요, 이 한마을에 삼(三)천여 명의 인구가 득실거리고 그 대부분이 또한 조기 떼를 바라는 영업집이나 뱃군이 아니면 그 가공을 업으로 삼는 뱃일꾼들이다.

그러나 조기 떼가 바다 위에서 운반선에 옮겨져 고스란히 인천으로 가는 오늘 그들의 표정은 닭 쫓던 개 지붕 쳐다보는 격으로 원망에 찬 눈동자 속에 가난만 서렸고 어업조합은 커다란 사무소 앞에 퇴색하여가는 간판만을 내걸고 왕년의 성황을 향수처럼 추억하면서 조기 제철에도 한낮에 하품을 하고 있을 따름이다.

마을 뒤, 당산(堂山)에는 아직도 조기를 처음 잡기 시작하였다는 임경업(林慶業) 장군을 모시는 충민사(忠愍祠) 속에 장군의 초상이 걸려 있고 앞바다의 조깃배 떼는 멀리 바라볼 수 있지만 침만을 삼킬 뿐 그리 큰 혜택은 입지 못하고 있다.

이 마을에는 이상하게 연평중학이 아닌 피난민 간판의 강령(康翎)중학교가 사변 후에 설립되어 올봄에 새로 부임한 한(韓) 교장은 그동안 침체되었던 중학교육의 쇄신 발전에 전력을 기울이고 있다.

중학교 바로 옆에는 국민학교가 있어서 이들 섬사람들은 조반석죽 또는 해초로 연명하면서도 자녀 교육에는 각별한 열성을 기울이고 있다.

어업조합 앞의 방파제는 십여 년간의 풍파에 시달려 거의 다 허물어졌건만 손댈 염도 내지 못하고 마을 뒤쪽에는 동쪽에 성당(聖堂) 서쪽에 예배당하여 신구의 양교(兩敎)가 서로 시합이나 하는 듯이 굶주린 섬 하늘에 종소리를 울리며 섬사람들의 시들어가는 마음의 공간에 복음의 소리를 외치고 있다.

"오바영! 오바영! 차."

이 섬에서 들은 뱃노래의 후렴은 아직도 귀에 쟁쟁하고 이 섬을 떠날 때 중학교 남녀학생들이 허물어져 가는 방파제 옆에 줄을 지어 박수로서 전송하여 주던 모습은 감격과 고마움을 넘어 육지를 그리는 그들의 섬망 어린 눈동자가 아직도 망막 속에 선연하다.

언제 한번 연평도에 파시가 서고 마을 사람들이 좀 더 풍성하게 살며 잊어가는 뱃노래를 비롯한 민요를 기쁨에 넘쳐 부를 날이 오겠는지 그것만이 고대된다.

세계일보, 1958. 7. 29 - 7. 31.

동해점경東海點景

1

캄캄한 밤바다 그러나 그 포효소리로 바다의 존재를 알 수 있을 뿐이다. 칠흑은 시각을 가로막고 귀만을 날카롭게 한다. 자동차의 헤드라이트가 차라리 심술궂은 훼방꾼만 같다.

바다의 부르짖음, 산은 여기에는 영원의 패배자다. 화산이라도 폭발하기 전에야……

오랜 가뭄이 터논까지 갈라지게 하였다. 저물녘부터 검은 구름이 온 하늘을 뒤덮었다. 무더위는 여전히 찌고 있다. 빗방울이 떨어진다. 살갗이 시원하다.

"야, 돈이 내린다!"

마을사람의 환호성이 어둠을 뚫고 들려온다. 이건 비단 그 이름 모를 농부 혼자만의 즐거움이랴!

빗소리를 들으며 마음 놓고 문을 열어젖히고 잘 수 있는 밤이 좋다. 도둑이 없는 순박한 밤이다.

도시에 굴러다니다 못해 몇 동강이가 난 영화필름이 이 마을을 찾아왔다.

영사장(映寫場)인 초가집 넓은 뜰 울타리를 둘러서 경계하는 낡은 군복들 모습으로 보아 상이군인단체의 주최인 양 싶다. 임기응변의 경유발전으로 영사(映寫)하고 있다. 발전기의 소음은 크건만 화면은 흐려 보이지 않고 '로키'는 말씨를 알아들을 수 없다. 계속된 이야기가 아니라 흐린 사진 한 장 한 장 단편(斷片)을 보는 것 같다. 또 필름이 끊어져 불이 환하다. 그래도 마을 사람들은 응 그렇게 그렇게 되었을 것이라고 추측으로 줄거리를 연결시켜 가면서 흐리고 소리 무딘 '활동사진'의 밤을 즐긴다. 그것도 오징어 안 잡히는 한기(閑期)이기에.

태풍 제6호 '헬렌' 경보가 바닷가 사람들을 불안케 한다. 매일 흐린 날씨요 비는 시원히 오지도 않고 한두 방울 떨어뜨리고는 그대로 안타까운 갈증만 내고 흐지부지 해버린다. 바람은 거세고 물결은 드높다. 벌써 며칠인가. 이 흐릿한 단조로운 반복이 차라리 소나기라도 한바탕 시원하게 퍼붓든지 그렇지 않으면 활짝 개이든지.

몇 방울의 비에 바닷가 길거리 집 뜰에 박아놓은 높은 작대기에 몇 줄이고 가로 매어놓았던 오징어 줄을 푼다. 습기를 맞으면 썩든지 곰팡이가 슬기 때문이다. 주문진 위쪽까지 오징어 떼가 왔다고 오늘내일하고 그 대군(大群)의 습래(襲來)를 기다리고 만반의 태세를 갖추고 있으나 아직 아무 징조도 없다. 비조차 올 듯 말 듯 흐리멍덩한 날씨 속에 밧줄 있는 오징어 건조봉이 여기저기 서 있고 한가한 마을 사람들이 분주히 길가를 왔다 갔다 하고 있을 뿐이다.

어촌의 남자들은 하루 스물네 시간 참말 할일이 없다. 오징어 기다리는 심정 뿐, 전마선으로 낚시질을 나가려도 물결이 세어서 엄두를 낼 수 없다. 집안에서 뒹굴고 마을길을 왔다 갔다 하고 무료하기 짝이 없다. 하는 수 없이 패거리를 지어 맞붙는 것이 마작판 '모이쪼'판이다. 밤을 새고 나서 벌겋게 피 어린 눈에 이긴 놈은 이겨서 술 마시고 진 놈은 져서 마시고 아침나절부터 하루 종일 길가에 비틀거리는 주정꾼이 오가고 합성

소주의 독한 냄새가 거리를 추긴다. 도박을 하다 돈이 떨어지면 이웃집으로 꾸러 다닌다. 술은 으레껏 외상이니 좋다. 오징어 철을 방금 눈앞에 꼽고 있으니 돈만 있으면 꾸어 주고, 술만 있으면 얼마든지 준다.

오징어만 잡히면 현금이 아니라 현물(現物)로 회수하는데 그것이 갑절이나 수입이 되기 때문이다. 그러지 않으면 땅땅 마른주먹들에 거래도 없다.

어촌의 여인들은 집안일에 바쁜 그대로 또 놀기를 잘한다. 술 한두 잔 들이키는 것쯤은 누구나 할 수 있는 일이다. 바닷가 차일 밑에 모여 앉아 그 독한 소주를 안주도 별로 없이 들이키고는 장구에 맞추어 후렴의 노래를 부르고 각개 약진의 춤을 춘다. 나중에는 밖에 나와서 바닷가 백사장 나루터에서도 둥그렇게 원을 그리고 그 속에서 노래에 맞추어 춤을 춘다. 싫증도 안 나고 지치지도 않는지 한낮에 시작한 놀이가 저물녘이 되어도 아직도 그대로 계속되고 있다. 취해 비틀거리는 여인, 나와서 춤을 추자고 자리에 앉아 있는 새댁을 끌어내는 노파, 이들은 인종에 억눌렸던 천래의 발분한 본능을 이렇게라도 하여 그 일부분이나마 방산(放散)하는지도 모른다. 황혼 속에 돌아오는 그들의 취기와 태양 볕에 검은 다홍빛 얼굴에 얼마간의 피로와 그리고 만족의 흐뭇한 미소가 떠돌고 있으니까 말이다.

이들도 오징어 때만 오면 바빠질 것이다.

2

왁자지껄 떠드는 소리에 문밖으로 나섰다. 농악패들이다. 삼십 명에 가까운 집단이다.

파자마 허리를 질끈 동여매고 울긋불긋한 수실을 단 패랭이를 얹은 악장 격의 지휘자와 민숭머리에 검은 줄 깃을 친 노타이 유니폼을 걸치고 북 장구 징 꽹과리 등을 든 악사 육 명, 쪼그만 북을 든 보조악사 육 명,

패랭이에 총각차림을 하고 작은 북을 쥔 소년 칠 명, 꽃고깔에 치마저고리 처녀차림을 한 위처녀(僞處女) 칠 명, 이 큰 악단이 마을의 넓은 광장에서 온갖 재주를 다 부린다. 춤, 노래, 패랭이 꼭지 돌리기, 심지어는 구령 하나 없이 음악에만 맞추어 군대훈련의 기본동작까지 한다. 그러나 그 음악 반주란 곡에 따라 약간의 고조(高調)는 있으나 여전히 시종(始終) 반복되는 단조로운 선율이다. 그 경쾌하고 음률과 그 단색(單色)의 칙칙하게 짙은 옷매무시. 아무리 푼수를 놓아도 이 즉흥적일 리듬과 안무는 남양토인(南洋土人)들의 순회음악(巡廻音樂)을 듣던 그것과 무엇이 다르랴 싶은 생각뿐이다.

이들은 점심 요기나 하였는지 다시 굵직한 집들마다 돌아가며 풍어기원(豐漁祈願)의 행사로 마을돌림을 한다. 해가 지고 마을이 어두워졌는데도 그 단조로운 선율의 가락은 아직도 멀리 가까이서 단속적으로 들려온다.

하늘빛 블라우스에 바닷빛 스커트, 이렇게 말하면 퍽 화려한 차림 같지만 그것이 깃광목 천이라고 생각하고 땀과 햇볕에 퇴색된 하늘빛 검은 색깔에 가까운 바닷빛을 상상해 보라. 아홉 살에서 열두어 살까지의 이런 소녀들이 몇 십 명 바닷가에서 수영하고 있다. 머리들도 깨끗이 다듬은 것이 아니요 수영복을 입은 애라고는 별로 없고 대부분이 드로어즈 바람으로 바다에 뛰어 들었다가는 가슴에 두 팔을 오그리고 기다시피 자리에 돌아와서는 모래밭에 엎드려 뒹군다.

어느 고아원에서 집단으로 온 것만 같다. 그만큼 그들의 옷이나 신발은 낡았고 그 밖의 몸차림도 윤택한 빛이 전연 없다.

그 많은 소녀들 속에서 삼십 환짜리 참외 하나를 혼자서 사먹는 애가 하나고 다른 한 패는 십 환씩 모아 삼십 환짜리 참외를 사서 삼등분을 하여 갈라먹을 뿐 그 밖의 애들은 침만 삼키고 아무것도 사먹을 엄을 못한다. 숫제 대부분 체념을 하는지 과일이나 과자장수 쪽으로 돌아보지도 않는다. 뒤에 알고 보니 고아원이 아니라 여기서 한 십 리 떨어진 국민학교

5, 6학년 여생도를 선생 한 분이 인솔하고 소풍 겸 일부러 해수욕을 왔다는 것이다. 이들의 모습은 그대로 농촌의 단면 속의 차라리 부유(富裕)하다는 면(面)일지도 모른다. 사양(斜陽)에 줄을 지어 산 구비를 돌아가는 하늘빛과 곤색의 퇴색된 유니폼 위로 멀리 벌판을 넘어 농가의 저녁연기가 백양나무 사이로 피어오른다.

전등은 물론 없고 전지식 라디오 소리는 좀처럼 들어볼 수 없는 바닷가 마을에 저녁 직후의 엷은 어두움을 뚫고 마이크 소리가 요란하게 울려온다.

문명의 함성 같아서 반가움이 치민다. 곧이어 무슨 선거라도 있나하는 생각이 든다.

고촉(高燭)의 헤드라이트, 스리코타의 클랙슨, 거기에 마이크 소리.

갑자기 마을은 명절처럼 활기를 띤다. 집집에서 사람들이 튀어 나온다. 삽시간에 마을 복판의 경사진 광장은 발 들여 놓을 자리 없이 가득 찼다. 북 색소폰 아코디언의 세 악사가 소위 상설악사(常設樂士)요, 여기에 아코디언 하는 청년이 기타를 겸하고 색소폰이 클라리넷을 번갈아하니 오인조(五人組)이기도 한 셈이다.

거기에 17, 18세의 소녀 사 명(四名) 그리고 남자가수 하나, 매니저 격의 신사 한 사람. 이것이 이들 약 광고 선전대원들의 일행이다.

"투가리보다 장맛이 좋더라."

"응 묵호(墨湖)에서 보니까 말이야."

귀원장정(歸遠壯丁)인 듯한 군복의 젊은이 둘이서 주고받는 대화다. 아무튼 생김새는 어떻든 소녀의 목청들은 괜찮은 것 같다.

축전지의 성능이 어찌나 강한 것인지 무대와 객석에 각각 하나씩 조명등을 켜고도 마이크는 온 마을이 떠나갈 듯이 큰 음향을 낸다. 간간이 섞는 보명수니 청심환이니 무어니 하는 약 광고야 판에 박은 것이지만 유행가에 민요 거기에 심청전, 춘향전의 판소리가 있는가하면 맘보 땀보에 춤까지 곁들인다. 이 네 사람의 소녀는 가수요 무용가요 손에 무엇을 쥐고 흔들어 소리를 내는 악사요 약 들고 파는 판매원이요 겸무(兼務) 또 격무(激務) 속에 땀을 흘리며 일하고 있다.

자정(子正)이 가까워도 마을사람들은 자리로 마련한 멍석 위나 궤짝에서 일어나지 않고 메말랐던 가슴이 춤과 노래에 후련해지고 뒷집 노인은 이십 년 묵은 체증이 나을 것이라고 천하명약이라는 보명수 한 병을 소중이 모시고 골목으로 사라진다.

이 여름밤의 돌연한 이방인의 음향은 고요하던 마을 큰 애기들의 가슴에 새로운 울렁거림의 씨를 뿌려 놓고 간다.

3

태풍 경고―비도 오는 둥 마는 둥 구름만 휘덮고 폭풍 속에 파도만 거센 나날. 오징어 떼는 오지 않고 바다만 거센 열흘이 지나고 몇 안 되던 학생 캠프대(隊)마저 견디다 못해 철거한 지금에서야 처음으로 날이 개었다. 그 험상궂던 하늘이 변모했다. 눈부신 아침 햇살, 수평선에서 머리를 치켜드는 해돋이가 이렇게 아름답고 고마울 수가 또 있을까? 그렇게 겹겹이 쌓였던 구름은 어디로 다 흩어지고, 저렇게 맑은 하늘이 시원하게 활짝 트인 것인가, 바람도 종적을 감추고, 물결도 차츰 가라앉기 시작한다.

"하늘이 참 조화야."

흰 수염 텁석부리 노인의 말이다. 마을 사람들은 죽음에서 살아난 듯이 활기를 띤다.

비에 젖어 곰팡이가 슬게 된 배의 돛을 올려 건풍을 쏘이며 바다를 바라보는 얼굴들이 자못 명랑하다.

울타리 빨랫줄에 습기 띤 침구 옷가지가 널리어 말려진다.

남자들은 백사장에서 그물 깁기에 신이 나고 아낙들은 강물에서 빨래에 바쁘다.

멀리 물결 없이 잠자는 듯한 수평선 위에 하나씩 둘씩 배 그림자가 늘어간다. 한낮의 모래사장은 발바닥이 뜨겁다.

8월 15일! 15년 전의 그 감격! 거저 껴안고 울고만 싶던 그날 네 것 내 것 없이 온갖 물욕(物慾)에서 초탈하여 모두 다 새 나라에 바치고 이바지하자던 그 순박 그 정열 그 감격은 다 어디로 가고 지금 여기 무감각한 촉루들만 남았는가?

아무 이야기도 아무 반응도 없는 이 날……. 다만 퇴색된 태극기가 몇 집의 울타리 장대에 달려 있을 뿐 무슨 날인지조차 아는 것 같지 않은 표정들!

다만 오징어를 그리는 마음만이 바닷바람을 타고 수평선으로 날고 갈매기 떼가 오락가락할 뿐이다. 지나가다 멈춘 GMC군대차의 휴대용 라디오에서 누군가의 경축식사 연설이 중계되고 그것도 그 주위의 몇 사람만이 알아들을 수 있을 뿐 신문이라고는 한 가지밖에 안 온다는 이 마을. 우체부도 하루건너 찾아드는 이 동해의 한촌(寒村)에 8·15의 그 피 끓던 환호성과 감격은 언제나 다시 그들 그리고 우리 모두들 가슴 속에 물결쳐 닥쳐올 것인가. 그렇게 흔해 빠진 나일론 조각을 걸친 여인네도 별로 없이!

마을 사람들은 그을리고 지친 얼굴에 말이 없고 우리의 팔월 정오(正午)의 태양만이 뜨겁다.

칠석(七夕)이 지나고 말복(末伏) 바닷가의 밤은 건들바람이 겨드랑이를 스친다. 먹이를 찾아 포효하는 맹수와 같던 바다가 이렇게 고요해질 수 있을까. 물결소리도 없거니와 빙판을 연상시키는 유리의 호수 같다.

휘영청 밝은 열사흘 달이 한 조각도 부서지지 않고 거울 같은 수면으로 미끄러져 한 줄기의 반사광을 던진다.

소녀의 가냘픈 멜로디의 소야곡(小夜曲)이라도 어디선가 들려올 것만 같은 밤!

마을 사람들은 폐물이 된 동해선 철로 둑 위에 거적을 깔고 모여 앉아 살림살이의 푸념에 꽁초 타는 냄새만 짙어가고 계절조(季節鳥) 같은 백사장 가설(假說) 객주집에서는 강원도 아리랑의 술기어린 곡조가 광목차일 (廣木遮日)을 거쳐 밤공기 속으로 흩어진다.

삼척에선가 근친(覲親)을 왔다는 햇집난이(출가녀(出嫁女))는 시집살이 첫 이야기에 아낙네들의 감탄어린 공명을 엮어가고 할머니는 딸의 인조견(人造絹) 치마 무릎을 베고 달빛 조명 속에 코를 골고 있다. 이리하여 바닷가의 밤은 바람의 방향과 달의 빛으로 내일의 일기(日氣)를 점(占)치는 속에서 문화의 혜택이란 아무것도 입지 못한 양 태고처럼 깊어만 간다. 그래도 어유(漁油) 등잔 타는 냄새 속에서 아기는 나고 자라고 그리고 사람은 죽어가고……

－동해한촌(東海寒村)에서

조선일보, 1959. 9. 2－9. 4.

바다와 빨간 속곳

영차, 여엉차······.

뱃노래에 겹쳐 갯가에서 들려오는 복닥거리는 소리에 나는 단잠에서 깨어났다.

덕적도(德積島)의 첫 밤은 새고 날이 밝아왔다.

아마도 바닷가의 새벽은 일찍 동이 터오는가 보다. 솔밭사이로 내다보이는 밀물 때의 푸른 바다는 새 아침의 시원함을 안겨다 준다. 소금기를 머금은 선들 바람이 코끝에 갯내음의 비릿함을 풍기며 스쳐간다.

석 달 가뭄에 오늘도 또 비 한 방울 내릴 가망은 없이 하늘은 알미웁도록 맑게 개였다. 바다에까지 와서 비를 기다리는 심정이란 여간 허기진 갈증이 아니면 있을 수 없는 일인 상 싶다.

나는 아우성치는 쪽을 향하여 송림 사이를 맨발로 누벼 걸었다. 보드라운 모래의 감촉이 발바닥에 간지럽게 밀착해온다. 아침 이슬에 젖은 해당화 송이가 유달리 싱싱해 보인다.

방파제 안쪽에 커다란 돛배 두 척이 비스듬히 모래 위에 몸뚱이를 던지고 반쯤은 물에 담가지고 있다. 벌써 썰물이 시작되었나 보다.

그 주위엔 사람이 가득히 모여 움직이고 배와 갯마을 사이는 오가는 사람들로 줄을 짓고 있다.

나는 배 언저리까지 다가갔다. 모여선 사람이나 오가는 사람 속에는 사내란 하나도 없고 아낙네들뿐이다.

배는 새우를 만선하고 들어왔다. 그것을 마을 저장소까지 이어 나르느라고 그 야단들이다. 배 위에서 일하고 있는 뱃꾼 이외에는 남자라곤 없다.

십(十)대의 가시네에서부터 환갑 넘어 뵈는 할머니에 이르기까지 새우 운반의 행렬은 몇 시간이고 그칠 줄을 모른다.

시어머니고 며느리고 딸이고 어머니고 온 마을의 아낙네들은 총동원된 것만 같다. 짐을 이고 걷는 걸음걸이는 빈 몸뚱이보다 더 재빠르다.

그러나 그들에게는 어느 누구에게도 피로의 기색이 엿보이지 않는다. 마치 추수기의 농촌 풍경을 연상시킨다.

연분홍의 토실한 새우는 만지면 풀풀 뛸 듯이 싱싱해 보인다. 대사 날 같이 풍성한 바닷가의 아침 풍경이다.

그 사이 높게 떠오른 한여름의 햇살은 오랜 가물의 탓인지 벌써 내려 쬐기 시작한다. 여인네들의 이마에선 땀방울이 굴러 떨어지고 있다. 그러면서도 그들은 한결같이 흐뭇한 표정으로 무엇인가 웃음 속에 이야기를 나누며 조잘거리고 있다.

그러나 그들의 옷은 일하는 시간이라서 그런지, 대체로 보기 흉할 정도로 허름하다. 닥지닥지 기워 입은 것이 대부분이고 조금 괜찮다는 것이 나이찬 처녀들의 옷차림이다. 섬의 살림살이가 궁핍해도 역시 시집보내게 다 자란 딸자식만은 너무 궁상을 드러내놓게 할 수는 없는 부모들 심정의 발로인 상 싶다.

이러한 옷차림 속에서 허리 구부러진 할머니의 빨간 속곳을 발견하게 된 것은 참으로 충격적인 기이한 풍경이 아닐 수 없다. 그것도 속곳 끝이 보인 것이 아니라 남루한 치마의 군데군데 뚫어진 틈새로 보이는 빨간 빛의 자극 때문이니 말이다.

이들 아낙네의 옷이란 별로 진한 빛깔이 없이 흰 것이 아니면 회색, 대개 엇비슷한 연한 빛깔인데, 거기에 새빨간 원색이 주는 시각적인 강한 자극은 여간 두드러지는 것이 아니다.

서울 한복판에서 보아도 이상하게 느껴지던 할머니들의 난데없는 빨간 속바지의 유행이 서해의 한끝에 있는 이 섬에까지 퍼져 올 줄은 참말 상상도 못한 일이다. 더욱이 삼복중의 빨간 속바지, 이것은 생각만 해도 그 짙은 색채감이 땀이 흐르는 것만 같은 중압을 느끼게 한다. 누가 어떻게 유포했는지 모를 일이지만 액운을 막아 준다는 빨간 속곳의 유행은 달나라로 로케트가 날으는 현대과학을 무색하게 하는 한국의 얄궂은 현대판 신화일는지도 모를 일이다.

그것도 여인의 속바지에만 한하고, 거기에다 맏며느리나 맏딸이 해주어야 그 면액이 더 주효한다고 주까지 달았다니 미신치고는 꽤 과학의 뒷받침을 받은 치밀한 계산인 것만 같다.

나는 복중의 작열하는 태양 밑에서 덕적도의 허리 굽은 할머니가 걸친 남루한 치마 구멍에 비치는 빨간 속곳을 바라보며 육십(六十)년래라는 모진 가뭄의 갈증을 더욱 목타게 느끼는 것이었다. 오히려 그 빨간 속바지는 그 옆에 나란히 걸어가던 손녀인 듯한 방년(芳年)의 소녀가 입었으면 더 어울리지나 않았을지…….

어느 현명한 장사치가 이 땅 여인의 무지에 다시 한 번 그 영특한 상혼(商魂)의 섬광(閃光)을 비친다면, 내년쯤은 다시 노랑 속곳의 액운 방지복이 나올지도 모를 일이다.

미국이 쏘아올린 랑데부 우주선은 오늘밤 지구를 오십팔(五十八) 회전하고 아직도 계속 돌고 있다고 거리의 확성기가 외치는 속에서, 빨간 속바지의 여인은 북두칠성을 보며 점괘를 놓고 있는 이 밤이다.

여원, 1965. 11.

경춘가도京春街道

떨어지는 나뭇잎 하나에서 온 가을을 느낀다는 말이 있거니와 금년은 초가을의 뜻하지 않은 이상기온으로 가을이 더 빨리 짙어지는 것만 같다.

봄이 여름으로 바뀌는 계절의 변화는 눈만 약간 돌리고 있으면 어름어름 어느 사이엔지 모르게 부닥쳐 오기 일쑤이지만, 여름의 가을로 변하는 계절의 감각은 확실히 하루아침에 문을 열고나서는 이마를 선뜻하게 하는 것만 같다.

소음과 공해로 뒤범벅이 된 도심지를 잠시 벗어난다는 것은 도회인의 그지없는 그리움이요, 몸과 마음에 한 가닥의 청신제를 더해주는 더없는 계기로 되는 것이리라.

그러나, 휴일만 되면 서울의 근교란 어디랄 것 없이 사람의 발자국으로 붐비고 거기에 라디오나 확성기의 소음마저 겹쳐 거리의 연장에 불과함을 느끼지 않을 수 없게 한다.

그러한 속에서도 경춘가도만큼 변화 있는 즐거움을 안겨다 주는 여정은 드물 것이다.

망우리하면, 전 같으면 음산한 공동묘지 밖에 연상되어 오는 것이 없었지만, 이젠 오십 미터 폭의 신작로가 새로 닦이고 고개마저 낮아져, 묘지를 굽이굽이 돌아 영마루를 넘던 지루함은 느낄 겨를도 없이 어느 사이엔가 서울을 벗어나 금곡 길로 접어드는 것이다. 능(陵)을 오른쪽에 끼고 고갯길에 접어들면 모퉁이마다 그리고 골짜기마다 미사일 형의 뾰죽한 지붕 위에 빨강이나 파랑의 원색 칠을 한 건초(乾草) 저장용 '사이로'를 곁들인 목장이 눈에 뜨이고, 홀슈타인을 비롯한 젖소들의 유유한 모습이 우선 초조하고 쫓기기만 하던 도시인의 마음을 느긋하게 해줌을 느끼게 된다.

눈앞에 우뚝 솟은 잡목이 우거진 천마산을 바라보며 마석고개를 넘어 산굽이를 돌면, 새로 이룩해 놓은 것 같은 경기도 모범 취락단지 새마을이 행인의 눈을 끈다. 마을 안까지 직선으로 트인 큰길로, 서양 농촌의 한 모퉁이를 옮겨다 놓은 것 같은 착각, 경지정리가 되어있는 반듯반듯한 논밭, 마을 사람들의 살림 안속까지 실속 있게 되어지기를 바라는 마음 간절해진다.

한참 달리노라면 청평 못미처 대성리 유원지, 주말을 즐기려는 갖가지 모양의 별장들이 산골물이 흐르는 개울가에 여기저기 자리 잡고 철조망으로 둘레를 쳤지만, 강 건너 허술하고도 옹색한 초가지붕의 농가하고는 너무나 현격한 차이의 대조적인 모습을 보여준다.

청평가도 광장 모서리에 있는 이층의 팔각정에 올라, 멀리 청평댐을 바라보며 한 잔의 커피로 입술을 적시면 문득 혼잡한 서울이 먼 천리 밖에 남의 일처럼 잠시 잊혀지기도 한다.

가평거리 입구에서 남이섬으로 갈라지는 길을 오른쪽으로 보며 연합국 참전 기념탑을 스쳐 시가지를 관통하여 오르막길을 구불구불 잠깐 달리면, 이제 길은 매양 짙푸른 물이 넘실거리는 강뚝을 끼고 달리게 된다. 강 양쪽에 우뚝 솟은 고산준령, 멀리 숲속에 번득이는 별장인가 싶은 양옥지붕은 '몽블랑'으로 향하는 스위스의 산골 풍경을 연상시키기까지 한다.

바람에 나부끼는 길 양 섶의 코스모스 행렬, 꽃송이 하나하나로는 보잘 것 없는 빈약하기 짝이 없는 이 꽃이, 덩어리로 한데 엉겨 피면 이렇게 우람한가 하는 생각마저 든다.

강위에 공중 구름다리가 한창 놓이고 있는 강촌역(江村驛) 언저리 여기부터는 그야말로 경춘가도의 절경이다. 강물이 출렁거리는 계곡, 숲이 우거진 기암괴석의 연봉, 왼쪽 협곡의 등선 폭포, 흡사히 로렐라이 언덕 밑 강물 위를 스치는 기분이다. 라인강은 기름투성이의 검붉은 물이지만, 한강 상류는 바닥이 보이게 맑고 아름다운 흐름이다.

여기서부터 계속되는 의암댐에 연속되는 춘천호반(湖畔), 춘천(春川)은 이름도 부드럽거니와 자연의 환경도 천하일품이다. 이대로 호숫가에 눌러앉아 밤낮을 가리지 않고 낚시대를 드리운 채 속세를 잊었으면 하는 유혹이 간절하다.

춘천 북녘에서 갈리는 두 줄기의 한강지류, 서북으로는 화천호수, 동북으로는 소양강(昭陽江), 삼백여 년 전 이미 정송강(鄭松江)은 그의 「관동별곡(關東別曲)」에서 소양강의 맑은 물을 읊었었다.

천고에 말없이 흐르던 강물은 이제 삼백 미터 높이 오백 미터의 두께로 자연의 흐름을 막았다. 이것이 세칭 '소양강 다목적댐'이다. 이제 얼마 안 있어 아득히 밑바닥에 굽이치는 물속에 잠길 것이고, 제방에 만수가 되면 누대로 살아오던 강변의 마을도 흘러온 역사의 흔적 없이 강물 속에 파묻힐 것이다. 그러면 먼 훗날의 사람들은 현대 과학의 희생으로 사라져간 이 마을들의 옛 이야기를 전설처럼 주저리주저리 엮어갈 것이다.

드높이 트인 가을 하늘, 짙게 물든 단풍, 맑게 흐르는 강물, 자연이 주는 아름다움은 이 강산보다 더한 곳이 세계에 또 어디 있을까? 알프스의 계곡도 석회질 뿌연 물이요, 나이아가라 폭포도 흐린 물을 내동댕이치고 있다.

그러나 미국에서는 산이나 들놀이를 가도 정해진 장소 이외에서는 절대로 밥도 끓이지 못하고, 군불도 피우지 못하게 하고 있다. 온누리에 산이

푸른 나라는 다 잘 살고, 산이 헐벗은 나라는 다 가난에 쪼들리고 있다.

남들은 산에 사람의 손만 가면 그만큼 아름다워진다는데, 우리의 산은 사람의 그림자만 얼씬거리고 나면, 황폐해지기만 하는 것은 무슨 탓일까?

짙푸르게 우거진 이름 그대로의 금수강산을 그리며, 잠시 도시의 혼탁을 잊어보는 순간이다.

세대, 1973. 1.

가을의 도봉道峰

　지난 일요일 아침. 느닷없이 륙색을 걸머지고 집을 나섰다. 문득 산이 그리워졌다. 가을이 짙어진 탓일까, 이가 시리도록 새파란 하늘의 유혹에 서일까. 그렇잖으면 가슴속이 탁탁 막혀드는 도심을 벗어나려는 도피행의 심사에서였을까. 가을은 여수(旅愁)를 유혹한다. 어디로든 떠나고픈 계절이요, 그리고 떠나게 하는 계절이다.

　일 년 사시(四時) 중 계절의 변화를 가장 민감케 하는 것은 봄과 가을이다. 여름은 어느 사이엔가 봄의 연장처럼 어름어름 모르는 사이에 찾아들고, 겨울은 겨우살이를 걱정하는 마음속에 먼저 도사리고 기실 그 절기는 뒤따르기 일쑤이다.

　그러나 봄은 돌 밑에 깔리거나 사람발굽에 무디어간 풀포기 하나에서까지도 새싹의 입김이 계절의 변화를 예민하게 알려오고 가을은 물들어가는 단풍잎 하나, 떨어지는 낙엽 한 잎에 마저도, 그리고 문틈으로 스며드는 귀뚜라미 소리 한마디에서까지도 계절이 불현듯 바뀌는 공음(跫音)을 엿듣게 한다.

　봄이 희망의 계절이라면 가을은 회고의 계절이라고나 할까. 봄이 주는 생각은 가볍고 부풀고, 가을의 사유는 무겁고 가라앉게 마련이다.

봄은 부푼 가슴으로 집안에서 조바심을 자아내게 하지만 가을은 밖에서 어정대며 서성거리게만 한다.

봄은 다감한 경음악이라면 가을은 차라리 장중한 교향악이라고나 할까.

젊어서는 봄이 오는 바람기에 민감하더니 어느덧 가을이 오는 낙엽소리에 문득 귀를 기울이게끔 나 자신도 변했다.

그러나 내가 가장 좋아하는 계절은 역시 가을이다. 그리하여 가을은 나의 나그네 길과 연결된다.

그러면 먼 나그네 길이 아닌 오늘의 등산 코스는 어디로 정할 것인가……. 내 뒤에는 어느 사이엔가 등산차림의 아들 딸 그리고 아내가 뒤따라 나섰다.

도봉산으로 가자!

아무도 이의 없이 행선지는 곧 정해졌다.

도봉은 참 좋은 산이다. 그리고 아름다운 산이다. 언제 보아도 싫증이 안 나는 산이다.

만약 서울의 울타리인 도봉에서 백운대에 이르는 북한산 덩어리를 쑥 뽑아버린다면 서울은 얼마나 삭막하고 황량한 거리로 변할 것인가. 참말 멋대가리 없는 허전한 하나의 평범한 도시로 화해 버릴 것이다.

서울이 한 나라의 수도인 서울로 자리 잡혀진 것도 아마도 도봉의 연봉이 풍겨주는 자연의 정기(精氣)에 연유함이리라.

그리고 만약, 도봉이 서울 근교에 있지 않고, 설악산이나 지리산처럼 멀리 자리 잡고 있다면, 얼마나 아낌을 받고, 그리워질 대상으로 되어질 것인가. 도봉은 서울에 가깝게 있고, 이제는 서울 안에 들어 있기에 그 위대한 아름다움의 진가를 느끼지 못하게 하고 오히려 오염의 가속도만 더해가고 있는 것이 아닐까.

장수원에서 차를 내린 우리 일행은 멋지고 장엄한 도봉의 군봉(群峰)을 바라보면서 산록에 접어들었다.

망월사(望月寺)를 향한 등산로는 이제 사람의 발톱에 달아 예전의 오솔길은 간데없고, 신작로처럼 훤히 길이 트여있다. 그리고 계곡의 한끝까지 음식점이니 매점이니 하는 등속이 무질서하게 들어차 모처럼 찾은 나그네가 마음 내키는 대로 앉아 쉴 자리마저 모조리 독점하여 자리세를 받고 있으니 도봉에서의 요산요수(樂山樂水)의 경지란 이제 옛날 전설만 같다. 거기다 2개월 이상 계속되는 가뭄에 계곡은 바싹 말라 점심 지어먹을 자리조차 구하기 힘들 지경이다.

바위 성칼에 짐을 내리고 한숨 돌리면서 나는 해방 직후의 아직 사람 때가 그리 묻지 않았던 도봉의 청순한 옛모습을 더듬어 본다.

남의 나라는 인공을 가하면 자연이 더 좋아진다더만 어이하여 이 고장은 사람의 손만 들어가면 기껏 시멘트 부스러기만 남기고 아름다운 강산은 황폐해만 지는 것인가.

풀잎도 이울게 하는 이 세월 속에서 이 도봉 연봉 온 덩어리의 계곡에 되는대로 들어선 음식점 매점을 모조리 훑어 저 산록 바닥으로 밀어버리고 산이 지닌 아름다움을 제대로 되찾게 할 수는 없는가 하고 부질없는 상념에 잠겨본다.

망월사 아래 매점의 플라스틱 호스로 배급되는 물을 얻어, 점심을 지어 먹으며, 암벽에 한창 불꽃 튀게 무르익은 단풍에 담뿍 취해가면서 그래도 늘 찾아와도 싫증이 안 나는 곳은 역시 도봉이구나 하고 다시금 마음속으로 감탄을 새겨본다.

도봉은 확실히 명산이다. 그리고 서울이 너무 가까이에 있어서 그 절경이 주는 고마움을 잊기 쉽게 하는 불운한 산이요, 버려지기 쉬운 보배이다.

황혼이 깃들이기 시작하는 능선에서 계곡으로 내려서면서, 도봉의 품속에 잠긴 하루의 즐거움을 몇 번이고 곱씹었다.

한국일보, 1977. 11. 5.

가을의 여정旅情 - 구름 가고 달 가고

　섭씨 30도를 넘나드는 무더위가 달포 동안이나 끈질기게 물고 늘어져 장안을 온통 화염의 도가니 속으로 삼켜 넣고 급기야 36도 몇 분이라는 30년래의 초기록까지 남기고야 말더니 그만한 것으론 아예 직성이 풀리지 않았든지 입추(立秋), 처서(處暑)의 가을 기분을 곁들이는 절기(節期)를 넘기고도 철딱서니 없는 늦더위마저 짓궂게 기승을 부려 잠 못 이루는 고되고도 지리한 한철을 버티어 온 셈이다.

　그러나 팔월의 막바지에 다다르자 재제(災帝)의 심술도 별 수 없든지 이제야 겨우 한풀 꺾여 새벽녘은 짐짓 서늘해지고 하늘은 표변(豹變)하듯 드높게 푸르름을 머금어 온다.

　그리하여 가을은 문득 눈앞에 다가선 것이다.

　봄이 색동저고리에 아름다운 꿈을 서려 동경에 불타는 꽃봉오리 소녀의 계절이라면, 여름은 진솔 모시자락에 살결이 건듯 스며 풍만하게 무르익은 싱싱한 여인의 상징. 가을은 차라리 무명 소복(素服)에 감싸여 사뿐 걸음걸이로 황금의 벌판에 머리카락 나부끼는 중년부인의 뒷모습이라고나 할까!

　아궁이에 지핀 솔잎에 붙기 시작하는 아련한 불길에서 봄의 입김을 느낀다면, 석양에 빗긴 초가집 굴뚝의 한 가닥 연기에선 가을의 숨소리를 엿듣는 듯하다.

그러면서도 가을은 성숙하고 풍성하고 충일된 부풀음 속에서 우리에게 미소어린 손길을 보내는 계절이다.

나이 하나 더 젊은 시절에는 계절의 변화가 피부에 닿듯이 과민하게 느껴져 왔지만 세월의 흐름과 더불어 그 감촉도 차차 무디어져 가고 있다. 거기에다 가을하면 으레 떠오르는 국화마저 봄 가을 할 것 없이 사시장철 주착없이 만개하고 있으니 계절도 무안스럽게 되었고 오상고절(傲霜孤節)도 한낱 옛날이야기로 치부될 수밖에 없는 훼절의 신화 속에 묻힌 것만 같다.

가을은 여수(旅愁)를 자아내는 계절이다. 철교를 건너 들판을 누비다 산모퉁이로 사라지는 증기기관차의 긴 꼬리를 저으며 허공으로 엷어져 나부끼는 연기를 더듬어 가노라면 더욱 그러한 심사에 잠기기 일쑤이다.

어디로든지 끝없이 정처 없이 날아가고 싶은 심정, 그것은 유독 가을만이 선사할 수 있는 애틋하고도 매혹적인 값비싼 유혹이다.

혼자서 발 가는 대로 마음 내키는 대로 훨훨 날듯이 훌훌 떠나 어디서든지 쉬고 싶으면 쉬고, 머물고 싶으면 실컷 머물고, 그러다가 다시 발을 옮겨 기약 없이, 기다리는 사람 없이 가다가 쉬고 쉬다가 눅여 머물고, 다시 떠나 낯선 사람들과 사귀고 정들고, 한잔 술에 인정을 마시며 세상을 논하고 인생을 이야기하며 밤을 지새고, 보내는 사람엔 원망 없이, 남겨둔 사람엔 미련 없이 발자국을 지우며 파이프의 담배 연기 벗 삼아 흘러간 세월엔 아쉬움 없이, 찾아올 앞날엔 거리낌 없이 허허한 심회로 산 넘어 물 건너 구름 가고 달 가듯이…….

가을의 여정(旅情)! 홀가분하게 떠오르는 낭만과 매력, 거기에 미지(未知)의 신비까지 감싸인 호기(好奇)와 몽환(夢幻)의 보고(寶庫), 불현듯 창문을 활활 열어젖히고 먼 하늘 끝에 매달린다.

문득 떠오르는 흘러간 여로(旅路).

런던에서 셰익스피어의 유적지인 스트라트포트로 가는 북행열차 속. 차창을 거쳐 들이 비치는 따사로운 초가을의 햇살. 맞은편에는 20대의 여인이 자리 잡고 있었다. 블론드에 파란 눈, 백인의 전통적인 아름다움을 지닌 여인, 그는 어디까지 가느냐고 묻고는 자기는 파리에서 막 돌아오는 길이라 했다. 나의 제일차적인 행선지가 바로 그 파리라고 했더니 그는 파리의 중요한 몇 군데의 구경거리를 이야기하고는 무슨 일이 있어도 루브르 박물관 옆에 있는 속칭 '인상파미술관'은 절대로 빼놓으면 안 된다고 거듭 강조하며 자기의 감격어린 인상을 털어놓고는 그곳에 전시된 이름 있는 인상파 화가들의 이름과 특징을 일일이 적어까지 주는 것이었다.

나는 그의 일가견을 지닌 미술 논평에 자극되어 파리에 닿는 대로 만사 제쳐놓고 우선 인상파미술관부터 찾았다.

서양화에 대한 아무 예비지식도 없는 나에게 우연히 만난 그 여인의 계몽은 미술품 감상에 햇강아지 눈 띄우는 길잡이의 구실을 하게하여 그 이후의 여정에서 수십 군데의 미술관을 섭렵하는 사이 귀중한 소득을 얻게 되었고 나는 그때마다 감동에 찬 눈동자와 속삭이는 듯한 그녀의 어조를 되새기곤 했었다.

로마에도 들른다고 하니 며칠을 묵을 작정이냐고 묻기에 사흘 예정이라고 했더니 로마를 비롯한 이탈리아를 보기에는 너무 짧다고 하면서 나의 분간을 모르는 여행스케줄을 듣자 그 우둔함에 놀라 기도하고 동정어린 애석함을 곁들이기도 했다. 그리곤 한 달이 걸려도 이탈리아의 고적은 다 볼 수 없다고 거듭 혼자 소리처럼 뇌까리기도 했다.

사실 로마에 들러 도시복판에 첫발을 내디디는 순간부터 아! 이거는 거리 전체가 그대로 박물관이로구나 하는 감동에 사로잡혀 그녀의 자상한 충고에 뒤늦게 홀로 긍정을 보내곤 했던 것이다.

그 후 다시 두 번이나 이탈리아에 들를 기회를 가졌어도 그 많은 고적의 일부밖엔 접하지 못한 것으로 되고 말았다.

또 하와이에서의 웃지 못 할 한 장면의 촌극이 떠오른다.

미국 본토에서는 이미 가을이 짙어져 북쪽의 이른 아침엔 스웨터를 걸쳐야 할 때였지만 하와이는 사철 여름이라 모두가 '알로하셔츠'라고 부르는 노타이셔츠 바람이었다.

정장에 넥타이까지 매고 비행기에서 내린 나는 후끈하는 외기(外氣)에 접하자 아, 열대기후로구나 하고 직감하면서도 옷을 갈아입을 수 없어 출국절차를 기다리는 사이 땀에 전신이 흠뻑 젖었다.

호텔에 닿자마자 하복(夏服) 바지로 갈아입고 얼룩덜룩한 알로하셔츠 하나를 사서 홀가분한 옷차림으로 바꾸었다. 그런데 이 알로하셔츠 때문에 일이 벌어질 줄은 꿈에도 모를 일이었다. 나는 그 이튿날 저녁 미국부인의 초청을 받게 되었다. 서양에서의 파티는 모두 정장으로 나가게 되어 있으므로 그렇게 해야 되겠다고 생각하면서도 실내에서는 에어컨 덕으로 아무 염려도 없지만 밖에만 나서면 노타이만으로도 땀이 철철 흐르는 열기라 정장하는 것이 어쩐지 짐스럽고 귀찮기만 했다.

그런데 거기 머물고 있는 친구들이 하와이는 알로하셔츠가 통상복이자 정장의 구실을 하므로 그대로 아무 파티도 나갈 수 있으니 굳이 정장할 필요가 없다고 우기는 것이었다. 나는 얼싸 잘됐다 싶어 알로하 바람으로 방문하기로 했다.

그런데 정작 초청자의 댁으로 찾아가니 초청받은 것은 나 하나뿐이요, 상대는 노부인(老夫人)이었다. 이 부인은 남편의 유산으로 뉴욕에 본가(本家)를 두고 하와이에는 별장을 가져 더운 계절 6개월은 뉴욕에서 살고 나머지 추운 계절은 이곳 하와이 별장에서 지낸다고 했다. 서로 인사를 나누고 난 뒤 칵테일 테이블로 인도하고 무슨 술을 들겠느냐고 하기에 그때는 술도 셀 때라 '스카치 온 더 록크'로 하겠다고 했더니 진하게 타서 한잔 권하고 자기는 부드러운 것으로 핥듯이 마시고 있었다.

한참 이야기를 나누며 술기운이 거나해질 무렵 부인은 같이 나가 식사를 하자고 했다. 나는 시키는 대로 따라나서 차를 타면서도 그 행방은 알길이 없었다. 닿고 보니 해변가 가장 호화로운 호텔의 비치타운이었다.

예약해 놓은 자리에 둘은 마주 앉았다. 호화롭게 장식한 넓은 홀은 둘러보니 손님은 가득 찼고 앞쪽은 야자수, 종려 등의 사이로 바다가 내다보였다. 거기다 20여 명으로 된 밴드가 한쪽에 자리 잡고 있었다.

그런데 손님들은 모두 다 넥타이를 맨 정장이었고 여인들은 이브닝드레스로 화려하게 장식하고 있는 것이 아닌가. 이때부터 나는 불안하기 시작했다 오늘 이거 큰 결례를 하는구나 하는 생각이 치밀자 에어컨 속에서도 식은땀이 나오며 안절부절못했다.

나는 부인에게 대고 조용히 사실은 알로하셔츠가 정장을 대용한다기에 이 꼴로 와서 실례가 되어 미안하다고 정중히 사과했다.

부인은 괜찮다고 가볍게 받아넘기면서도 '그래서 그랬느냐'고 꼬리를 붙이는 것이었다. 나는 송곳방석에 앉은 것처럼 불안하여 음식 맛도 제대로 나질 않았다.

곧 춤이 시작될 터인데 알로하 바람으로 중인(衆人) 환시리에 비웃음을 사면서 노랑둥이의 무식무례를 드러낼 수도 없고 하여 나는 거듭 복장에 대한 결례를 사과했다.

어느덧 밴드가 요란하게 연주를 시작하고 손님들은 가운데 쪽 무도장에 나가 춤을 추기 시작하였다. 나 자신도 이러한 자리를 싫어하는 편도 아니고 춤도 어느 정도 분위기를 맞추어 갈 수 있으므로 미안에 겹쳐 이번에는 주어진 기회를 헛되이 놓친다는 아쉬움이 겹치기까지 했다.

그러나 나는 이 식사시간 이후 친구와 만난다는 약속이 있었고 그 사연을 이 부인에게는 사전에 이야기했으므로 시계만 보고 있었다.

그때 마침 전화가 왔다고 웨이터가 전갈을 들고 왔다. 나는 곧 전화를 받으러 갔다. 친구가 여럿이 모여 있으니 이젠 그만 재미보고 빨리 오라는 것이었다. 나는 이제는 살았다 싶은 생각이 들었다.

자리에 돌아와 부인에게 작별인사를 하고 면구스러운 대로 갈라졌다.

그러나 8년이 지난 지금까지도 그 몸둘 바를 몰랐던 당황함과 미안함 그리고 아쉬움은 가시지 않는 것이다.

가을!

푸른 하늘 멀리, 아득한 구름 너머, 가없는 한끝에 이 가을의 여수(旅愁)를 날려 보내며 흘러간 얼굴들을 더듬어 본다.

신아일보, 1978. 9. 3.

추억의 여정旅情 – 타히티섬

 남태평양 지도를 펼쳐 놓고 들여다보노라면 하와이에서 필리핀 뉴질랜드 그리고 칠레로 연결되는 비스듬한 사각형 속 망망대해에는 마치 좁쌀알을 뿌려 놓은 것 같이 이루 헤아릴 수 없는 조그만 섬들이 제멋대로 흩어져 있음을 발견하게 된다. 그 수많은 좁쌀알 속의 하나가 꿈의 낙원이라고 일컬어지는 타히티 섬이다.

 내가 이 섬을 찾은 것은 1982년 여름이다. 미국 뉴욕에서 열리는 학술회의에 참가하기 위해 가는 도중에 나는 남태평양의 귀에 익은 섬들인 피지 서사모아 타히티 등에 들르게 되었다.

 피지는 오랫동안 영국의 식민지로 있다가 몇 해 전에 독립한 나라다. 영국은 이 섬에다 사탕수수를 심고 제당 공장을 세워 설탕을 거두어 갔을 뿐 이 섬사람들을 위하여는 아무 것도 해놓은 것이 없어 열대지방인데도 산에는 거의 나무가 없는 벌거숭이였다. 그러나 해안의 휴양지와 산호초로 둘러싸인 몇몇 섬의 뛰어난 경관은 여행객의 선망의 대상으로 되어 있었다.

 한편 미국의 영토인 서사모아는 산이 푸르게 우거져 첫눈에 풍성한 인상을 주는 곳이었다.

이에 비하여 프랑스 영토인 타히티는 산이나 들이나 할 것 없이 열대 식물이 자욱하게 우거지고 자연의 아름다움을 정성들여 지켜왔을 뿐더러 품을 들여 손을 본 흔적이 역력하여 멀리 떨어져 있는 절해(絶海)의 섬들에 대한 이들 세 나라의 식민지 격략의 단면을 엿보게 하는 감이 없지 않았다.

타히티는 5개 군도(群島)로 되어 있는 불령(佛領) 폴리네시아 속의 소시티 군도에 속하는 제주도만큼 조그만 섬으로 하와이의 아늑한 남쪽, 호주와 칠레의 중간 지점인 남위(南緯) 20도 부근에 놓여 있다.

8월 19일 하오 일곱시 반 나는 타히티의 파피에떼 공항에 내렸다.

그러나 공항 안의 프랑스 관리들은 밤에는 일을 안 하니 짐은 내일 아침에 찾아가라는 것이었다.

이것부터가 프랑스 기질 아니면 남태평양의 낭만어린 느긋한 분위기의 소치가 아닌가 하는 해석을 하게끔 하였다.

비행기에서 내린 손님들이 항의하고 아우성을 친 덕분에 아홉시 반에야 겨우 짐을 찾았다.

항구 도시인 수도 파피에떼의 바닷가에 위치한 로얄 파피에떼 호텔에 여장을 풀고 거리로 나갔다.

고요하게 가라앉은 밤거리, 해안선을 끼고 도는 메인 스트리트에도 차는 그렇게 붐비지 않았다.

휴지나 담배꽁초 하나 나뒹굴지 않는 깨끗한 거리, 남태평양 지상 최고 낙원의 밤은 이렇게 깊어져 갔다.

이튿날 섬을 일주하는 관광코스에 참가했다. 바다를 한쪽에 끼고 울창한 숲의 터널을 뚫고 달리는 차에서 내다보이는 바닷물은 검푸른가 하면 곧 벽산호초에 반사된 엷은 에메랄드 빛으로 바뀌며 끝없는 변화를 일으켰다.

이러한 자연이 좋아 프랑스 화가 고갱은 43세 때인 1891년 4월 4일 마르세이유를 출범(出帆), 2개월만인 6월 8일 이곳에 닿은 것이다. 그리하여 원주민의 딸 데독가와 동거하면서 인간의 때묻지 않고 가식이 없는 원초적인 아름다움에 도취되어 원색이 짙은 그림들을 그렸다. 그러나 건강을 해친 그는 2년 뒤인 1893년 5월 타히티를 떠나 8월 6일 파리로 돌아가고 말았다.

그러면서도 그는 타히티에 대한 미련을 잊지 못해 1895년 제 2차의 타히티 행을 결행하여 다시 이 섬을 찾았고, 1901년에는 멀리 서북쪽에 있는 마르케사스 군도의 히바오아 섬으로 옮겨 지내다가 1903년 5월 8일 이 섬에서 복잡다난한 일생을 마쳤다.

타히티 섬의 서남단에 있는 고갱 박물관에는 그가 생전에 쓰던 재봉틀을 비롯한 몇 점의 유물이 있을 뿐 진열된 그림은 복사품이나 사진판이어서 공허하기 짝이 없는 내용이었다.

겨우 두 밤을 지낸 타히티, 그 아름다움의 서장(序章)도 채 펴지 못하고 떠난 아쉬움을 달랠 길 없다.

LA로 가는 비행기 속에서 내려다 본 마르케사스 군도 그 백산호 환초(環礁)로 테를 두른 갖가지 모습과 빛깔의 황홀한 색조의 조화를 이룬 섬들, 영원히 망막에서 지워지지 않는 인상들이다. 그 속에 고갱도 영원히 잠들고 있는 것이다.

일요건강, 1984. 6. 3.

알로하셔츠

　동남아, 유럽, 미국 등 이국(異國)의 진기(珍奇)한 풍물에 접하여, 닿는 곳마다 감격어린 감탄사를 연발하면서도, 3개월여의 기나긴 나그네 길에 끝내 지쳐버린 나에게, 태평양 한복판의 영롱한 진주(眞珠) 하와이는 다시 새로운 열기를 불어 넣어 주었다.

　원래 양식(洋食)이란 별로 탐탁치 여기지 않아, 어쩌다 양식 초대를 받으면 집에 돌아와서 김칫국에 밥을 말아 먹어야 속의 니글거리는 메스꺼움이 풀리는 나의 촌티를 벗지 못한 토속적 식성(食性)은, 집에서나 거리에서나 양식이 점차 범람하는 우리 주변의 식생활 변천에, 하나의 후진성을 면하지 못한 편벽성이라고 하지 않을 수 없다. 십여 년 전, 그 무렵만 해도 아직 한국 음식점은 외국에 그렇게 진출하지 못한 시절이어서, 해외여행 중의 음식 문제는 나에게 있어서 큰 걱정거리의 하나였다.

　그러기에 나의 여행 가방 속에는 으레 집에서 손수 만든 대구포와 커피병에 담겨진 된장이 필수품으로 장만되었고, 거기에다 냉수를 마음대로 마시지 못하는 지역의 여행에 비하여 인삼가루가 덧붙여지기 마련이었다.

　매일매일 계속되는 기름기 짙은 양요리의 역겨움에 견디다 못하면, 호텔방에 돌아와 대구포를 된장에 찍어 몇 조각 삼키고 나야 그 역겨움이 어느 정도 가셔지는 것이다. 그리고 아침 일찍 일어나는 대로 세면대의 더운 물 수도꼭지를 틀어 뜨거운 물을 컵에 담아 한참 가라앉힌 다음 석회질의 경수(硬水) 침전물을 걸러내고, 거기에다 인삼가루를 타서 양껏 물을 마시고 나면 목줄기가 개운해지는 것이다.

이같이 면밀한 예비책의 덕택으로 그렇게 긴 여로(旅路)에서도 건강을 별로 해치지 않았지만, 역시 음식에 대한 고충은 면할 길이 없어, 한국 음식점이 있다는 소문을 얻어 들은 도시에 접어들면 우선 김치부터 찾는 것이 첫 코스에 속했다.

그러기에 하와이에 내려서도 맨 먼저 찾은 곳이 식사와 술집을 겸한 한국 음식점이었다.

그런데 이 집에는 젊은 한국 여인들이 우글거리고 있었다. 나는 한꺼번에 그렇게 많은 한국 아가씨들을 보자 서울에라도 돌아온 듯한 착각 속에서 그들을 반갑게 대하였다. 그러나 그들에게는 고국에서 새로 찾아온 이 낯선 손님이 별로 달갑지 않은 듯한 표정들이 감돌고 있었다.

나의 안내 격으로 동행한 하와이에 장기 체류 중인 K교수에게 그 영문을 물었더니 그들의 대부분은 한국에 파병된 미군들과 국제결혼을 하여 미국에 건너온 후, 파탄이 생겨 이혼하곤 고국이 가까운 이곳까지 밀려온 패들이라고 했다. 더욱이 그 대다수의 상대는 깜둥이어서, 그 절망과 분노와 자학이 적의로 변해, 모국인에게도 그 여파가 적대감정으로 번진다는 것이었다. 나는 이국의 동포 식당에 앉아 조국의 전란 일선에서 마음과 몸뚱이에 보이지 않는 깊은 상처를 입고, 타향에 와서까지 실의에 빠진 이들 인간 군상에 접하곤 쓸쓸한 허전함을 금할 수 없어 그곳을 물러나오고 말았다.

이 충격은 시카고 한국 식당에서의 가녀린 한 여대생의 모습을 떠올리게 했다. 가냘프면서도 아직 미국 때가 채 묻지 않아 청초하게 느껴지는 그 여대생은 한국에서 대학을 졸업했으나, 아직 그곳 대학의 입학 절차가 밟아지지 않아, 몇 달 더 기다려야 하는데, 그동안 가져온 돈이 야금야금 줄어들어 가는 불안에 견디다 못해 이렇게 식당에까지 나오게 되었다고 했다. 그는 집으로 돌아갈 생각이 간절하나 이대로 그냥 돌아갈 수도 없고, 학교에는 기어코 들어가야 하겠는데 하고 독백어린 푸념을 되뇌었다. 그리곤 내가 자리에서 일어설 무렵, 서울에 있는 자기 집 주소를 적어 주면서, 이런 데 있다는 말을 하지 말고, 학교에 잘 다니더라고 전해 달라는 것이었다. 애련하게 눈물을 머금었던 그 여대생은 그 후 소망대로 순조롭게 학업을 이어갔는지 지금도 궁금하다.

하와이에서의 그날 저녁, 나의 스케줄은 미국 국무성의 알선으로 미세스 크라크라는 아직 피차 인사도 없는 여성의 초대를 받게끔 짜여져 있었다.

그때는 11월 중순으로 미국 서북의 시애틀의 날씨는 약간 싸늘한 편이었으므로, 나는 그곳을 떠날 때 춘추복을 입고 있었지만, 하와이 공항에 내리자 갑작스런 무더위에 전신이 땀에 흠뻑 젖어 있었다. 하는 수 없이 나는 그곳 사람들의 식대로 그 이름난 하와이 특유의 알룩달룩한 '알로하 셔츠'로 갈아입었다. 호텔이나 거리의 모든 사람들은 알로하셔츠 일색이었고, 넥타이를 맨 정장(正裝)차림의 신사는 거의 눈에 뜨이지 않았다.

나는 K교수에게 초대 받은 사연을 이야기하고, 거기에는 정장을 하고 가야하지 않겠느냐고 물었다. K교수는 절대로 그럴 필요는 없다고 하며, 이곳에서는 알로하셔츠가 그대로 어떤 자리든지 정장으로 통하게 습성화되었다고 강조하기까지 했다.

나는 그렇지 않아도 열대의 혹심한 더위에 견디기 어려운 판이라, 얼싸 좋다 하고 K교수의 친절한 조언에 따르기로 했다.

전화로 약정한 시간이 되자 나는 크라크 여사의 집을 찾았다. 그의 거처는 커다란 호텔의 후원, 우거진 열대식물 속에 자리 잡은 아담한 별채였다. 크라크 여사는 반가운 미소로 맞아주어, 그와 나는 거실에 단 둘이 마주 앉았다. 초대면의 여사는 중년이 지났다고 하나 우아하고도 곱게 늙어가는 귀부인의 풍채를 지닌 호인상이었다.

그는 미리 준비하여 놓은 칵테일 테이블에 나를 인도하고 무엇을 들겠냐고 물었다. 나는 술에는 예나 그제나 좀 자신이 있는 편이어서 스카치 위스키의 '온 더 록크'를 달라고 했다. 그도 손님의 구미에 예절적으로 맞추려는지 같은 술의 칵테일을 함께 들었다.

그는 부호의 미망인으로 뉴욕에 본거지를 두고 추운 계절에는 이 곳 하와이에 와서 지내고, 봄이 되면 다시 뉴욕으로 돌아간다고 했다.

나는 그가 권하는 대로 그리고 내가 내키는 대로 스카치 몇 잔을 거듭하는 사이에 기분이 거나해졌다.

크라크 여사는 나에게 이제 술은 그만하면 됐느냐고 묻고, 내 대답이 떨어지자 저녁 식사를 하기 위해 다른 곳으로 옮기자고 했다.

차에서 내린 곳은 와이키키 해변에서 가장 호화로운 호텔이었다. 로비에서 바닷가로 연결된 식당 안은 벌써 만원을 이루었고 무대 위에서는 악단의 음률이 울려 퍼지고 있었다.

우리 둘은 웨이터의 인도를 받아 예약된 좌석에 자리 잡았다.

이 첫 장면에서부터 나는 당황하기 시작했다. 주위를 둘러보니 좌석의 모든 남성은 넥타이의 정장이었고, 여인들은 이브닝드레스의 화사한 차림이었다.

나는 크라크 여사에게 알로하의 예절에 어긋나는 차림에 대한 미안함을 변명하기에 바빴다. 크라크 여사는 괜찮다고 하면서도 몰라서 그랬군요, 하는 말을 덧붙이는 것이었다. 나는 송곳방석에 앉은 심정으로 안절부절했다.

음식이 나오고 포도주를 여사와 함께 마시면서도 냉방이 그렇게 잘 된 홀 속에서 연방 손수건으로 땀을 닦아내면서, 거듭 K교수의 불실한 충언을 되새기곤 했다.

다행히 나는 이 스케줄 뒤에 하와이에 영주하고 있는 S씨의 초대를 받게 되어 있었다. 그 사실은 이미 크라크 여사를 만나자마자 양해가 되어 있었으므로 나에게는 그 긴장되고 초조한 분위기를 모면할 탈출구란 시간이 빨리 흘러가는 길밖에 없었다. 거기에 식사도 나 자신이 별로 좋아하지 않는 양식인데다 형편이 그쯤 되고 보니 더욱 제 맛이 날 리가 없었다.

전면 유리창으로 되어 있는 반원형의 넓은 홀에서 야자수의 늘실거리는 잎 사이를 거쳐 내다보이는 푸른 바다의 아름다움도 내 눈에는 바로 들어오지 않았다.

그럭저럭 식사가 대충 끝나갈 무렵이었다. 거의 쌍쌍으로 자리 잡은 주변의 테이블에서는 한두 쌍씩 일어나 밴드석 앞의 무도장으로 나가 춤을 추기 시작하는 것이었다.

나도 춤에 대하여는 내 깐의 일가견을 가지고 있을 뿐더러, 초대해 준 크라크 여사에 대한 예절로도 꼭 일어나 춤을 추어야 할 판인데, 나만의 알로하셔츠 바람으로 황색인종의 무례함을 굳이 드러내고 싶지는 않았다. 그러면서도 이대로 나가 춤을 추면 어떠냐 하는 만용적인 충동도 없지 않았지만, 실례를 거듭하고 싶지 않아 죽치고 앉은 대로 참는 수밖에 없었다. 멋쩍은 침묵이 얼마간 흐른 뒤 나는 크라크 여사에게 미안하다는 말을 수없이 되풀이할 뿐이었다.

그때 웨이터가 우리 테이블로 다가왔다. 미스터 전인가고 물었다. 전화가 왔다는 것이다. 나는 구세주라도 만난 듯이 자리에서 일어나 전화를 받으러 갔다. S씨로부터 시간이 됐으니, 흰둥이와 그만 즐기고 빨리 오라는 독촉이었다. 홀을 빠져나오니 바깥의 더운 공기가 오히려 시원한 것 같은 착각에 휩싸였다.

크라크 여사의 뺨에 이별의 키스를 보내면서도 미안함과 해방감이 엇갈린 심정 속에서 나는 S씨가 기다리는 장소를 향해 차에 올랐다.

서양 사람들에게 어디서 영주하고 싶으냐고 물으면, 그 대답의 대부분이 하와이라고 한다는 상하(常夏)의 낙원 와이키키에서의 이날 저녁의 식은땀은, 아직도 내 머리 속에 감돌아 등골을 오싹하게 하는 전율로 이어진다.

수필문학, 1980. 8. 30.

가을의 여정旅情, 가을과 여수旅愁

여행은 언제나 즐거운 것이다. 봄은 봄대로 가을은 가을대로 그리고 여름은 여름, 겨울은 겨울대로 계절의 변화와 더불어 그때마다 새로운 즐거움을 가슴속에 안겨다 주는 청신제(淸新劑)라고나 할까. 그 뿐인가 농촌은 농촌대로 전원의 유장(悠長)한 목가적인 맛을 산은 산대로 바다는 바다대로 그것만이 지니는 독특한 자연의 시정(詩情)을 선물하는가 하면 새롭고 낯선 도시의 가로(街路)는 그것대로 흙속에 파묻혔던 사람들에게 산뜻한 미지의 감각에 경이에 찬 눈동자를 뒹굴게 한다.

그러기에 천하 명산 금강산도 계절에 따라 봉래(蓬來) 풍악(楓嶽) 개골(皆骨) 금강(金剛) 등 그때마다의 승경(勝景)의 아치(雅致)를 상징하는 이명(異名)들을 가지고 있다. 새움 트는 봄의 정경이 산책이나 소풍을 연상시키는 경쾌한 리듬이라면 여름의 무르익은 녹음과 작열하는 태양은 그대로 바다의 유혹을 자극하는 정열발산의 표징임에 틀림없는 성싶다.

앙상한 가지에 설경(雪景)어린 겨울의 시계(視界)가 남성적인 장엄미를 과시하는 것이라면 사색이 곁들인 여정의 풍일(豊溢)은 아무래도 가을만이 간직한 자연의 격이 아닐 수 없는 것 같다.

가을!

그 음향의 여운 속에는 그 너머의 첩첩한 시각과 굽이굽이 상념의 계곡을 함께 함축하여 주는 낭만이 깃들어있는 것만 같게 여겨짐을 어찌하랴.

티없이 맑게 트인 드높은 하늘을 끝없이 훨훨 날고만 싶은 심적 충동은 가을만이 지니는 독점물인 것만 같다. 먼지 속에 북닥거리는 도시의 소음을 잠시 외면하고 노을진 저물녘 차창에 기대어 시골 초가집 지붕에 널려 말리는 빨간 고추와 싸리 울타리에 늘어진 노오란 호박에 눈을 주며 이국적인 정감에 잠기는 것은 비단 소녀의 값싼 감상으로만 돌릴 것인가……

가을이라면 으레 곁붙는 푸른 하늘·귀뚜라미·기러기, 그리고 단풍과 낙엽 이것들은 너무도 시인 묵객(墨客)의 입에 뿐만 아니라 어린이들 작문(作文) 구절에도 예사로 오르내려 이젠 좀 진부할지도 모른다. 그러나 이것도 시간과 장소의 사람에 따라 쓰여질 나름으로 그 맛은 또 그 맛대로 전연 가셔진 것은 아닌 것만 같다.

가을 나그네!

그것은 현대문명의 첨단의 하나인 제트기의 여로(旅路)에서도 맛보지 말라는 법은 없으리라. 그러나 아침을 서울에서 먹고 다음날 점심은 파리에서 먹어야 하는 기계문명의 현기증 나는 메커니즘 속에서는 계절의 신비로운 순환의 아름다움을 제대로 느낄 수 있을지 자못 의심이 가시지 않는 바도 아니다.

그러고 보면 죽장망혜(竹杖芒鞋) 단표자(單瓢子)의 옛 풍류는 아직도 산정(山情)의 진미 속에 천고여일하게 자리 잡고 있는지도 모를 일이다.

'가을'하면 '나그네'와 더불어 떠오르는 추억이 한두 가지가 아니지만 그 중에서도 부전고원(赴戰高原)의 아침 해돋이 자작나무 수풀을 건너 보이는 호반(湖畔)의 정회(情懷)와 금강산 상팔담(上八潭)의 사파이어같이 맑고도 푸른 물에 빗긴 석양 무렵의 다감한 회포를 잊을 수가 없다. 지금은 휴전선 너머 먼 이방(異邦)마냥 흘러가는 구름에 착잡한 회상만 얽힐

뿐이다.

설악산도 금강산과 같은 산맥줄기여서 그에 비견할 수 있는 승경(勝景)이라고들 하지만 백보를 양보해도 금강의 절승(絶勝)에 견주면 해갈(海渴)의 경지에도 닿지 못하는 끝없는 아쉬움이 감돌 뿐 이다.

가을이 되면 어디론가 자꾸만 가고만 싶어지니 이도 또한 병이런가……

그러나 막상 떠나려고 하니 갈 곳이 없다. 설악도 지리(智異)도 속리(俗離)도 한라(漢拏)도 다 한번 보고나면 다시 또 가고 싶은 그 이상의 구미를 유발하지 못하는 그저 그만 정도의 것으로밖에 느껴지지 않으니 말이다.

그래도 이 가을을, 이 상량(爽凉)한 계절을 도심에서 새기며 그대로야 보낼 손가?

유혹이 거듭되는 여정(旅情), 단풍이 좀 더 짙어지면 가야산(伽倻山) 유곡(幽谷)의 해인사(海印寺)라도 찾아야만 이 가을의 병은 치유될 것만 같다. 가을은 소녀마냥 가슴 부푸는 계절 더욱이 온누리에서 가장 맑고 아름답다는 이 땅의 가을 하늘! 인공(人工)이 미비하니 천부(天賦)에라도 기대볼까? 그 가을은 여수(旅愁)를 지겹게 안겨다주기에 더욱 매력(魅力)을 느끼는 것이나 아닐지……

대한일보, 1962. 10. 12.

시대적 상황과 개인적 진실

류양선(가톨릭대학교 교수)

전광용 소설의 기본구도

다른 문학 장르나 다른 예술 분야의 작가들도 그렇겠지만, 소설 작가들의 경우에도 그 성격을 편의상 크게 둘로 나누어 생각해 볼 수 있을 것이다. 그 하나는 어떤 문학적 경향을 지칭하는 용어로 설명될 수 있는 작가들이고, 다른 하나는 그런 특정한 용어로 설명해 내기 어려운 다양성을 보여 주고 있는 작가들이다. 전자보다 후자에 속하는 작가의 경우, 그의 작품들을 한꺼번에 뭉뚱그려 논의하기란 결코 쉬운 일이 아닌데, 전광용의 경우가 그러하다.

1955년 《조선일보》 신춘문예에 단편 〈흑산도〉가 당선되면서부터 약 10여 년간 활발한 창작활동을 펼친 전광용의 소설들은 그 소재와 주제가 천차만별이어서 어떤 특정한 문학적 경향에 따른 손쉬운 정리를 허락하지 않는다. 그럼에도 불구하고 전광용의 작품들을 면밀히 읽어 보면, 뭐라고 꼭 집어서 설명하기는 어렵지만 어떤 일관성이 그 저류에 흐르고 있음을 분명히 감지해 낼 수 있다. 전광용은 그 자신이 의식했든 못했든, 어떤 사조나 유파에 묶이지 않으면서 그만의 고유한 소설적 방법을 지니고 있는 보기 드문 작가인 것이다.

방금 소설적 방법이라 했거니와, 그것은 다름 아닌 한 작가의 소설이 지니는 기본구도와 관련된다. 그리고 그 기본구도는 소설의 등장인물이 어떤 환경에 놓여 있는가 하는 문제에 연결된다. 전광용 소설의 경우, 그 것은 한계 상황에 놓인 주인공이라는 말로 요약될 수 있을 것이다. 그러니까 객관적 현실 상황은 주인공을 어찌해 볼 도리가 없는 협착한 길로 몰아붙이지만, 주인공은 그런 한계 상황 속에서 자신만의 주관적 진실을 발견하게 되는 것, 이것이 전광용 소설의 기본구도이자 특유의 소설적 방법이라고 할 수 있을 것이다.

전광용의 이러한 소설적 방법은 현실 상황과 주인공의 대결구도라는 점에서 다분히 리얼리즘적 요소를 갖추고 있다. 그러나 전광용의 소설을 리얼리즘으로만 보기에는 작중인물을 압도하는 객관적 현실의 힘이 너무 크다. 그래서 그의 소설에는 자연주의적 경향이 무시할 수 없을 정도로 나타난다. 어찌 보면 그의 소설은 그의 소설 제목처럼 '모르모트의 반응' 을 기록한 것인지도 모른다. 그러나 그를 자연주의 작가로 볼 수도 없는 것이 그의 소설은 상당 부분 개인의 실존적 상황에 집중하는 경향이 있기 때문이다. 게다가 주인공의 자의식을 그 극한까지 밀고 나가기도 한다. 그의 소설 주인공은 일면 실험을 당하는 '모르모트'이면서, 다른 일면 그 모르모트를 "기대에 찬 눈동자"(〈모르모트의 반응〉(1964))로 주시하고 있는 과학자이기도 하다. 또는 작중인물을 '모르모트'로 내세우는 과학자, 그러나 그 '모르모트'와도 같은 작중인물에 자신을 일치시키는 과학자를 작가 전광용이라고 해도 좋을 것이다.

바로 이러한 두 가지 측면을 지닌 작중인물, 그러니까 그 자신 '모르모트'이면서 그 '모르모트'의 반응을 주시하는 과학자이기도 한 작중인물의 성격이 전광용의 소설에서 한편으로는 객관적 시대 현실의 압도적 힘을 느끼게 하면서 동시에 그것을 뚫고 나아가는 인간적 진실을 느끼도록 하

는 것이다. 또는 '모르모트'인 작중인물에 자신을 일치시키는 작가의 태도
가 그런 인간적 진실이 솟아 나오는 바탕이라 해도 좋다. 작가의 이러한
소설적 방법은 소외된 이웃에 대한 냉정하면서도 따뜻한 관심으로 나타
나기도 하고, 운명적 굴레 속에서 한계 상황에 처한 인물의 자의식에 대
한 탐구로 나타나기도 하며, 주어진 시대적 현실 속에서 외롭게 홀로 걸
어가는 개인의 모습을 보여 주기도 하는 것이다.

소외된 이웃에 대한 관심

전광용의 소설이 객관적 현실 속에서 한계 상황에 놓인 인물을 그린다
고 했거니와, 이것은 무엇보다 먼저 사회적으로 소외된 이웃에 대한 작가
의 관심으로 나타난다. 세상의 변방으로 밀려난 사람들의 삶에 대한 그의
관심은 냉정하면서도 따뜻하다. 이 점, 전광용을 리얼리스트를 넘어 휴머
니스트로 평가하도록 하는 까닭이요, 그의 소설만이 지니는 특유의 미학
이 형성될 수 있게끔 하는 소이연이다.

그렇다면 전광용 소설만의 미학이란 무엇인가? 그것은 사회적으로 소
외된 작중인물들을 벼랑 끝까지 밀어붙이는 객관적 현실의 압도적인 어
둠을 일거에 무화시키며 솟아오르는 주관적 진실의 빛이라 할 수 있다.
이러한 전광용 소설 특유의 미학은 물론 소외된 이웃에 대한 애정에서
비롯된 것이겠지만, 그와 더불어 무엇보다 그들의 삶에 대한 철저한 현장
조사로 튼튼히 뒷받침되어 있기에 가능한 것이다. 그 증거가 그의 소설에
서 자주 읽을 수 있는 탁월한 장면 묘사이다. 〈진개권(塵芥圈)〉(1955)의
한 대목을 보자.

차 꼭대기에서 거꾸로 숙여진 알루미늄 통 속에서는 우유빛의 짙

은 식사 잔재물(殘滓物)이 땅 위 드럼통으로 흘러 들어가고 있다. 시금털털한 비린내가 기름 냄새에 뒤범벅이 되어 코를 찔렀다. 이 축들이 말하는 '꿀꿀이죽'이었다.

깜둥이가 차에 가려진 틈을 타서 고깃덩어리 한 점을 집어든 쌍과부는, 재빠르게 입 안으로 가져가자 거의 반사적으로 손등에다 입술을 훔치었다.

"제에기, 서방하구 입맞추어야 하겠는데 식전부터 꿀꿀이죽하구 입맞추네."

짓궂게 내쏘는 장 서방의 농에 얼굴을 붉히는 쌍과부를 치어다보면서 모두들 웃음이 한바탕 터져나왔다.

"암, 과부 설움은 홀아비가 알아야지!"

곰보 영감이 쌍과부와 장 서방을 번갈아 보면서 슬며시 던지는 말에 태식이 놈과 영희란 년은 무슨 영문 있는 웃음을 지으면서 눈짓을 주고받았다.

"흥, 꿀꿀이죽 땜에 이제 돼지와 사람이 사촌이 됐어."

개똥이란 놈이 한 발 들여밀었다.

— 〈진개권(塵芥圈)〉 중에서

이 소설은 미군 부대에서 나오는 온갖 것들을 버리는 쓰레기장에 모여 연명하는 사람들의 이야기이다. '꿀꿀이죽'이란 미군 부대 취사장에서 먹지도 않고 남은 대로 나와, 깨끗한 드럼통에 받아서 사람 입으로 들어가는 음식물이다. 먹다 남은 것은 쓰레기장 옆에 있는 돼지우리로 들어가 돼지들의 먹이가 된다. 그래서 개똥이란 놈은 돼지와 사람이 사촌이 됐다고 말하는 것이다. 이렇듯이 작가는 쓰레기차가 와서 쓰레기를 쏟아 부을 때의 광경을 그야말로 실감나게 묘사하고 있다.

그런데, 특히 이 대목을 눈여겨보는 것은 쓰레기차를 몰고 온 미군('깜둥이')의 눈을 피해 고깃덩어리 한 점을 집어삼키는 쌍과부와 그것을 빌미로 짓궂게 농담을 던지는 장 서방의 심상치 않은 관계를 암시하고 있기 때문이다. 이 소설의 말미에 가면 미군 부대의 이동에 따라 쓰레기장도 그만 파탄이 나고, 사람들은 매일 미군 쓰레기차를 기다리다가 지쳐서 돌아가게 된다. 그러나 작가는 철수 차량의 대열이 끝없이 계속되는 눈갯비 내리는 밤중에, 남을 쓰레기를 뒤지던 "쌍과부의 꺼멓게 젖은 손"이 "장 서방의 됫박 같은 손아귀에 부서지도록 쥐어져 있"는 장면을 제시한다. 이것이야말로 '진개권(塵芥圈)'에서 솟아나는 생명력의 표현이 아닌가?

쌍과부와 장 서방이 맺어지면 쌍과부의 시어머니와 아이들은 어찌 되겠느냐, 또는 이러한 결말이 당시 사회 문제를 어떻게 해결해 줄 수 있겠느냐 하는 따위의 질문은 말할 나위도 없이 어리석기 짝이 없는 것이다. 이 장면은 앞서 언급한 바 있는 전광용 특유의 따뜻한 시선이 두 작중인물의 원초적 생명력을 포착한 대목인 까닭이다. 그리고 그 원초적 생명력이야말로 이제 쓰레기장마저 없어져 삶의 근거를 완전히 상실한 벼랑 끝에서 그 무자비한 현실의 객관적 어둠을 단번에 몰아내는 진실의 빛이기 때문이다.

비단 〈진개권(塵芥圈)〉만이 아니라, 소외된 이웃을 소재로 삼고 있는 전광용의 작품들은 거의 이와 같은 결말을 보여 주고 있다. 탄광촌의 팍팍한 삶을 다룬 〈지층(地層)〉(1958)에서도, 아버지가 묻힌 원수의 굴 속에서 일하는 주인공 칠봉이의 삶에의 의지는 마지막까지 꺾이지 않는다. 같이 일하던 권 노인이 사고로 죽고 사랑하던 영희마저 자취를 감추었지만, 칠봉이는 여전히 굴 속으로 들어가며, "저녁에 나올 때는 꼭 사무실에 들러서 이번에는 단단히 임금 지불을 따지고 해붙이리라고 마음 속으로 다짐"하는 것이다. 이런 결말은 또한 〈G·M·C〉(1959)에서도 마찬가지로 나타난다. 권력층의 비호를 받는 이헌에게 청소계약권을 빼앗긴 경구는 이헌의 밑에서 당당하게 월급을 받고 청소 일을 하겠다고 하면서, 이

헌을 보고 "데데한 자식"이라고 한껏 비웃는 것이다.

또 〈영 1234〉(1959)의 경우에도, 합승차의 조수 민현철은 차의 문짝을 꼭 닫지 못한 탓에 밖으로 나가떨어져 죽은 룸바 아주머니의 시신 앞에서 울먹이면서, 미군 부대에서 일하다가 지금은 행방을 알 수 없는 누나도 꼭 룸바 아주머니처럼 죽어간 것만 같다고 생각한다. 그리고는 "밤을 불사르는 화려한 네온사인의 붉고 푸른 불빛이 외롭고 꾀죄죄한 나를 비웃고" 있는 것처럼 느낀다. 그러나 다음 순간 현철은 "문득 두 주먹을 불끈 쥐"는 것이다. 이런 식을 결말은 잡초처럼 강인한 생명력을 지닌 민초들의 삶에의 의지를 표현한 것이며, 바로 그런 삶에의 의지야말로 부정과 불의로 가득 찬 사회 현실을 단번에 쳐부수는 힘을 지니고 있는 것이다.

운명적 굴레와 자의식의 탐색

객관적 현실의 위력과 한계 상황에 놓인 인물의 대결을 기본구도로 하고 있는 전광용 소설의 다수는 작중인물이 자신의 운명과 대결하는 모습을 보이고 있다. 그러니까 이 경우, 주인공에게 씌워진 운명의 굴레는 객관적 현실의 위력에 해당한다. 주인공은 그 운명의 굴레를 벗어나려고 몸부림치다가, 결말에 이르러 혹은 그것을 벗어나는 상징적 몸짓을 보이고 혹은 그것을 수용하는 결연한 자세를 보이게 되는 것이다. 하지만 운명의 굴레를 벗어나느냐 수용하느냐 하는 것은 그다지 중요하지 않다. 문제는 그러한 결말에 이르는 과정에서 볼 수 있는 주인공의 내면 갈등이며, 따라서 서로 정반대처럼 보이는 두 가지 결말은 그의 개인적 진실이라는 점에서 실상 같은 의미를 지니는 것이기 때문이다.

전광용의 데뷔작인 〈흑산도〉(1955)를 보자. 섬은 운명의 굴레처럼 섬 사람들을 가두어 놓고 있다. 주인공인 복술이에게는 믿음직한 용바우가 있지만, 뭍으로 나가고 싶어하는 마음도 간절하다. 고기잡이 배를 타고 바다로 나가 돌아오지 않는 아버지를 기다리던 어머니는 물에 빠져 죽었다는 말도 있고 육지로 나갔다는 말도 있어, 복술이로 하여금 더욱 뭍을 그리워하게 한다. 용바우마저 배를 타고 나가 소식이 끊어지자, 복술이는 그만 겐자꾸(巾着船)의 곱슬머리 청년의 유혹에 넘어가 육지로 떠나려고 까막바위로 간다. 그러나 까막바위에 선 복술이의 눈앞을 고래등 같은 용바우의 환영이 가로막는다. 용바우가 내일 틀림없이 돌아올 것만 같아 복술이는 이내 마을 쪽으로 달아난다. 이렇게 "까막개의 아낙네들은 그리다가 목마르고, 기다리다 지쳐서 쓰러지면서도 바다와 더불어" 사는 것이다. 흑산도(黑山島)! 그것은 "숙명처럼 발목을 매어잡는 이름이었"던 것이다.

작가는 계속해서 〈크라운 장〉(1959), 〈충매화(蟲媒花)〉(1960), 〈초혼곡〉(1960), 〈세끼미〉(1965) 등을 쓰는데, 이 작품들 역시 운명의 압도적 힘을 다루고 있다는 점에서 〈흑산도〉의 변주라고 할 수 있다. 가령 〈충매화(蟲媒花)〉의 경우, 산부인과 의사인 충은 사생아 출신에 소아마비의 운명을 짊어지고 있다. 육체적인 불구에서 오는 열등감과 모호한 혈통에 대한 비굴감은 일생 동안 충을 괴롭게 졸라매고 있는 것이다. 그리고 이러한 운명의 굴레는 급기야 김 선생의 소개로 사귀던 선희와의 혼담마저 깨뜨려 버리게 되는 것이다. 이 외중에 인공수정을 요구하면서 전부터 줄곧 병원을 찾아오던 여인은 노골적으로 충을 유혹한다. 이 여인의 불임의 원인은 여인 자신이 아니라 그녀의 남편에게 있었던 것이다. 〈충매화(蟲媒花)〉의 결말 부분을 보자.

"선생님, 지난번 인공수정이 사실은 수태가 안 됐나 봐요. 어저께는 거짓말을 했었어요."
"뭐요?"
"꼭 어린애를 낳고 싶은 그것뿐이에요."

여인은 충의 가슴에 머리를 박고 흐느껴 울기 시작했다.

충의 머릿속은 헷갈리는 여러 갈래의 생각으로 가득 찼다. '참 제 비도 더럽게 뽑았지. 하필 나 같은 것의 종자(種子)를 받으려구……'

그는 중대한 결의라도 한 것처럼 입술에 경련을 일으키고 눈에도 살기가 등등했다.

'피동이 아니라 능동으로, 이 여인에게 정확한 수태를 시켜야지.'

충은 성난 이리처럼 여인을 끌어안고 절름거리는 다리에 힘을 주 어 침실로 통하는 도어를 박차고 방 속으로 들어섰다.

- 〈충매화(蟲媒花)〉 중에서

이러한 결말은 선희와의 혼담이 깨진 충격으로 인한 충의 왜곡된 행위 를 보여 준다. "입술에 경련을 일으키고 눈에도 살기가 등등했다."는 것 이 그 왜곡된 정도를 말해 주고 있지 않은가? 하지만 충의 자의식을 따라 가 보면 충의 이러한 행위는 필연적인 귀결이 된다. 달리 말해, 이러한 결말은 주인공의 주관적 진실을 충격적으로 적나라하게 드러내고 있는 것이다. 이로써 충은 '자학'에 가까운 폐쇄적 의식을 깨뜨린 것, "자기 자 신이 애써 고수하는 자기의식의 한정된 장벽부터 헐어 버"린 것이다. 이 주관적 진실은 객관적 현실의 힘을 무화시키면서 운명에 저항한다.

운명에 대한 이러한 저항은 〈크라운 장〉이나 〈초혼곡〉에서도 마찬가 지로 나타난다. 〈크라운 장〉에서, 촉망받던 악단의 지휘자였던 문호는 미 군부대 위문 악단을 거쳐 밤무대 악단을 지휘하는 신세로 전락한다. 그러 던 중 취직을 시켜 준다는 친구와 술을 마시고 급기야는 뇌일혈로 쓰러 지고 만다. 그러나 문호는 아들로 하여금 바이올린을 켜게 하고는, "악원 (樂員)이 가득 찬 무대 한복판에서 지휘봉을 흔들고 있는 자기 자신의 꿈 속을 헤매"면서 여전히 삶에의 의욕을 놓치지 않고 있는 것이다. 또한, 〈초혼곡(招魂曲)〉의 주인공인 '나'의 '최후의 호곡(號哭)', 그러니까 "다만 자기 자신의 주체성 없는 왜소하고도 소극적인 자기 비굴에 대한 나 스스로의 새로운 넋을 부르는 통곡"도 같은 의미를 지니는 것이다. 즉 운명에 대한 저항인 것이다.

역사 속에 명멸하는 개인의 행로

전광용의 소설이 객관적 현실의 힘과 한계 상황에 처한 주인공의 대결 구도로 이루어져 있다고 할 때, 그 현실의 힘이란 다름 아닌 역사의 힘이요 시대의 힘이다. 왜냐하면 전광용의 소설에서 주인공에게 운명처럼 씌워진 굴레는 직접적으로든 간접적으로든 역사적 현실과 관련되어 있기 때문이다. 경희를 사이에 두고 벌이는 '나'와 B의 대결을 그려낸 〈사수(射手)〉(1959)만 해도 그렇다. 두 사람은 여러 차례 대결하지만 그 최종적인 대결은 민족사의 비극과 관련되어 있는 것이다. 그러기에 이 작품의 말미에서 주인공이 "내가 이겼는지, B가 이겼는지, 내가 이겼어도 비굴하게 이긴 것만 같은" 느낌에 빠져드는 것은 당연하다. 실상은 '나'와 B 사이에는 승패가 없었던 것이다. 아니, 둘 다 패자였던 것이다. 그것은 다만 역사적 현실 속에서 운명처럼 주어진 경쟁이요 대결이었기 때문이다.

〈꺼삐딴 리〉의 경우에도 이런 접근이 가능하다. 시대가 변함에 따라 용케도 살아남는 이인국의 처세술은 비판과 풍자의 대상이 되어 마땅하지만, 그 역시 비극적인 민족사 속에서 몸부림친 역사의 꼭두각시에 불과한 것이다. 사실 작가는 이 소설에서 주인공인 이인국을 비난하지도 동정하지도 않는다. 말하자면 작가는 이인국이라는 '모르모트'를 만들어 냈을 뿐이다. 그리하여 '모르모트'의 반응을 주시하는 과학자처럼 역사적 현실 속에서 헤매는 이인국의 반응을 주시하고 있을 따름인 것이다.

그러나 작가 역시 역사적 현실 속의 존재일진대, 그렇다면 이러한 역사적 현실 속에 놓인 작가의 입장은 무엇일까? 다시 말해, 작가는 어떤 관점에서 역사를 보고 있는 것일까? 이런 질문에 대해 대답할 수 있도록 하는 소설이 〈해도초(海圖抄)〉(1958)이다. 전광용의 다른 소설들도 그렇지만, 사실 이 〈해도초(海圖抄)〉는 당시로서는 여간한 작가적 용기가 아니면 쓰기 어려운 작품이었을 것이다. 1948년 6월, 신문 기자인 '나'는 독도 근해에서 있었던 어민들에 대한 미군 비행기의 무차별 폭격 사건을 취재하러 간다. 그리하여 미군의 기총소사로 관통상을 입고 누워 있는 유일한 목격자인 준구를 만나 이야기를 듣는다. 그러나 준구마저 과다출혈로 인해 끝내 숨을 거두게 된다.

> 검푸른 바다가 오히려 곱고 맑기만 하다. 나는 다시 모시개로 돌아왔다.
> 가슴 속이 허전하기만 하였다.
> R의사가 준구의 죽음을 알려 주었다.
> "비행기, 아, 저기 양키 비행기가……."
> 이것이 그의 마지막 비명이었다는 것이다.
> 안개가 짙어갔다. 그래도 바람기가 없기에 배들은 언젠가 떠나갈 희망을 품고 닻줄을 감고 있다.
> 마치 그들의 아버지나 할아버지가 그러했던 것처럼…….
>
> – 〈해도초(海圖抄)〉 중에서

그 엄청난 비행기 폭격 사건 직후에도 바다는 "오히려 곱고 맑기만 하다." 유일한 목격자였던 준구마저 마지막 비명을 지르고 죽고 말았다. 그리고는 어떻게 되었는가? 어민들은 그들의 아버지나 할아버지가 그랬던 것처럼, 여전히 출어의 희망을 품고 고깃배의 닻줄을 감고 있는 것이다. 이러한 결말은 끝없이 이어져 내려오는 민족적 삶의 끈질긴 모습을 말하고 있는 것이다. 민족적 삶이란 바로 이와 같이 민초들의 생존 열망 그 자체에 뿌리를 두고 있다고 말하는 것이다. 제아무리 무자비한 폭력도 대를 이어 내려오는 이들의 생존 열망을 꺾지는 못하리라고 작가는 말하고 있는 것이다.

민족적 비극이 개인의 삶과 죽음에 결정적인 영향을 주는 모습을 그린 작품으로는 〈죽음의 자세〉를 들 수 있다. 생사조차 알 수 없었던 처남이 어느 날 남파간첩으로 등장하면서, 덕수의 일상적 삶은 완전히 파괴되고 결국 범죄자 은닉 및 불고지죄로 검거되어 재판을 기다리는 신세가 된다. 마침내 공판정으로 나가면서 덕수는 처남을 고발하지 않았다는 데 대해 아무런 "회한이나 비굴감이 없는 그것만으로도 차라리 거뜬한 심정"을 느끼게 된다. 그러면서 공판 결과보다는 아득한 브라질 이민을 생각하고 있는 것이다. 이 역시 운명적으로 역사의 질곡에 빠진 경우이지만, 그 속에서 작가는 주인공의 개인적 진실을 캐어 내고 있는 것이다.

이 개인적 진실은 물론 사회 변혁을 위한 어떤 사상체계 또는 그것을 실천하고자 하는 어떤 사회조직과는 아무런 관계도 없다. 그것은 단지 역사적 질곡에 빠져 버린 한 개인의 외로운 진실일 뿐이다. 그리고 그 개인적 진실과 관계없이 소설의 주인공들은 역사 속에서 명멸하다가 이름 없는 존재로 사라져 갈 따름이다. 그러나 소설의 주인공들이 움켜쥔 개인적 진실은, 역사 속에서의 그 개인의 실패와는 관계없이, 역사의 굴레 또는 운명의 굴레를 끊어 헤치고 일어서는 실존적 저항의 의미를 띠게 된다. 요컨대, 전광용은 일정한 역사적 조건 아래 반응하는 '모르모트'와도 같은 개인을 관찰하면서, 그 '모르모트'에 애정을 갖고 거기서 발견한 개인적 진실로 역사의 질곡과 시대의 어둠을 고발하는, 참으로 특이한 과학자와도 같은 작가였던 것이다.

작가 연보

1918년		음 9월 5일(호적부 1919년 3월 1일로 출생 신고) 咸南 北靑郡 居山面 下立石里 城川村 1011번지에서 부친 全周協 (본관 慶州)과 모친 李氽春(본관 靑海)의 2남 4녀 중 장남으로 출생.
1925년	4월	향리 소재 사립 又新學校 입학.
1929년	3월	又新學校 4학년 졸업.
	4월	北靑郡 陽化공립보통학교 제 5학년 편입.
1931년	3월	陽化공립보통학교 졸업.
1934년	4월	北靑공립농업학교 입학.
1937년	3월	北靑공립농업학교 졸업.
1939년	1월	동아일보 신춘문예에 「별나라 공주와 토끼」 입선. 동화 「별나라 공주와 토끼」(東亞日報, 1939.1)
1943년	10월	專檢 합격.
1944년	11월	韓貞子(본관 淸州)와 결혼.
1945년	9월	京城經濟專門學校(서울대학교 상과대학) 경제학과 입학.
1947년	7월	서울대학교 상과대학 2년 수료.
	9월	서울대학교 문리과대학 국어국문학과 입학. 高明중학교 야간부 교사 취임(사임 1949.10). 희곡 「물레방아」(公演, 1947.1)
1948년	11월	鄭漢淑, 鄭漢模, 南相圭, 金鳳赫 諸友와 『酒幕』 동인 창립.

1949년	10월	漢城日報 기자 취임(사임 1950.12).
		단편 「鴨綠江」(大學新聞, 1949.3)
1951년	9월	서울대학교 문리과대학 졸업.
		서울대학교 대학원 국어국문학과 입학.
1952년	4월	숙명여자고등학교 교사 취임(사임 1953.3).
	11월	부산 피난지에서 國語國文學會 창립에 참여.
1953년	4월	휘문고등학교 교사 취임(사임 1954.6).
		서울대학교 문리과대학 강사 피촉.
	9월	서울대학교 대학원 수료.
1954년	4월	덕성여자대학 강사 피촉(사임 1960.3).
	6월	서울대학교 사범대학 부속고등학교 교사 취임(사임 1955.3).
		논문 「昭陽亭攷」(국어국문학 10, 1954)
1955년	1월	조선일보 신춘문예에 단편소설 「黑山島」 당선.
	4월	수도여자사범대학 교수 취임(사임 1957.3).
	11월	서울대학교 문리과대학 조교수 취임.
		논문 「黑山島民謠硏究」(思想界, 1955.1)
		「雪中梅」(思想界, 1955.10)
		「雉岳山」(思想界, 1955.11)
		단편 「黑山島」(朝鮮日報, 1955.1)
		「鹿芥圈」(文學藝術, 1955.8)
1956년	4월	학술논문 「雪中梅」 사상계 논문상 수상.
		서울대학교 음악대학 및 서울문리사범대학 강사 피촉 (사임 1961.9).
		논문 「遺産繼承과 創作의 方向」(自由文學, 1956.12)
		「鬼의 聲」(思想界, 1956.1)
		「銀世界」(思想界, 1956.2)
		「血의 淚」(思想界, 1956.3)
		「牧丹峰」(思想界, 1956.4)
		「花의 血」(思想界, 1956.6)
		「春外春」(思想界, 1956.7)
		「自由鍾」(思想界, 1956.8)

「秋月色」(思想界, 1956.9)

단편 「凍血人間」(朝鮮日報, 1956.1)

「硬動脈」(文學藝術, 1956.3)

1957년 3월 서울대학교에서 「李人稙研究」로 문학석사 학위 받음.

4월 동덕여자대학(사임 1972.8), 외국어대학(사임 1959.3)
및 수도여자사범대학(사임 1958.3) 강사 피촉.

논문 「李人稙研究」(서울大學校 論文集 6 人文社會科學, 1957)

1958년 논문 「祖國과 文學」(知性, 1958.가을)

「素月과 小說」(知性, 1958.겨울)

「玄鎭健論」(새벽, 1958)

단편 「地層」(思想界, 1958.6)

「海圖抄」(思潮, 1958.11)

「霹靂」(現代文學, 1958.12)

1959년 단편집 『黑山島』(乙酉文化社, 1959) 출간.

단편 「주봉氏」(自由公論, 1959.1)

「G.M.C.」(思想界, 1959.2)

「褪色된 勳章」(自由文學, 1959.2)

「영 1 2 3 4」(新太陽, 1959.3)

「射手」(現代文學, 1959.6)

「크라운莊」(思想界, 1959.9)

1960년 단편 「蟲媒花」(思想界, 1960.9)

「招魂曲」(現代文學, 1960.12)

1961년 4월 성균관대학교 강사 피촉(사임 1962.2).

1962년 10월 단편소설 「꺼삐딴 리」로 제7회 東仁文學賞 수상.

논문 「雁의 聲' 攷」(국어국문학 25, 1962)

단편 「반편들」(思想界, 1962.1, 「바닷가에서」 개제)

「免許狀」(미사일, 1962.1)

「꺼삐딴 리」(思想界, 1962.7)

「郭書房」(週刊 새나라, 1962.7)

「南宮博士」(「擬古堂實記」 改題)(大學新聞, 1962.9)

1963년 11월 국제 P.E.N.클럽 한국본부 사무국장 취임(사임 1964.12).

	논문	「解放後 文學 二十年」(解放二十年, 1963)
	장편	「太白山脈」(新世界 連載, 1963.2 – 1964.3)
		「裸身」(女苑 連載, 1963.5-1964.9)
	단편	「죽음의 姿勢」(現代文學, 1963.7)
1964년	논문	「古典文學에 나타난 庶民像」(韓國大觀, 1964)
	단편	「모르모트의 反應」(思想界, 1964.5)
		「第三者」(文學春秋, 1964.7)
1965년	장편	『裸身』(徽文出版社, 1965) 출간.
	단편	「세끼미」(思想界, 1965.4)
1966년 3월	서울대학교 미술대학(사임 1970.2) 및 서강대학(사임 1967.2) 강사 피촉.	
	논문	「常綠樹考」(東亞文化 5, 1966)
	단편	「머루와 老人」(思想界, 1966.11)
	장편	「젊은 소용돌이」(現代文學, 1966.6 – 1968.2)
1967년	논문	「韓國小說發達史(新小說)」(韓國文化史大系 5, 1967)
	장편	『窓과 壁』(乙酉文化社, 1967)
1968년 3월	서울대학교 문리대 의·치의예과부장 피촉(사임 1970.3).	
9월	고려대학교 교육대학원(사임 1972.8) 및 단국대학교 대학원(사임 1969.2) 강사 피촉.	
	논문	「小說 六十年의 問題點」(新東亞, 1968.7)
1969년 3월	서울대학교 약학대학 강사 피촉(사임 1970.2).	
6월	國語國文學科 대표이사 피선(사임 1971.5).	
	논문	「3·1運動의 文學創作面에 끼친 影響」(3·1運動 五十周年 紀念論文集, 1969)
1970년 3월	성심여자대학 강사 피촉(사임 1978.2).	
	제37차 국제 P.E.N.대회(世界作家大會, 1970년 6월 27일 서울에서 개최) 준비사무국장 피촉.	
	논문	「韓國作家의 社會的 地位」(文化批評, 1970.1)
1971년 3월	숙명여자대학교 대학원 강사 피촉(사임 1977.8).	
8월	아일랜드 더블린에서 개최된 제38차 국제 P.E.N.대회에 한국 대표로 참석.	

논문 「韓國語 文章의 時代的 變貌」(月刊文學, 1971.1)

1972년 3월 서울대학교 문리과대학 문학부장(사임 1974.3).

6월 서울대학교 문리과대학 학장 직무대리(사임 1972.8).

1973년 2월 서울대학교에서 「新小說研究」로 문학박사 학위 받음.

3월 이화여자대학교 대학원 강사 피촉(사임 1974.2).

논문 「新小說研究」(서울대학교박사학위논문, 1973)

「白翎島地方 民謠調査報告」(文理大學報 28, 1973)

1974년 1월 문교부 파견으로 중화민국 교육·문화계 시찰.

11월 국제 P.E.N.클럽 한국본부 부회장 피선.

12월 이스라엘 예루살렘에서 개최된 제39차 국제 P.E.N.대
회에 한국 대표로 참석.

논문 「民族文學의 意義와 그 方向」(月刊文學, 1974.6)

「李光洙研究序說」(東洋學 4, 1974.10)

단편 「牡丹江行列車」(北韓, 1974.9)

1975년 4월 서울대학교 교수협의회 회장 피선(사임 1977.5).

9월 명지대학 대학원 강사 피촉(사임 1976.2).

단편집 『꺼삐딴 리』(1975) 출간.

논문 「近代 初期 小說에 나타난 性倫理의 限界性」(藝術論文
集 14, 1975)

1976년 1월 韓國比較文學會 부회장 피선.

4월 중화민국 臺北에서 개최된 국제 P.E.N.아세아작가대회
에 한국 대표로 참석.

8월 영국 런던에서 개최된 제41차 국제 P.E.N.대회에 한국
대표로 참석.

편저 『新小說選集』(同和出判公社, 1976) 출간.

논문 「枯木花에 대하여」(국어국문학 71, 1976)

「祖國統一과 文學」(統一政策, 1976)

1977년 단편집 『凍血人間』(三中堂, 1977)

논문 「韓國現代小說의 向方」(冠岳語文研究 2, 1977)

「兒童文學과 歷史意識」(兒童文學評論, 1977)

「國語와 現代文學」(文協심포지움, 1977)

1978년	3월	인하대학교 교육대학원 강사 피촉(사임 1979.2).
	5월	스웨덴 스톡홀름에서 개최된 제43차 국제 P.E.N.대회에 한국 대표로 참석.
	12월	韓國現代文學硏究會 회장 피선.

단편집 『牡丹江行列車』(泰昌出版社, 1978)

장편 『太白山脈』(韓國現代文學全集)(三省出版社, 1978)

1979년	3월	서울대학교 含春苑에서 『白史全光鏞博士華甲紀念論叢』 봉정식 가짐(10일).
	7월	중화민국 臺北에서 개최된 韓·中 學者會議에 한국 대표로 참석.
	12월	소설 「郭書房」으로 대한민국문학상(흙의 문학상 부문) 수상.

단편 「時計」(서울대학교 동창회보, 1979.6)

　　　「표범과 쥐 이야기」(韓國文學, 1979.8)

| 1980년 | 4월 | 韓國比較文學會 회장 피선. |
| | 5월 | 한미 친선 관계로 미국 방문. |

논문 「독립신문에 나타난 近代的意識」(국어국문학 84, 1980)

　　　「百年來 韓中文學交流考」(比較文學 5, 1980)

1981년	3월	한국정신문화연구원의 한국학대학원 강사 피촉(사임 1981.8).
	8월	미국 피닉스에서 개최된 제15차 世界現代語文學大會에 한국 대표로 참석.
	10월	중화민국 臺北에서 개최된 제1차 韓·中作家會議에 한국 대표로 참석.

논문 「李光洙의 文學史的 位置」(崔南善과 李光洙의 文學, 새문사, 1981)

　　　「李人稙의 生涯와 文學」(新文學과 時代意識, 새문사, 1981)

　　　「戰後 韓國文學의 特色」(比較文學 6, 1981)

| 1982년 | 8월 | 미국 뉴욕에서 개최된 제10차 世界比較文學大會에 한국 대표로 참석. |
| | 9월 | 연세대학교 대학원 강사 피촉. |

1983년	1월	서울시 교육회 주관 해외교육연수단 참가, 남태평양지역 교육 문화계 시찰.
	2월	北靑 民俗藝術保存會 이사장 피선.
	3월	문교부의 교류교수 계획에 의하여 청주사범대학에 1년간 근무차 부임(사임 1984.2).
	8월	중화민국 臺北에서 개최된 比較文學大會에 한국 대표로 참석.

편저 『韓國近代小說의 理解』(民音社, 1983)

논문 「金東仁의 創作觀」(金東仁研究, 새문사, 1982)

「韓國小說에 있어서의 漢字表記問題」(比較文學 8, 1983)

1984년	1월	서울시 교육회 주관 해외교육연수단 참가, 유럽 교육 문화계 시찰.
	8월	서울대학교 교수 정년퇴임. 국민훈장 동백장 수훈.
	9월	세종대학 초빙교수 취임.

北靑 民俗藝術保存會 등 5개 단체로 구성된 대한민국 民俗藝術公演團을 인솔, 일본 방문.

서울대학교 정년퇴임기념논문집 『韓國現代小說史研究』(民音社, 1984)를 편저 형식으로 발간.

1986년		저서 『韓國現代文學論攷』(民音社, 1986)
		『新小說研究』(새문사, 1986)
1988년		6월 21일 별세.